동양의 근대적 통치성

동양의 근대적 통치성

이동수 편

ⓘ 인간사랑

서문

서양에서 근대는 문예부흥과 대항해 시대의 개막, 그리고 종교개혁과 근대국가의 등장 등을 통해 성립되었다. 이는 15세기부터 두 세기에 걸쳐 신 중심 세계에서 인간 중심 세계로의 변화, 농업사회에서 상업과 무역이 발달한 사회로의 진화, 그리고 봉건제적 통치체제에서 중앙집권적 통치체제로의 전환을 초래하였다.

한편 당대 동양에서는 전통적인 세계로부터 크게 벗어나지 못한 상태였다. 조선이나 명나라는 유목국가인 원나라의 지배로부터 벗어나는 데에는 성공했지만, 인륜적 유교 질서 속에 편재된 중앙집권적 농업국가를 재건한 데 그쳤다. 또한 일본 에도막부는 장기간에 걸쳐 전국시대 내전과 대외전쟁을 끝마쳤지만, 전통적 질서를 안정적으로 회복하는 데 머물렀다. 동양에서 근대의 출현은 19세기 서양 세력이 몰려옴에 따라 변화의 필요성을 느낄 때까지 미루어야 했던 것이다.

배링턴 무어(B. Moore)가 설파했듯이, 국가별 근대화의 경로는 다를 수밖에 없다. 영국이나 프랑스, 네덜란드처럼 다른 국가들에 앞서 상업적 농업을 택하고 해외무역을 선점한 국가들의 근대화 과정은 후에 이들을 쫓아가기 위해 국가 주도로 근대화를 주도했던 독일을 비롯한 후발 국가들의 근대화 과정과는 사뭇 다르다. 또한 제국주의적 침탈을 당하기 전까지 비교적 지역적 분쟁이 적었던 동양에서는 갑작스러운 근대화를 추진하면서 서양의 국가들과는 또 다른 경로를 겪어야 했다.

하지만 동양에서 진행된 근대화 과정은 여러 측면에서 서구의 그 것과는 다르다. 왜냐하면 서구는 민간 주도의 경제활동이 변화함에 따른 경제적 근대화가 중심이었지만, 동양에서는 서구의 침탈에 대항하기 위한 정치적 의도에 따라 마지못해 근대화를 택했기 때문이다. 따라서 근대를 지나 현대사회로 접어든 오늘날에도 동양사회는 서구 사회와는 달리 예전부터 이어져 온 전통적인 사유방식과 문화, 생활 양식과 경제관념이 짙게 묻어있는 것이다. 이에 대해 혹자는 동양의 근대화가 서양과 다른 경로로 이루어졌다고 평가하거나, 다른 혹자는 동양 근대화의 근본적 한계라고 지적하기도 한다.

이러한 문제의식 아래 이 책은 동양의 근대적 통치성이 무엇을 중시하고 서구의 통치성과 무엇이 다른지에 대해 국가별로 나누어 살펴보았다. 먼저 1장과 2장은 조선의 건국이 어떤 통치성에 기반했는지와 개화기에 그것을 어떻게 변화시키려 했는지에 대해 알아보았다. 3장과 4장은 일본 메이지유신이 일본의 전통을 어떻게 유지하면서도 변화시키려 했는지에 대해 살펴보았다. 5장과 6장은 현대 중국과 북한이 공산주의 사회에서 어떻게 근대사회로 변화하고자 하는지에 대해 추적하였다. 그리고 7장과 8장에서는 서아시아 국가인 인도와 오스만제국이 추진한 근대화의 노력과 그 한계에 대해 분석하였다.

이 책은 2019년도부터 2022년까지 진행하는 〈한국연구재단〉 인문사회연구소지원사업인 "다층적 통치성과 넥스트 데모크라시: 폴리스, 국가 그리고 그 너머"(NRF-2019S1A5C2A02083124) 프로젝트의 일환으로 출판하게 되었다. 각 장들은 프로젝트에 참여하는 분들과 매달 진행되는 콜로키엄에서 발표해주신 분들이 함께 담당해주셨다. 모임에 참석해 좋은 발표와 열띤 토론을 해주신 연구자들에게 진심으로 고마움을 느낀다. 그리고 이 책의 출판을 지원해준 〈한국연구재단〉과 사명의식을 갖고 출판을 기꺼이 수락해준 인간사랑 출판사 관계자들, 그리고 책 교정에 도움을 준 〈공공거버넌스연구소〉 조교들에게 깊은 감사의 말씀을 전한다.

2022년 6월
경희대학교 공공거버넌스연구소장 이동수

차례

1장 조선 성리학의 정치와 통치*

김영수

I. 서론: 송대의 지식혁명과 성리학

성리학은 송대에 성립한 신유학이다. 송나라는 중국 역사상 가장 혁신적 시대 중 하나였다. 송은 일종의 문명모델로서, 11세기 이후 700여 년간 동아시아의 국가모델이 되었다.

---

* 본고는 다음의 저서 및 논문의 일부를 본서의 목적에 맞게 수정·보완한 것임. 『건국의 정치: 여말선초, 혁명과 문명 전환』(이학사, 2006); "조선 공론정치의 이상과 현실(1): 당쟁발생기 율곡 이이의 공론정치론을 중심으로"(『한국정치학회보』 39집 5호, 2005); "조선 공론정치의 이상과 현실(2): 당쟁발생기 율곡 이이의 공론정치론을 중심으로"(『한국정치연구』 28집 1호, 2019).

1장 조선 성리학의 정치와 통치 | 11

10세기, 당 말기에서 송 초기로 이행하는 시기는 중화 제국사에서 가장 뚜렷한 단절을 나타냈다. 유교 이념의 교육을 받고 치열한 과거 시험을 통해 등용된 사대부 계층이 중국의 전통을 다시 만들 계층으로 새로이 부상하였다. 이들이 정치, 이념, 철학, 문화, 문학, 예술, 기술, 과학 분야에서 이룬 성취와 더불어 일상생활을 변화시킨 당시의 강한 경제력은 송 왕조가 얼마나 혁신적인 왕조였는지를 알려준다. 중국 역사상, 사회 전체를 바꾸고 개혁하겠다는 중국 사람들의 의지가 이때만큼 성공적이고 강력하게 발휘된 때도 별로 없었다. 송의 혁신과 근대성의 여명을 예고한 중국의 "르네상스"였다고까지 평가하는 역사가들도 있다(Kuhn 2015, 17).

송대의 경제는 매우 발달하여 산업혁명 전 단계까지 이르렀다. 정교한 방직기의 발전과 농사일의 기계화가 생산을 증가시키고 생활수준을 향상시켰다. 잘 발달된 운송체계가 수도와 조정에 식품은 물론 새로운 도시 생활의 일부가 된 기타 생필품을 공급했다. 송나라의 방직 능력은 19세기 증기기관 동력으로 방적기를 이용한 공장 노동자의 하루 생산과 비교해도 뒤지지 않았다. 실제로 중국 제사기와 방직기는 이탈리아 견직 산업과 영국 면직물 기술에 채택되었다. 중국의 기계들이 유럽 산업혁명의 기계적 기초가 된 것이다(Kuhn 2015, 396-401). 송의 지폐는 세계 역사상 국민경제에 쓰인 최초의 자립 지폐제도였다. 한국은 1296년, 일본은 1344년, 베트남은 1396년 지폐를 받아들였다. 유럽은 1661년 스웨덴에서 처음 사용되었고, 영국이 1797년, 독일이 1806년 수용했다. 송대 학자들은 화폐가 금은의 가치처럼 지불과 교환의 수단이라는 것을 아주 잘 이해했다(Kuhn 2015, 426-433).

송대의 지식혁명에 가장 중요한 것은 인쇄술의 혁명이다. 11세기에 활자가 발명되어 목판에 새기는 판각을 대체했다. 학자이자 관리인 심괄은 이 새로운 인쇄술을 1040년 필승(畢昇)의 발명으로 기술했다. 하지만 사실은 1298년 지방지를 출간하면서, 새로운 목활자 인쇄의 기술적 문제를 극복한 사람은 왕정(王禎)이었다. 인쇄의 대중화가 이루어낸 문화적, 경제적 성과는 지대했다. 종이생산이 증가하고 인쇄소가 급증했으며, 이들이 인쇄의 표준을 만들었다.

> 상업적 출판이 점점 흔해져 가던 바로 그 시절에 신유학은 퍼지기 시작했다. 그 당시 많은 현들이 하나둘 정도의 인쇄업자들을 가지고 있어서 더 많은 텍스트들이 유통되고 남겨질 수 있었다. … 사유재산이 증가하여 신유학자들이 자신들의 책을 출판하는 데 필요한 돈을 거두어들였고 사당(shrine)과 서원(academy)을 건설하고 자선활동단체를 조직할 수 있게 되었다(Bol 2010, 23).

인쇄술의 발전은 상류층의 읽기, 쓰기, 서적 수집의 방식에 변화를 초래했다. 백과사전류가 인쇄되어 보급되었다. 978년 『태평광기(太平廣記)』는 한·당대의 책 485종을 종합했다. 984년 중국 지식백과사전으로 최대 규모인 『태평어람(太平御覽)』이 편찬되었다. 이 책은 1,690가지 자료에서 채택한 내용을 5,363가지로 분류해 1,000권의 책으로 제작했다. 1011년에는 『십삼경(十三經)』이 편찬되어 과거 교재로 사용되었다. 이리하여 과거 시험자들은 책을 구해 시험 준비를 할 수 있게 되었다. 인쇄술은 송의 르네상스기에 지식의 확산에 기여했다. 경제의 발전에 따라 지방에도 광범위한 지식층이 형성되고, 인쇄술의 발전으로 중국 전역에 새로운 지식과 학문이 급속히 확대되었다. 그들이 신유학 시대의 사대부층이다(Kuhn 2015, 85-91).

경제가 발전하고 지식이 확산되면서 지식혁명이 발생했다. 송대는 중국철학의 황금기였다. 고대 유학의 가치체계가 12세기 학자들에 의해 새로운 활력을 얻고 최고의 경지로 표현되면서, 전근대 중국과 동아시아의 최고 이념이 되었다. 송대에 성립한 성리학은 유학의 일파이지만 기존의 유학과 다르다.

> 신유학자들은 공자와 맹자가 참으로 말하고 싶었던 것을 자신들이 재발견하였다고 주장하였으며, 고대 텍스트의 해석을 통해 자신들의 발언을 하였다. … 1세대 신유학자들은 자신들이야말로 불교와 도교를 불필요하게 만들었다고 생각했다. 신유학은 중국이라는 제국 역사의 후반부를 지배한 정통이었다(Bol 2010, 21-22).

II. 성리학의 탄생과 문제의식: 불교·도교의 반세속주의 (anti-secularism)에 대한 투쟁

한·당대의 사상계에서 불교와 도교는 유교보다 우세했다. 성리학은 불교와 도교를 극복하고자, 불교의 심성론과 도교의 우주론을 수용하여 성립되었다. 불교와 도교의 주요한 주장은 탈세속주의이다. 하지만 성리학은 철저한 세속주의이다. 성리학은 불교와 도교의 현실 부정의 논리를 어떻게 극복하고 현실 긍정의 논리를 제시할 수 있는가? 그 철학적 과제는 단순한 것으로서, 일상적인 삶의 실천을 통해서도 인간은 어떻게 자기를 완성할 수 있는가에 답하면 된다.

이 문제가 중국 문명의 정신적 과제로서 심각하게 검토된 것은 송대에 들어와서였다. 내부의 정치적 폐단과 북방 민족들의 심대한 군사적 압력에 직면했던 송대의 사대부들은 국가사회의 문제를 자신의 문제로 받아들여, 그 정치적·정신적 과제를 열정적으로 탐구했다. 그러나 이에 대한 답변은 대단히 어려워서, 성리학자들의 주장에 따르면 맹자 이후 천년의 세월이 흐른 뒤에야 가능했다. 권근에 의하면, "불법이 중국에 들어오니 그 폐해가 양묵(楊墨)보다 심하여, 선유(先儒)들이 이따금 그 잘못을 변박하였으나 책을 지을 만한 사람이 없었다"고 한다(『三峯集』卷5, 「佛氏雜辨」).[1] 이 때문에 사람들은 "공자의 생도들은 성명(性命)의 도(道)를 궁구하기에 부족하다"고 생각했다(『復性書』上). 주자는 다음과 같이 말한다.

진한(秦漢) 이래로 성인들이 전한 도리를 탐구하는 학문이 끊어져 버리고, 유자들은 글을 짓고 시를 암송하는 것에만 공력을 기울여,

---

[1] 권근의 불교관에 대해서는 채정수(1984), 이정주(1997) 참고.

그들이 남긴 것은 일상의 비루하고 깊이 없는 내용에 머물고 말았습니다. 한편으로 이러한 풍조에 만족하지 못한 사람들도 있었지만, 그들 또한 노자나 불교의 가르침에서 도리를 구해보고자 했던 것에 불과합니다. 따라서 참된 도리와 그들의 거짓 가르침이 서로 보는 바가 다르고, 본질적인 것과 지엽적인 것의 결과가 다름으로 해서, 진리의 가르침은 숨겨지고 어두워져, 그렇게 장장 일 천년을 흘러왔습니다(『朱熹集』卷26, 「癸未垂拱奏札」1).[2]

즉, 유학에서 해답을 발견하지 못한 지식인들은 도교와 불교의 세련된 교설에 매료되었던 것이다. 주자는, "빠른 길이 한 번 열리자 바람에 휩쓸리듯 온 세상이 쏠렸다"고 말했다(『朱子大全』卷4, 「齋居感興」). 이러한 정신적 경향에 처음으로 반발한 사람이 당(唐)의 한유(韓愈)였다.

진(晉)으로부터 수(隋)에 이르기까지 노불(老佛)이 성행했다. 성도(聖道, 유교)는 가는 띠처럼 간신히 이어질 뿐이었다. … 한유는 홀로 탄식하여 성인(聖人)을 인용하여 사해(四海)의 미혹과 싸웠다. … 옛날에 맹자가 양묵(楊墨)을 배척한 것은 공자로부터 단지 2백 년밖에 되지 않았다. 그런데 한유가 노불을 공격한 것은 그로부터 천여 년이나 되었다(『舊唐書』, 「韓愈傳」).

---

2 그러나 성리학은 도교와 불교의 지대한 영향을 받았다. 이에 대해서는 島田虔次 (1986) 참고.

그가 노불에 대항하여 제시한 철학적 논변은 그다지 높은 것이 아니었다. 그러나 그는 자신의 정신적 경향이 지닌 의미를 분명하게 자각하고 있었다. 「원도(原道)」가 그것이다. 그는 "내가 말하는 도는 노자와 불교에서 말하는 도가 아니다"라고 명언했다(『昌黎先生文集』卷11, 「原道」). 또한 "그 도가 나로 말미암아 대략이나마 전하게 되었으니, 비록 죽어도 아무 여한이 없다"(『昌黎先生文集』卷18, 「與孟尚書書」)고 말하고 있다. 그가 말하는 도란 무엇인가?

> 옛날에는 이른바 마음을 바르게 하여 그 뜻을 정성스럽게 함에 의해 특히 이룸이 있었다. 지금은 그 마음을 다스린다고 하면서, 천하 국가를 도외시하여 천상(天常)을 없앤다(『昌黎先生文集』, 「原道」).

그에 따르면 그것은 요순부터 시작되어 맹자 이래 상실된 정신적 전통이었다. 사라진 전통의 시대에는 '성의정심(誠意正心)'으로써 위대한 정치를 행했다. 그런데 이제 인격 완성을 도모한다고 하면서 정치의 세계를 떠나 인륜을 절멸시키고 있다는 것이다. 그 설명은 비록 소략하나, 노불에 반대하는 성리학의 근본테제를 잘 요약하고 있다.

> 불교, 도교의 이론은 깊이 따지고 말고 할 필요가 없다. 그들의 가르침이 삼강오륜을 폐지하려고 하는 것, 그 이유 하나로도 이미 최고의 죄를 범한 것이다. 그러니 그 이외의 일은 다시 말할 필요도 없다(『朱子語類』卷126).

주자는 두 교설의 뛰어난 점을 일면 인정한다. 그러나 이들은 모두 '인륜성'을 부정하고 있다. "노자는 인륜의 밖에 위치한 사람"이며, "인륜을 해치는 자"이다. 그는 "사람의 소리를 즐기지 않고, 남녀의 관계를 싫어하며, 관리가 되어 사회에서 활동하는 것도 원하지 않기" 때문이다. 그러나 "노장이 의리를 파괴하는 정도는 극단적인 데 미치지 못한다. 불교는 인륜을 완전히 파괴시킨다"(『朱子語類』卷126). 즉, 주자는 어떤 철학이라 해도 윤리적 문제에 부적절한 것은 무의미하다고 보았다(이용주 1997, 94).

그런데도 왜 사람들은 노불에 매혹되는가? 유교는 너무 일상적이어서 노불처럼 신비함도 없었고, 불교에 대항할만한 형이상학적 체계성도 갖추고 있지 못했다. 성리학 이전의 유학은 주로 훈고학과 문학(詞章)에 머물러 있었다. 그리하여 성리학 운동의 창시자들은 먼저 유학 자체를 쇄신하고자 했다. 그들은 유학의 원시 경전으로 돌아가 새로운 해석을 제시했다.

> 경(經)은 도(道)를 싣는 것이다. 그릇(器)은 쓰임에 적합해야 한다. 경을 배우고도 도를 알지 못하고 그릇을 만들고도 쓸모가 없다면, 무슨 소용이 있겠는가(『二程全書』卷6, 「遺書」).

즉, 유교 경전을 읽고서도 훈고학이나 사장학처럼 현실의 삶에 아무 소용이 닿지 않는다면 무의미한 것이다. "불교는 공(空)을 말하고 유교는 실(實)을 말한다. 불교는 무(無)를 말하고 유교는 유(有)를 말한다"(『朱子語類』卷126). 그리하여 이들은 훈고학과 사장학으로부터 이른바 '의리학(義理學)'으로 유학을 전환시켰다. 즉 유학의 교설에 실천적이고 윤리적인 의미를 적극적으로 부여하고자 했던 것이다. 그러기 위해서는 궁극적으로 일상적인 삶의 실천을 통해 인간의 완성이 가능하다는 점을 입증해야 했다. 그것은 어떻게 가능한가? 그것은 한마디로 '리(理)'를 알고 '리'를 실천하는 것이다. 즉 '리'가 만물의 근원임을 자각하고 그것을 이해하여, 일상적인 삶의 모든 국면에서 그에 적절한 '리'를 실현하면 그는 완성된 자이다. 그렇다면 '리'는 무엇인가?

'리'는 하늘과 땅이 존재하기 전에 이미 존재하는 것이다. 천지도 '리'가 있음으로써 존재한다. 그러므로 만일 '리'가 없으면 천지도 존재할 수 없고, 사람이나 사물도 존재할 수 없다(『朱子語類』卷1). 즉 '리'는 세계의 근원적 창조자이자, 만물이 모범으로 따라야 할 표준이다.

이처럼 리(理)를 형이상학과 실천윤리의 핵심적 개념으로 제시한 사람은 정호(程顥, 1032-1085)였다.[3] 그런데 정호의 주장이 지닌 의미는 장재의 주장과 비교할 때 명확해진다. 장재는 주돈이(周敦頤)의 「태극도설(太極圖說)」을 논리적으로 설명한 「정몽(正蒙)」에서, 만물의 근원은 기로 이루어진 태허이며, 이 태허의 운동에 의해 현상사물인 객형(客形)이 탄생한다고 말하고 있다. 인간도 고요하고 텅 빈 태허로부터 탄생했다. 그러므로 인간이 자신의 마음을 비워(虛心) 텅 빈 상태로 하면, 자연의 태허와 일치하여 자연과 하나가 된다. 이렇게 되면 외부에서 어떤 상황이 닥쳐와도 그것에 알맞게 대응할 수 있다. 이것이 장재

---

3   이하 성리학적 문제의식의 발전에 대한 설명은 손영식(1993, 57)의 논의를 따랐다.

가 제시한 일상생활에서의 완성된 삶이었다.

그러나 장재는 "마음을 안정시키려 하나 능히 움직이지 않을 수 없어서, 오히려 외물(外物)에 얽매이게 된다"[4]고 고백하고 있다. 이에 대한 해답은 '태허'를 '천명'으로 전환시키는 것이었다. 「서명(西銘)」에서 그는, 천지의 기가 자신의 몸을 만들고 천지의 마음이 내 본성을 이루었으므로, 하늘은 아버지이고 땅은 어머니이며, 만인은 동포(同胞)이고 만물은 동류(同類)라고 말한다. 그러므로 인간은 천명을 공경하고 따라야 한다. 여기에서는 구세의식의 형이상학적 근거가 제시되고 있을 뿐만 아니라, 개인의 도덕적 완성을 위한 방법으로써 천명에의 순종이 제시되고 있다(「西銘」).

정호와 정이는 「정몽(正蒙)」을 비판했던 반면, 이 「서명」은 한유가 제시한 「원도」의 근본원리를 이루고 있다고 평가했다.[5] 그러나 천명을 두려워하여 도덕을 실천하는 것은 묵자의 논리이다. 인간은 단지 자신의 자율적 이성과 양심에 따라 도덕을 실천해야 한다는 것이 맹자의 생각이었다. 정호는 「식인편(識仁篇)」에서 「서명」을 맹자적으로 재해석한다. 맹자에 의하면, "만물은 모두 나에게 갖추어져 있다. 나를 반성하여 성실하면 더 이상 즐거울 수 없다".[6] 결국 '리'가 나에게 갖추어져

---

4 定省 未能不動 猶累於外物(『明道先生文集』 卷3, 「答橫渠先生定性書」).

5 孟子以後 却只有原道一篇 若西銘 則是原道之宗祖也 … 自孟子後 蓋未見此書(『二程全書』, 「二程遺書」 2上-154).

6 孟子言 萬物皆備於我 須反身而誠 乃爲大樂 … 訂頑意思 備言此體(『二程全書』, 「二程遺書」 2上-28).

있음을 깨닫고, 이를 궁구하여 나의 이성과 양심을 극진히 하면 그것이 바로 천명일 뿐이다.[7] 그러므로 장재처럼 굳이 마음을 비워 욕망과 감정을 제거하려고 할 필요는 없다. 그것은 인간을 "마른 나무와 불꺼진 재"처럼 만드는 것이다.[8] 단지 만사를 이치에 맞게 공정하게 처리하면 된다.[9]

그런데 정이(程頤, 1037-1107)에 따르면, 인간은 이치에 따라 행동하기 쉽지 않다. 왜냐하면 인간의 성질은 '천명지위성(天命之謂性)'과 '생지위성(生之謂性)'으로 구성되어 있기 때문이다. 생지위성의 성은 우리의 욕망과 감성이다.[10] 하늘은 인간에게 모두 선한 본성을 부여했으나, 사람에 따라 그 성질은 다르다. 이 욕망에 끌려다니지 않기 위해서는 나에게 구비되어 있는 리(理), 즉 미발(未發)의 본성을 알아야 한다. 그러나 미발의 본성은 의식 이전의 상태이므로 인식될 수 없다. 그러므로 그것은 인식의 대상이 아니라 함양(涵養)되어야 한다. 즉, 존심양성(存心養性)해야 한다. 그 방법이 '거경(居敬)'과 '궁리(窮理)'이다. '경(敬)'의 상태는 마음이 전일하여 혼란스럽지 않은 것(主一無適)으로, 요

---

7   窮理 盡性 至于命(『周易』, 「說卦」 1).

8   懲此以爲病 故要得虛靜 其極 欲得如槁木死灰 又却不是 蓋人活物也 又安得爲槁木死灰(『二程全書』, 「二程遺書」 5-43).

9   夫天地之常 以其心普萬物而無心 聖人之常 以其情順萬事而無情 故君子之學 莫若廓然而大公 物來而順應(『明道先生文集』 卷3, 「答橫渠先生定性書」).

10 生之謂性與天命之謂性 同乎 性者不可一槪論 生之謂性 止訓所稟受也 天命之謂性 此言性之理也 … 若性之理也 則無不善, 曰天者 自然之理也(『二程全書』, 「二程遺書」 24-17).

컨대 도덕적 상황에 민감한 정신상태이다. 따라서 '거경'은 탐구라기보다 일종의 도덕적 훈련이다. 이를 위해서는 욕망에 빠지지 않도록 훌륭한 습관을 들임으로써 인격을 형성시켜야 한다. 이것은 『소학(小學)』의 공부에 해당된다.

'리(理)'란 선의 근원(所以然)이자 각각의 상황에 마땅한 도리(所當然)이다. 이것을 알기 위해서는 경험세계를 면밀히 탐구해서 이치를 깨쳐야 한다(格物致知). 이것은 『대학(大學)』의 공부에 해당된다. 어느 정도 탐구하면 문득 전체를 깨닫게 된다(豁然貫通). 이렇게 하여 인격이 완성된 자는 언제나 도덕적으로 깨어있는 상태이며(復卦), 자신이 머물러야 할 곳에 머문다(艮卦). 이것이 이른바 공자가 말하는 정명(正名)이다. 정명에 의해 자신이 해야 할 일을 다하면, 그것이 어짊(仁)이다. 그것은 세상을 사랑하는 것이며, 세상을 위해 헌신하는 것이다. 맹자에 의하면 인(仁)은 인심(人心)이다. 요컨대 유학의 마지막 이상은 사람다운 사람이 되는 것이다.

Ⅲ. 성리학의 정치와 통치: 세속성(secularity)의 회복

성리학이 직면한 과제는 궁극적으로는 진정한 '세속성'(secularity) 또는 '정치성'의 회복이었다. 즉, 일상생활과 분리되어 산속으로 간 세속성을 환속시키는 한편, 비속화된 현실의 세속성을 정화(淨化)시키는 것이었다. 현세적 삶을 옹호할 뿐만 아니라, 동시에 그 속에서도 초월적 삶을 성취할 수 있을까? 이것이 성리학의 본질적 질문이었다. 주자는 다음과 같이 주장한다.

> 속된 유자(儒者)들의 암기하고 문장 짓는 습속은 들이는 공(功)이 『소학(小學)』보다 배나 되지만 무용하다. 이단의 허무와 적멸(寂滅)의 가르침은 『대학』보다 고원(高遠)하지만 실(實)이 없다. 기타 권모술수는 모두 공명(功名)의 논의이다. 백가(百家)와 중기(衆技)의 유파는 혹 세무민하는 것이다. 인의(仁義)를 막는 것이 어지럽게 그 사이에서 잡출(雜出)한다(『大學章句序』).

주자의 지적처럼, 성리학의 정신적 투쟁은 네 측면에서 진행되었다. 첫째, 불교의 이원적인 초월의 교의(transcendental doctrine)에 대적하여 일원적인 세속의 형이상학(secular philosophy)을 제시하는 것이었다. 둘째, 샤머니즘과 통속적 불교에 의해 주술화된 세속성을 합리적 세속성(rational secularity)으로 대치하는 것이었다. 셋째, 사장 유학의 낭만적 세속성(romantic secularity)에 의해 상실된 실천적 세속성(practical secularity)을 회복하는 것이었다. 넷째, 정치현실주의의 공리적 세속성(utilitarian secularity)을 윤리적 세속성(ethical secularity)으로 전환시키는 것이었다.

이에 답하기 위해서는 첫째, 일상의 세계 속에서도 진리에 도달할 수 있는 방법이 제시되어야 했다. 둘째, 인간의 행위와 진리가 일관된 원리에 의해 연관되어 있다는 점을 해명해야 했다. 셋째, 시적 정신세계가 정신적 피상성의 산물임을 입증해야 했다. 넷째, 공리주의의 도덕적 결핍을 공격해야 했다. 이러한 과제는 한 마디로 정치와 윤리, 진리, 그리고 자연을 하나의 패러다임으로 이해할 수 있어야 한다는 것을 의미하고 있다.

이런 문제의식을 가진 송대 이학의 모든 논의를 집대성하고 체계화한 것이 주자였다. 주자는 현세에서의 인격 완성이 가능할 뿐만 아니라 그것이 이상적이라고 주장한다. 나아가 개인의 완성은 전체의 완성을 지향해야 한다. 그는 『대학』이 삼대의 성왕들이 "백성들을 다스리어 교화하게 하여 그들의 본성을 되찾도록 해주는(復性)" 책이었다고 주장했다(『大學章句序』). 통치자는 정치가이자 교사인 군사(君師), 즉 이상적인 정치가이자 완성된 인간이다. '성왕'들을 통해 우리는 최상의 진리가 정치의 세계를 떠나 홀로 존재하지 않는다는 것을 알 수 있다. 동시에 정치의 세계는 더 높은 세계로부터 이해되어야 한다는 점을 알게 된다. 그러나 주자의 이러한 모든 노력은 '인륜'으로 불리는 '세속성'이 인간에게 자연스러운 것이며, 그 자연스러움을 떠난 진리는 온전한 것이 아니라는 점을 강조하는 것이었다. 요컨대 성리학은 정치적 지성에 최상의 가치를 부여했다. 이제 정치적 문제는 기피되어야 할 대상이 아니라, 개인의 인격적 완성을 위해서도 피할 수 없는 문제가 되었다.

성리학자들은 이상적인 정치공동체의 창설을 위한 항구적인 원리를 발견하고자 했으며, 그에 따라 여러 정치제도를 완성하고 이를 법전화시키고자 했다. 성리학적 정치체제는 두 가지 방식으로 구성되었다. 첫째는 수기(修己)에 의한 정신의 제도화이며, 둘째는 공적인 정신에 의한 욕망의 제도화이다. 아래에서는 이에 대한 정치체제론을 검토해 보도록 하자.

1. 내적 통치제도론: 정신의 제도화와 예치(禮治)

플라톤의 국가가 이데아의 실현을 목표로 하고 있듯이, 성리학은 인간성의 완성을 국가의 이상적 목표로 생각했다. 주자는 성리학의 정치적 이상을 다음과 같이 말하고 있다.

> 하늘이 사람을 냄으로부터 사람들에게는 이미 인의예지의 본성(仁義禮智之性)이 부여되지 않은 일이 없었다. 그러나 그 타고난 기질(氣質之稟)이 같을 수가 없었으니, 그래서 모두 자기 본성이 지니고 있는 것을 알아 가지고 그것을 온전히 하지 못하였던 것이다. 그들 가운데 총명하고 예지가 있어, 그의 본성을 다할 수 있는 자가 나오기만 하면, 곧 하늘은 반드시 그에게 명하여 만민의 군사(君師)로 삼고, 그로 하여금 백성들을 다스리어 교화(治而敎)하게 하여, 그들의 본성을 되찾도록 하였던 것(復性)이다(「大學章句序」).

인간의 참된 상태를 회복하는 것(復性)이 정치의 궁극적 목표인 것이다. 마키아벨리는 선한 시민은 선한 인간과 다르다고 인식하였다. 그러나 플라톤 이래의 정치철학은 기본적으로 선한 인간이 선한 시민이라는 인식에 기초하고 있다. 그러므로 그들은 모두 정치적 삶과 영혼의 선을 일치시키고자 했다. 요컨대 모든 정치적 질병은 결국 영혼의 질병으로부터 기원하기 때문이다.

그러한 인식은 성리학에 있어서도 동일하다. 주자가 제시한 〈격물치지-성의정심-수신제가-치국평천하〉라는 방법론은 바로 그러한 인식의 산물이다. 인간의 완성은 정치의 완성이자, 세계의 완성과 수미일 관하게 직접적으로 연관되어 있는 것이다. 그러므로 교육은 정치의 처음이자 가장 근본적인 방법론이다. 주자는 이에 대해 다음과 같이 말하고 있다.

삼대의 융성했던 시기에 학교의 제도가 점차로 갖추어진 뒤엔 왕궁이나 국도(國都)에서 여항에 이르기까지 학교가 있지 않은 곳이 없었다. 사람이 나서 여덟 살이 되면 왕공(王公)으로부터 아래로 서민들의 자제에 이르기까지 모두 소학(小學)에 들어가 그들에게 물 뿌리고 쓸고 응대하고 진퇴하는 절도(掃灑, 應待, 進退之節)와 예법, 음악, 활쏘기, 말몰기, 글쓰기, 산수(禮樂射御書數)에 관한 글을 가르치게 하였다. 그들이 열다섯 살이 되면 천자의 원자(元子)와 그 밖의 아들들로부터 공경, 대부, 원사(元士)의 적자(嫡子)들과 평민의 뛰어난 자제들에 이르기까지 모두 대학에 들어가게 하여 궁리(窮理) 정심(正心), 수기치인의 도를 가르쳤다. 이것이 학교의 가르침과 대소의 예의범절이 나뉜 연고이다(「大學章句序」).

『대학』이라는 책은 정치의 근본적 원리를 다루고 있지만, 사실은 "옛날 태학에서 사람들을 가르친 법을 다룬 것"이다. 그런데 교육은 정치적 관점에서 볼 때, 정신의 제도화이다. 즉, 교육이란 특정한 의미의 정신형태를 만들어 내기 위한 제도이다. 어린아이들은 스스로 무엇을 생각하기 전에 특정한 형태로 행동하도록 가르쳐진다. 특정한 형태의 행동은 특정한 형태의 정신상황, 성리학적으로 볼 때 '거경'의 정신을 낮게 한다. 이것이 『소학』의 목적이다.

이런 교육이 필요한 이유는 '리'가 인식 이전에 깨달음의 대상이라는 점 때문이기도 하지만, 일차적으로는 인간의 자연적 욕망을 극복하기 위해서이다. 주자에 따르면 인간은 참다운 성품을 타고났으나, 동시에 기질로 인해 본성을 잃은 상태에 있다. 정도전은 "순수하게 지극히 선하여 본래 잡된 바가 없는" 이가 태초에 존재하여 이로부터 기가 나오고, 기로부터 만물이 탄생되었다고 본다(『三峯集』卷10, 「心氣理篇」). 권근에 의하면, 만물은 이 기의 소통과 고른 정도에 따라 성인과 중인(衆人), 금수·초목으로 삼분된다. 그리하여 사람이란 그 리(理)는 하나지만 타고나는 기질과 행위에 있어서는 선악의 차이가 있고, 리(理)가 손상될 때는 인간도 금수에 떨어진다고 보았다(『陽村集』, 「入學圖說」). 즉 인간의 내면에는 서로 다른 두 개의 인격이 존재한다. 하나는 욕망적 자아(氣質之性)이며, 다른 하나는 그것을 주시하는 비판적 자아(本然之性)이다. 이것이 인욕과 천리의 대립이다.

> 신이 듣건대 기미(幾微)란 것은 마음속의 은미한 것으로, 선과 악이 나누어지는 것입니다. 대개 인심이 은미한 데서 움직이면 천리가 마땅히 발현되며, 인욕도 역시 그 사이에서 싹터 움직이는 것입니다 (『高麗史節要』卷35, 恭讓王 3年 11月).

그런데 인간은 비판적 자아에 따름으로써 참다운 인간성에 도달할 수 있다. 이러한 내면상태는 비판적 자아가 부단히 욕망적 자아를 감시하고 통제하는 것이다. 그러한 상태가 '소심익익(小心翼翼)'이며, '경

(敬)'이다.

전하께서는 공경하는 마음을 상제에게 대하여, 비록 아무도 안 보는 곳에 계시더라도 언제나 상제가 굽어보는 것처럼 할 것이며, 사물을 응접하는 즈음에는 더욱 그 생각의 맹동(萌動)을 (선인지 악인지) 삼가서, 보고 듣고 말하고 행동하는 일을 반드시 예로써 하고, 나가고 들어오고 일어나고 앉는 일에 공경하지 않는 것이 없게 하여, 일을 처리함이 사욕(私慾)에 가리어지지 않고 고식(姑息)에 흐르지 않는다면, 이 공경하는 마음이 하늘의 마음을 감동시켜 … 나라를 흥하게 할 것입니다(『高麗史節要』 卷35, 恭讓王 3年 5月).

이처럼 부단한 감시는 홀로 있을 때조차 멈추어서는 안 되는데, 이는 수양의 최고 단계인 '계신(戒愼)' 혹은 '신독(愼獨)'이다(『中庸章句』 1). 즉 인간의 참다운 행위는 외적인 평가가 아닌 내면의 비판자에 의해 평가될 뿐이다. 그리하여 이러한 대립이 종식되고 마침내 완전한 상태에 이를 때, 성인의 경지에 이를 수 있다.

권근은 인간을 삼분하여 "성인은 성(誠)이 지극하여 도가 하늘과 같고, 군자는 능히 경(敬)으로써 그 도를 닦으며, 중인은 욕심이 혼미해서 오직 악을 좇는 것"이라고 말했다. 성인은 내적 갈등을 넘어서 자연스럽게 된 자이며, 군자는 자연스럽지는 않으나 자신의 욕망에 민감한 자이고, 중인은 자신의 욕망에 휩싸여 본성을 잃어버린 자라는 것이다. 공자는 '자기를 이겨서 예로 돌아간다'(克己復禮)고 말하고, 이색은 '천리를 보존하고 인욕을 막는다'(存天理遏人欲)고 한다(『牧隱文藁』

卷10,「伯仲說贈李壯元別」).

　　교육은 잃어버린 본성을 회복시키는 것이다. 『대학』의 교육관은 두 가지 측면에서 인간성의 개선에 적합하다. 첫째는 인간의 본성이 본래 하늘과 일치한다는 천인합일론이며, 둘째, 이런 본성이 욕망에 의해 흐려진다는 이해이다. 이는 어떠한 인간이라도 욕망을 극복하기 위한 부단한 노력을 통해서 성인의 경지에 이를 수 있다고 본다. 요순은 그런 사람이다.

　　이 때문에 주자는 "삼대의 융성했던 시기에 학교의 제도가 점차 갖추어진 뒤에는, 왕궁이나 국도, 여항에 이르기까지 학교가 있지 않은 곳이 없었다"고 했다(「大學章句序」). 성리학은 모든 사람들에게 적절한 교육의 기회를 제공하려는 이상을 가지고 있었다. 왕과 세자에게는 경연과 서연을, 중앙에는 성균관과 사학(四學), 지방에는 향교를 설치하여 사대부와 서민의 자제를 교육시켰다.

1) 왕의 교육: 경연과 서연

　　첫째, 성리학의 정치에서 가장 중요한 교육대상은 왕이었다. 이상적으로 볼 때 왕은 교육자 중의 교육자가 되어야 한다. 성리학의 정치이론에 의하면, 왕은 군사로서 하늘을 대신한 교화자이기 때문이다. 이첨(李詹)은 "후세 사람들이 일을 계속하지만 그 근본이 없으니, 다스림을 구할 줄은 알아도 임금을 바르게 할 줄을 모른다"고 말한다(『高麗史』卷117, 列傳30, 李詹).[11] 왕의 건전한 교육은 가장 중요한 정치적 과제였다.

예로부터 임금이 학문을 말미암지 않고 능히 천하국가를 다스리는 자가 없었고, 학문을 하는 요체는 다름이 없고 글을 읽어 이치를 궁구하고 뜻을 성실히 하며 마음을 바르게 할 뿐입니다. 이 때문에 선고성황(先考聖皇)께서 강관시학(講官侍學)을 두어 도학을 강명(講明)케 하여 어려서부터 바른 것을 기르게 하시니, 그 생각이 깊었습니다. … 원컨대 선고의 훈계를 받들어 다시 서연(書筵)을 베풀고, 정직한 선비를 날마다 좌우에 가깝게 하시어 만기(萬機)의 여가에 경사(經史)를 강습하사 착하게 인도함을 즐겁게 들으시고, 덕성을 함양하여 지치(至治)에 이르게 하소서(『高麗史』 卷112, 列傳25, 趙云仡).

제왕에 대한 교육은 물론 왕을 성인(聖人)으로 만들기 위한 목적이었으나, 실제적인 정치의 관점에서 볼 때 어떠한 정치체제라 해도 최고통치자의 개인적 특성은 정치체제의 건전성에 결정적인 영향을 미치기 때문일 것이다. 여러 정치체제 중에서 군주정은 특히 그러한 정치적 위험성에 깊이 노출되어 있다. 왕의 권력이 강할수록 위험성은 더욱 커진다. 유학에서 왕은 단순한 정치가 이상으로, 하늘을 대신하여 만물을 다스리는 종교적 지위까지 겸한다. 왕위는 우주와 자연에

11　이색의 아버지인 이곡(李穀)은 다음과 같이 말했다: 心者一身之主 萬化之本 而人君之心 出治之源 天下治亂之機也 故人君正心而正朝廷 正朝廷而正百官 而遠近莫敢不一於正(『稼亭集』 卷13, 「庭試策」).

서의 하이어라키와 질서를 대표하고 있다. 더욱이 왕정을 대체할 아무런 정치적 대안도 없었기 때문에 왕은 무상의 권위를 지니고 있다.

그러나 일반적으로 어떤 왕이 훌륭한 정치를 시행할 가능성보다는 그 반대일 가능성이 높다. 창시자와 몇 명의 수성자(守成者)들을 제외한 대개의 왕들은 평범한 인간들이다. 권력은 상속되지만, 뛰어남은 상속되지 않기 때문이다. 그러므로 대개의 왕은 폭군이 될 가능성이 매우 크다.[12] 왜냐하면 "임금은 만 백성의 위에 있어 한 나라의 영화를 누리고 있는 만큼, 교만과 사치가 빨리 이르고 음란과 방탕이 쉽게 오는 것"이기 때문이다(『高麗史』 卷117, 列傳30, 李詹). 그 결과는 파괴적이다. 이는 동양 정치에서 '걸주(桀紂)의 정치'로 모형화되었다. 특히 왕의 정치적 영향력은 정치를 개선시키는 것보다는, 대체로 정치를 파괴하는 데 위력적인 것으로 보인다. 그러므로 정치체제의 건전성을 유지하기 위한 실질적인 왕의 교육은 적극적이라기보다 방어적인 것이다.

왕에 대한 교육은 인격의 개선은 물론이고 정무를 유능하게 처리하기 위해서도 필수적인 것이다. 왕의 사소한 실수도 정치체제에는 심각한 위험이 될 수 있기 때문이다. 격물치지란 원리 일반에 대한 탐구이지만, 정치가에게는 특히 "도술을 밝히고 인재를 변별하며, 정치하는 대체(大體)를 상심(詳審)하고 민정을 살피는 일"이었고, 성의정심이란 "경외를 숭상하고 일욕(逸欲)을 경계하는 일"이었다(『太祖實錄』 太祖

12　嘗觀自古國家理亂興亡之故 莫不由祖宗修德憂勤於創業之初 從諫敬畏於守成之日 以垂其統 亦莫不由子孫驕溢侈肆於富貴之餘 荒淫漫遊於危亂之際 以墜其緖 驕怠愈甚 亂亡愈速 千載之遠 同一軌也(『高麗史』 卷107, 列傳20, 權近).

1年 11月 14日 辛卯). "임금의 자리는 오직 어렵고 매인 바는 지중하여
한 생각이라도 삼가지 않으면 혹은 사해의 근심을 남기고, 하루라도
삼가지 않으면 혹은 천 백년의 근심을 이룰 것이니, 비록 태평무사한
때라도 오히려 마땅히 조심하고 경계하여 불의의 일에 대비"해야 한다
고 하였다(『高麗史』 卷107, 列傳20, 權近).

> 『서경』에 이르기를, '옛 교훈을 배워야 일을 세울 수 있다' 하였으니,
> 옛날부터 어진 임금이 배우지 않고 만기의 정사를 잘 다스린 적은
> 없었습니다. … 원컨대, 전하는 처음 뜻을 잊지 마시고 다시 서연을
> 열어, 대신에게 명하여 건의하게 하시며, 측신으로 하여금 강론하게
> 하여, 경학의리의 원리를 통달하시고, 고금치란의 변천을 관찰하시
> 며, 삼한 신민의 소망에 맞게 하옵소서(『高麗史節要』 卷32, 禑王 9年 2
> 月).

경연의 또 다른 목적은 좀 더 교묘한 것이다. 그것은 왕을 타락케
할 위험성을 최소화하려는 것이다. 이성계가 자신의 연로함을 이유로
들어 경연을 거절하자, 도승지 안경공(安景恭)은 다음과 같이 말하고
있다.

> 신 등이 생각하기를, 군주의 학문은 한갓 외우고 설명하는 것만이
> 아닙니다. 날마다 경연에 나가 선비를 맞이하여 강론을 듣는 것은,
> 첫째는 어진 사대부를 접견할 때가 많음으로써 그 덕성을 훈도하기
> 때문이요, 둘째는 환관과 궁첩을 가까이할 때가 적음으로써 그 태

타(怠惰)함을 진작시키기 때문입니다(『太祖實錄』太祖 1年 11月 12日 己丑).

2) 국가 전체의 교육: 학교

성리학은 국가란 단지 왕만이 아니라 전체 구성원의 문명화를 통해서만 평화에 도달할 수 있다고 본다. 전국적으로 확대된 학교에는 문묘(文廟)를 함께 설치케 함으로써, 단순한 지식의 습득이 아닌 진정한 인격의 완성이 목표임을 알리고 있다. 조준은 지방수령의 주요한 임무 중 하나로 '학교를 흥하게 하는 것(學校興)'을 들고 있다. 왜냐하면 학교는 문명과 정치의 근원이기 때문이다.

> 학교는 풍속을 아름답게 하는 원천이며, 국가의 치란과 정치의 성패가 모두 이로부터 시작됩니다. … 원컨대 이제부터는 근민(勤敏)하고 박학한 자를 교수관으로 삼아, 5도에 각 1인씩 분견하여 군현에 주행(周行)케 하고 그 마필의 공억은 모두 향교에 맡겨 주관케 하고, 또 주군에 한거하여 유학을 업으로 삼는 자로 본관교도로 삼아 자제로 하여금 항상 사서와 오경을 읽게 하여 사장(詞章) 읽기를 허락하지 마십시오(『高麗史』 卷74, 志28, 選擧-學校-國學).

권근은, "이제 국가에서는 부·주·군·현(府州郡縣)마다 모두 문묘와 학교를 설치하고, 수령을 보내어 제사를 받들고 교수를 두어 교육을 담당하게 하니, 이는 풍화(風化)를 베풀고 예의를 강명(講明)하여 인재를 양성해서 '문명지치(文明之治)'를 돕게 하기 위해서이다"라고 말했다.[13] 그는 학교를 설치하여 가르치는 것만으로도, "나라를 다스리기에 충분할 것"이라고 보았다. 왜냐하면 성현(成俔, 1427-1456)에 따르면, 학교는 윤리를 밝히기 위한 것이며, 삼강오륜은 "천리의 당연한 것으로서 천지와 함께 시종을 같이하므로, 인간의 도리 중 가장 큰 것"이기 때문이다(『東文選』卷82, 「成均館記」).

성리학이 원했던 이상적인 국가는 정치공동체 구성원 모두가 자신을 수양하는 커다란 학교였다. 교육을 통해 욕망을 극복하고 참다운 평화(平和)에 이르고자 했던 것이다. 그러나 푸코의 관점을 따른다면, 이는 특정한 형태의 이데올로기를 재생산하는 정치적 장치이기도 하다. 한 정치체의 모든 인간들이 동일한 텍스트를 읽고, 동일한 해석을 따르며, 동일하게 사유하고 동일하게 행동한다면, 법의 강제성 이전에 거기에는 이미 자발적 질서가 존재하고, 부단히 재생산되고 있는 것이다.

3) 관습의 교육: 예(禮)와 가례(家禮)

그런데 성리학의 교육에서 중요한 것은 관습의 교육이다. 즉, 지적으로 무엇을 이해하기 전에, 행동의 반복에 의해 특정한 형태의 정신

---

13 國家令府州郡縣 莫不置廟學 遣守令以奉其祀 置教授以掌其教 蓋欲宣風化講禮義 作成人才 以裨文明之治也(『陽村集』卷14, 「永興府鄉校記」). 권근은 또한 교육의 의의를 다음과 같이 말했다: 予曰 甚矣 民之不可以無學也 降衷而有性 秉彛而好德 斯民則三代之民也 有欲而爭效 無知而罔作 陷於刑辟淪於禽獸 非民之罪也 長民者 不能 興學以明教化之故耳 … 興學教民爲先務(『陽村集』卷14, 「利川新置鄉校記」).

을 창조하려는 것이다. 그것이 '예(禮)'이다. 예의 본질은 만물에 대한 '공경'에 있지만, 입법가의 관점에서 본다면 평화로운 사회관계를 유지하기 위한 적절한 행동양식이다. 세 가지 인간관계의 상하질서(三綱)와 다섯 가지 인간관계의 기본원리(五倫)는 그러한 예의 정수였다. 즉, '예'는 한 인간이 사회에서 어디에 속해 있는지, 그리고 자신의 위치에서 무엇을 해야 하는지에 대한 매뉴얼이자 코드와 같은 것이다. 공자는 그러한 질서를 만들어 내는 것을 '정명(正名)'이라고 부르며, 주자는 그에 따라 행동하는 것을 '지분(知分)'이라고 부른다.

> 이리하여 三代의 사람들은 배우지 않은 이가 없었고, 그 배운 사람들은 자기의 본성의 분수에 본래부터 지니고 있던 것(知其性分)과 직분(知其職分)으로 당연히 하여야 할 것을 알아가지고서 각자가 힘써 그의 역량을 다하지 않는 이가 없게 되었다. 이것이 옛날 융성했던 시대에 위에서는 융성히 잘 다스리고, 아래에서는 풍속이 아름다웠던 까닭이니, 후세 사람들로서는 따를 수가 없는 일인 것이다 (「大學章句序」).

형이상학적으로 볼 때, 이것은 인위적인 질서와 원리가 아니라 우주의 정신에 근거한 것이었다. 물론 그것은 정당화의 한 논리이기도 하다.

그런데 '예' 중에서 정치적으로 가장 기본적이고 중요한 것은 '가례(家禮)'이다. 아리스토텔레스에 따르면 '가족'은 매일의 필요를 충족시키기 위하여 자연적으로 형성되는 최초의 결사형태이며, 가족 구성원은 '식량창고의 동료들'이다. 즉, 가정은 '행동'(praxis)의 영역이라기보다

'생산'(poiēsis)의 영역이다. 그러므로 정치는 가정이 끝나는 지점에서 시작된다.

성리학의 '가(家)'는 단순한 가족이라기보다 동족집단과 같은 것이므로, 아리스토텔레스가 말하는 가족과는 의미가 다르다. 그러나 둘 다 기본적으로 혈연에 기초한 자연적 결사이다. 유학의 독특한 정치적 구상은 바로 이 혈연에 기초한 자연적 결사로부터 가장 기본적인 윤리적 규범을 세우고, 그것에 기초하여 국가를 구성하려고 했다는 점이다. 즉 '가(家)'는 단순한 '필요'의 영역이 아니라, 정치체의 기본단위이자 정치적 행위가 처음 발생하는 곳이다. 유학은 부자관계와 같은 자연적 윤리를 정치사회적 윤리로 곧바로 연결시키려고 한다. 그것이 『주자가례(朱子家禮)』의 목적이다.

> 장자(張子)가 "종법이 서면 사람들마다 온 곳을 알게 되고 조정에는 크게 이익됨이 있을 것이다"라고 하였다. 혹자가 "조정에 무엇이 유익한가?"라고 묻자, "공경들마다 그 집을 보전하면 충의가 서지 않겠는가? 충의가 이미 섰다면 조정이 안정되지 않겠는가?"라고 하였다(『朱子家禮』卷1, 通禮).

가장 중요한 인간관계는 부자관계이고, 가장 중요한 윤리는 '효(孝)'이다. 그것은 부모가 죽은 뒤에도 계속된다. 선조는 영원히 후손들과 함께 거주하면서, 가(家)의 영원성을 상징한다. 그 거주처가 가묘(家廟)이다. 조준은 이를 다음과 같이 말하고 있다.

이것은 죽은 부모 섬기기를 산 부모 섬기는 것과 같이 하는 도리입니다. … 원컨대 지금부터는 일체『주자가례(朱子家禮)』를 좇아서 … 신주(神主)를 간수하되 서쪽을 윗자리로 삼을 것이며, 초하루와 보름에는 반드시 전(奠)을 드리고, 밖에 나가고 집에 들어올 때는 반드시 고하며, 철을 따라 새로나는 음식은 반드시 올리며, 기일(忌日)에는 반드시 제사를 지내고, … 빈객을 접대할 때 상중(喪中)의 예절과 같이 하며 … 이를 어기는 자는 불효로 논죄하소서(『高麗史節要』卷34, 恭讓王 元年 12月).

이처럼 산 자들의 생활 속에 죽은 자의 영생을 개입시켜 영원히 전승될 불변의 가치를 확립코자 했던 것이다. 카네티는 이러한 상태를 '사자(死者)와의 동거'라고 표현했는데, 효도라는 점을 제외하면 이들이 죽은 조상들의 철저한 감시하에 살았다는 사실을 알게 된다. 이것은 그들 자신의 내면에 존재하는 비판자와 더불어 가내에 또 다른 비판자가 거주하고 있는 셈이다.[14] 이러한 비판자들은 향촌사회의 문중 또는 유림으로부터 국가의 간관에 이르기까지 체계적으로 제도화되

---

14 "죽었다고 해서 죽은 자를 집안에서 내몰지 않음은 물론 그가 돌아와 항상 같이 있기를 바라며, 일정한 의식 때에는 실제로 그가 다시 돌아왔다는 느낌을 갖게 된다. 이로써 그는 집안의 상징적 인물로서 또 모범으로서 계속 남게 되는 것이다. 그리고 그에게 잘못을 저지르는 말과 행동을 하지 않도록 조심하며, 또 그의 앞에서 자신을 입증하여야 하는 것이다"(Canetti 1993, 255). 가묘에 대한 연구로는 지두환(1982), 주웅영(1985), 이범직(1990), 황원구(1981) 참고.

었다.

2. 외적 통치제도론: 욕망의 제도화

　도덕적으로 훌륭한 통치자와 신민은 정치체에 유익한 것이지만, 언제나 그렇지는 않다. 현대의 전형적인 정치체제론에서는 오히려 개인의 이기심이 정치체의 건전성에 유익하다고 주장되기도 한다. 그러나 어쨌든 개인의 천부적 자질이나 도덕성에 정부가 의존하는 것은 바람직하지 않다. 그것은 믿을 수 없고 우연적인 것이다. 개인의 자질과 상당 정도 무관하게 정치체가 건전성을 유지할 때, 그 정치체는 본성이나 헌법(constitution)을 가지고 있다고 말할 수 있다.

　또한 정치적 인간은 얼마나 이성적일 수 있을까? 성리학이나 서양 고전 정치철학의 전제처럼 전 사회와 구성원이 철학화될 수 있는 것일까? 몽테스키외와 버크에 의하면 정치적 인간은 근본적으로 이성보다는 정념(passion) 혹은 관습에 의존한다. 정치체에 좋은 미덕은 반드시 윤리적이거나 도덕적인 것은 아니다. 어떠한 비철학자도 어느 정도는 도덕적으로 유덕(有德)해질 수 있다. 정도전 역시 "옛날의 도를 논하고 나라를 경영하는 자가 일찍이 사물을 떠나서 청담(淸談)만을 한 적이 없었으니, 문서와 법령 가운데에도 도가 없는 곳이 없었다"고 말했다(『三峯集』,「經濟文鑑」上, 宰相). 그러므로 입법가는 정치철학자와는 어느 정도 거리를 두고 있다.

　자신의 견해에 대한 욕망, 뛰어남에 대한 욕구, 자기 보존의 욕망

등 인간의 자기애(self-love)는 자연적인 것이다. 입법가의 과제는 이 자기애적 인간을 어떻게 공적으로 행동하게 하는가에 있다. 즉, 사적으로 태어난 인간을 어떻게 공적으로 만들 수 있는가? 그것이 정신의 제도화와 더불어 욕망을 제도화해야 할 필요성이다.

1) 신분제

성리학이 생각한 첫 번째 방법은 전통적인 것이다. 그것은 신분이다. 유교정치체제는 기본적으로 구성원들의 불평등한 관계에 기초하고 있다. 앞서 살펴본 바처럼, 성리학에 따르면 이 세계는 기(氣)의 소통 정도에 따라 다양한 형태로 만들어진다. 기가 완전히 막혀 사물이 되었고, 조금 통하여 식물이 되고, 동물이 되고, 인간이 되고, 인간은 다시 중인(衆人)이 되고, 군자가 되고, 성인(聖人)이 된다. 이것이 사물의 질서이며, 나아가 인간 사회의 신분질서이기도 하다. 이 질서는 자연적이다. 평등은 자연적이지 않다.

버크에 따르면, 입법가는 단순성(simplicity)이 아닌 구성(composition)에 뛰어나야 한다(Burke 1971, 166). 입법가는 구성에서 그가 가진 최고의 능력을 발휘한다. 그는 다양한 종류의 시민들을 잘 나누어(classification) 하나의 공동체(commonwealth)에 연관시킨다. 한 정치체의 인간을 나누고, 그것에 정당성을 부여하고, 그것을 믿고 행동하게 할 수 있다면, 그것은 가장 훌륭한 욕망의 제도화이다. 이존오(李存吾)는 이러한 신분의 정치적 의미에 대해 다음과 같이 말하고 있다.

신 등이 삼가 3월 18일 전내(殿內)에서 베푼 문수회(文殊會)에 참석하였는데, 영도첨의 신돈이 재신(宰臣)의 반열에 앉지 않고 감히 전하와 나란히 앉아, 사이가 몇 자 떨어지지 아니하니, 국인이 놀라 물 끓듯 하였습니다. 대개 예는 상하를 분변하고 백성의 뜻을 안정케 하는 것이니, 만약 예가 없으면 어찌 군신이 되며, 어찌 부자가 되며, 어찌 국가가 되겠습니까? 성인이 예를 제정하여 상하의 분변을 엄하게 하심은, 모책이 깊고 생각이 먼 것입니다(『高麗史』 卷112, 列傳27).

그런데 인간이 신분에 따라 사고하고 행동하는 것은 그 자체로써 질서를 가져오지만, 각각의 신분집단이 견제와 균형을 이루는 것은 정치체의 자유를 보존하기 위해서도 실로 중요한 의미를 가지고 있다.

이러한 상충되고 갈등하는 이익들은 현재나 과거의 헌정에서 커다란 결점으로 간주되었다. 그러나 이것은 모든 성급한 결단을 억제하는 건전한 장치이다. 그로 인해 사려 깊은 행동(deliberation)은 선택이 아니라 필수적인 일이 되었다. 또 모든 변화를 위해서는 타협이 필요하다. 타협은 중용(moderation)을 낳는다. 상충되는 이익들로 인해 거칠고 야만적이며 미숙한 개혁이 초래하는 악을 방지하는 분위기가 생긴다. 그리고 적든 많든 자의적인 권력이 저돌적으로 행사되는 것을 영원히 불가능하게 만든다. 그처럼 다양한 구성원과 이익들을 통하여, 여러 신분들이 저마다의 견해를 가지면, 그만큼 일반적인 자유(general liberty)는 안전하다(Burke 1971, 33).

이처럼 훌륭한 구성은 궁극적으로 공동체의 정치를 활성화시켜 자유를 수호한다. 그렇게 되기 위해서는 공동체 각 부분의 독립성(independence)이 필수적이다. 사대부는 정치적으로 그러한 역할을 했다고 말할 수 있다. 그들은 세습적 신분뿐만 아니라 재산과 명예, 지위 그리고 지식과 윤리를 가짐에 의해 왕의 권력이나 국가 권력에 대해서 상대적으로 자유로웠고, 그것에 대항할 수 있었다. 사신(史臣)의 기록은 그것을 보여준다.

> 임금이 어진 이를 존경하고 도를 즐겨한다면 암혈에 숨어있는 선비
> 도 장차 조정에 나오기를 바랄 것이나, 어찌 물러가기를 구하여 겨
> 를이 없기를 이황(李滉)과 같이 하는 자가 있겠는가. 그렇다면 이황
> 이 물러가는 것이 아니라 임금의 정성이 부족한 것이다(『明宗實錄』
> 明宗 14年 4月 8日 己酉).

이러한 태도가 가능한 것은 그들의 윤리적 우월감 때문이다. 정도전은 그들의 정신을 다음과 같이 말한다.

> 아! 죽고 사는 것은 진실로 큰 것이다. 그러나 죽음 알기를 돌아가
> 는 것처럼 여기는 자가 있는데, 이는 명분과 의리를 위해서이다. 저
> 자중하는 선비들은 그 의리가 죽을만한 것을 당하면 아무리 끓는
> 가마솥이 앞에 있고 칼과 톱이 아래에 서리고 있을지라도 거기에

부딪히기를 사양하지 아니하고 피하려 하지 않는 것은, 어찌 의를 소중히 여기고 죽음을 가볍게 여김이 아니겠는가(『三峯集』 卷4, 「鄭沈傳」).

그러므로 성현은 "나라에 어진 선비가 없으면 정사가 밝지 못하며, 백성이 편안치 못하고, 백성이 편안치 못하면 임금이 어찌 혼자 존재할 수 있겠는가. 나라는 나라 행세를 할 수 없어 곧 망하게 될 것"(『浮休子談論』 卷2, 「雅言」)이라고 주장한다. 한·당대의 정치 참여층이 수도의 귀족층에 한정되어 있었던 반면, 송대에 이르러서는 전국화되었다. 향촌에도 양반을 중심으로 한 독서인층이 광범위하게 형성되어, 이른바 '사림'을 형성하고 '사론'이라는 정치적 공론을 주도했던 것이다. 왕과 중앙정부라 해도 그들의 지지 없이는 정치적 정통성을 주장할 수 없었다. 그들은 진리의 수호자일 뿐만 아니라, 정치적으로 평민의 대변자를 자처하였기 때문에 현실적인 정치권력에 대해 매개적이고 비판적인 기능을 담당하였던 것이다. 그러나 그들은 단지 왕권의 견제자였을 뿐만 아니라 평민의 직접적 지배자이기도 했다.

2) 정치의 공공성 1: 천위론(天位論)

정치체내에 독립적 신분이 존재한다는 것은 결국 권력분할을 의미하는 것이다. 그것은 결국 '균형'(balance)에 의해 정치적 전제를 방지하기 위한 것이다. 전제의 치명적인 상황을 피하기 위해서 정통성은 왕에게 주어진다 해도, 실질적인 권력은 분배되어야 하며, 왕의 권력은 견제되고 감시되어야 했다.

성리학의 정치에서 왕은 실질적 인사권을 가질 수 없었다. 왕에게는 사유재산이 허용되지 않았다. 왕족의 정치참여는 금지되었다. 왕은 매일 성인의 공부에 열중해야 했다. 왕은 개인을 독대할 수 없었다. 이러한 장치와 제도는 모든 국가기구에 세심하게 배치되었다. 마지막으로 왕은 이념을 독점할 수 없었다. 그는 공식적으로 정통성의 근원인 천명(天命)의 대리자였으나, 무엇이 천명인지에 대해서는 성현의 해석 및 조언에 의지해야 했다. 그에 대해서는 왕보다도 산림의 유현이 더 유력했다. 즉, 왕은 형식적 정통성 외에 아무것도 독점하지 못했다.

왕은 권력을 세습하고 최종 결정권을 가지고 있었으나, 정도전의 구상에 따르면 집행권은 재상에게 속했다. 사간원은 왕에 대한 탄핵권을 가지고 있었다. 사림(士林) 역시 천리에 근거하여 비공식적인 탄핵권을 행사했다. 왕권을 제한하고 정치적 균형을 달성하기 위한 여러 제도들을 검토해 보자.

첫째, 왕의 정치권력은 재산과 같은 것이 아니다. 이에 대한 이론적 정당화가 천위론(天位論)이다. 천위론은 공적인 권력의 최종적인 근원에 관한 설명으로, 정치를 '재산'이 아닌 '의무'로 이해하려는 전환을 보여준다. 근대 서양의 정치사상이 정치적 정통성의 근원을 인민의 동의에 귀속시키고, 위탁된 권력 개념을 통해 그 공공성의 근거를 찾았듯이, 성리학의 개혁자들은 '하늘을 대신하여 다스린다'라는 이른바 『서경』의 '천위론'을 통해 동일한 근거를 발견했다. 순(舜)은 정치적 과업이 '천공(天功)을 밝히는 것'이라고 말했는데, 이는 천위론의 관점에선 최초의 발언인 것으로 보인다.[15] 그러나 이를 가장 극적으로 표명한 것은 하의 걸왕을 방벌한 은의 탕왕이었다. 그는 정벌에 앞선 연설에서 "부족한 이 사람이 난을 일으키고자 함이 아니라 하왕에게 죄가 많아 하늘이 그를 처벌하라 명하신 것"이며, "하늘의 뜻을 나는 거역하지 못한다"라고 주장했다(『書經』, 「商書」湯誓). 맹자가 언급하였듯이 이는 동양적 혁명론의 전형이다.

> 황천이 백성을 낳고, 이들이 능히 각자 살지 못하면 반드시 성인에게 명하여 임금이 되어 대신 이를 다스리게 하였으므로, 위(位)를 천위(天位)라 하고 백성을 천민(天民)이라 하였으니, 관(官)을 설치하고 직(職)을 나누는 것은 천공(天工)을 대신함입니다. … 따라서 명기(名器)와 관작은 인군(人君)이 스스로 가진 것이 아니고 곧 하늘의 소유이지만, 인군이 대신 설한 것이므로, 인군이 가히 명기를 자기 사유로 삼아서 명녕되이 주지 못하며, 인신(人臣)도 역시 그 재덕을 헤아리지 않고 감히 이에 거(居)하지 못할 것입니다(『高麗史』 卷120, 列傳33, 尹紹宗).[16]

조선 태조 3년에 간관 전백영(全伯英)은, "대저 하늘이 왕씨를 버린 것은 왕씨를 미워해서가 아니요 왕씨의 무도함을 미워한 것이며, 전하에게 명을 준 것도 전하를 사랑해서가 아니라 전하의 유덕함을 사랑한 때

---

15 帝曰 咨汝二十有二人 欽哉 惟時亮天功(『書經』, 「虞書」舜典7).

16 이러한 견해는 이색에게서도 분명히 드러난다: 國於天地間 代天行事者曰天子 代
天子分理所封者曰諸侯 位有上下勢有大小 截然不可紊 易之所以有復也 然天地交

문이니, 만일 백성이 덕을 입지 못하면 황천이 명을 준 뜻이 아닐 것"이라고 경고했다(『太祖實錄』太祖 3年 8月 2日 己巳). 이러한 관념은 개혁자들에 의해 수미일관 주장되었다. 이는 일종의 권력위임론이자 책임론으로, 정치가는 물론이고 왕조조차 단순한 대리인(delegate)에 불과하며, 부적절하다고 판단되는 경우 언제든지 교체될 수 있다는 점을 시사했다.

그 적절성 여부는 민생에 대한 보호였는데, 왜냐하면 천지의 가장 근본적인 성격은 '만물을 생성시키는 덕'에 있고, 백성은 하늘의 자손들이었기 때문이었다. 하늘은 백성을 통하여 보고 백성을 통하여 듣는다. 그리하여 정도전은 "만일 하나라도 그들의 마음을 얻지 못하면 크게 염려해야 할 일이 생기게 될 것"이라고 경고했다.[17] 따라서 천위론은 정치적 책임론이자 정치변동론이고, 정치에서 '백성의 발견'을 함축하고 있는 시대의 정치이론(爲民論)이라 하겠다. 이러한 인식에 의해 개혁자들은 정치체제 전반을 재편하고자 했다.

천위론의 핵심은 결국 권력의 공공성이었다. 이첨은 정치적 정통성이 왕의 세습권이 아닌 '천명'으로부터 기원한다는 점을 역설하고, 이 원리를 이해하기 위해서는 만사를 공과 사로 이원화시켜야 한다고

而成泰 否則否矣(『牧隱文藁』卷29, 「周官六翼序」).

[17] "하민(下民)들은 지극히 약하지만 힘으로써 위협할 수도 없으며, 또한 지극히 어리석지만 지혜로써 속일 수도 없다. 그들의 마음을 얻으면 복종하게 되고 그들의 마음을 얻지 못하면 배반하게 되는데, 그들이 배반하고 따르는 그 사이는 털끝만큼의 차이도 되지 않는다"(『三峯集』卷7, 「朝鮮經國典」上, 正寶位). 정도전의 위민론에 대한 상세한 해설은 한영우(1989, 103-118) 참고.

주장했다.

대개 천하의 이치는 공과 사가 있을 뿐이며, 천하의 도는 선과 악이
있을 뿐입니다. 그것이 두 가지가 존재하여 서로 용납하지 못함이,
향기 나는 풀이 악취 나는 풀과, 얼음이 숯불과 서로 반대되는 것
과 같은데, 이를 가리켜 공통으로 일컫는 것이 옳겠습니까(『高麗史
節要』卷35, 恭讓王 3年 11月).[18]

이첨에 따르면, 정치가는 자신을 엄격하게 규제하여 자기중심적인
욕망(인욕)을 억제하고 보편적인 참다운 원리(천리)를 따라야 한다고 주
장했다. 이 점이 망각될 때 심각한 위기가 초래된다. 이첨은 우왕대의
폭정을 지적한 뒤, "『시경』에 '은나라가 거울로 삼아 경계할 일은 먼 세
대에 있지 않고, 하나라의 세대에 있다' 하였으니, 삼가 생각하옵건대
전하께서는 태조의 성헌(成憲)을 준수하고, 우왕이 실패한 전철을 경
계하시어 중흥의 업을 보전할 것"을 역설했다(『高麗史節要』卷35, 恭讓
王 3年 11月).

---

18 그러나 이색은 '公'의 원리가 '國家'의 전적인 지배로 변모되어, 좋은 의미의 '私'의
   영역조차 배제될 것을 우려했다. 이에 대해서는 김영수(1997, 228) 참고. 또한 여
   말선초 성리학의 정치적 대안이 공과 사의 논리에 따라 양분될 수 있다는 논의로
   는 도현철(1999) 참고.

3) 정치의 공공성 2: 공론정치론

둘째, 정치적 언어의 공공성이었다. 동양 정치에서 '말'의 중요성은 매우 일찍부터 강조되어 왔다. 폭력에 의한 지배가 아닌 정당한 정치는 어떻게 가능한가에 대해, 중국인들은 〈천명→민심→공론〉의 순으로 정치적 사유를 발전시켜왔다(이상익 2004, 289-295, 305-313). 명(命), 심(心), 논(論)이라는 접미어에서 알 수 있는 바처럼 그것은 점점 구체적인 양상으로 변화해왔다. 특히 '공론'이라는 정치적 사유는 송대 주자학의 독창적 위업이다(이상익 2004, 295; 이상익·강정인 2004, 87-88). 주자는 공론의 정치적 중요성을 포괄적으로 검토한 사상가로 평가받고 있다.

> 군왕은 비록 명령을 제정하는 것으로 직분을 삼는 것이나, 반드시 대신과 함께 도모하고 간관의 의견을 참고해야 합니다. 그들로 하여금 충분히 의논하게 하여 공론의 소재를 구한 다음, 왕정(王庭)에 게시하고 밝게 명령을 내려 공개적으로 실행해야 합니다. 이로써 조정이 존엄해지고 명령이 자세히 살펴지게 되는 것입니다. … 의논하고 싶은 신하들은 또한 거리낌 없이 자신의 의견을 다 밝힐 수 있는 것이니, 이것이 고금의 상리(常理)이며 또한 조종의 가법입니다(『朱子大全』卷14, 頁26; 이상익·강정인 2004, 91 재인용).

주자의 주장은 왕정하의 이상적인 공론정치를 잘 표현하고 있다고 볼 수 있다. 즉, 이념상 왕은 정통성을 대표하고 있으나, 정통성(legitimacy)과 정당성(justice)은 다르다. 무엇이 정당한지에 대해서는 충분하고 자유로운 논의가 필요하다.

"공론은 국가의 원기"란 표현은 왕이 정치적 견해를 독점할 수 없다는 것을 의미했다. 그것이 일반 원리였다. 나아가 조선의 건국자들은 특별히 정치적 언어만을 담당하는 직책과 기관을 마련했다. 사간원과 간관이 그것이다. 그들은 아무 실무 없이 오로지 국가 전체와 왕의 정치에 대한 비평(political critique)만을 담당했다.

모든 정치적 행위는 논평의 대상이 되어야 하는데, 권력남용은 결국 비평되지 않은 권력 때문에 발생하기 때문이다. 모든 정치적 부정은 밀실주의에서 싹튼다. 정치과정이 밀실화되면 어떠한 덕목을 갖춘 인간이라 해도 유혹과 위협을 동시에 받는다. 부패의 핵심은 비밀성에 있다. 반면 비평이 활성화되면 그 체제 속의 인간들이 반드시 고결하지 않다 해도 모든 정치과정은 공개되고 견제된다. 이러한 필요성은 '대간'으로 제도화되었다. 정도전은 간관의 직책에 대해 다음과 같이 말했다.

> 간신(諫臣)은 임금의 좌우에 있어야 한다. … 간관으로 말하면 임금이 출입하거나 언동(言動)할 때 아침저녁으로 서로 가까이 있을 뿐 마땅히 물러가야 한다는 말을 듣지 못했다. 그렇기 때문에 일의 득실에 대하여 아침에 생각했으면 저녁때까지 기다리지 않고 말할 수 있으며, 저녁에 생각했으면 하룻밤을 넘기지 않고 말할 수 있으며, 임금이 깨닫지 못하면 극력 변쟁(辨諍)하고 여러 차례 진언할 수 있으니, 이보다 상세히 하고 사실대로 할 수는 없다. 그러므로 비록 간

사한 사람과 용렬한 사람이 있더라도 끼일 틈이 없는 것이다(『三峯
集』卷10,「經濟文鑑」下, 諫官論).

간관은 이처럼 왕의 모든 정치행위를 자유롭게 비평하여 시정토
록 했으며, 나아가 이른바 '간사한 사람과 용렬한 사람'이라고 불리는
권신의 등장도 억제하는 역할을 담당했다. 정도전에 의하면, 간관은
비록 직급은 낮지만 재상과 동일하게 정치의 모든 사항에 대하여 왕
과 더불어 논쟁할 수 있는 위치에 있다.[19] 그는 정치의 두 대강을 재상
의 '조정'(coordination)과 간관의 '비평'(critique)으로 보았던 것이다. 대간
들에게는 또한 공직취임자의 적절성 여부를 판단할 수 있는 인사비평
권이 부여되었다. 태종은 "임금이 관직을 제수해도, 대간이 명령을 행
하지 않으니 이런 이치가 없다. 나는 이를 심히 싫어한다"고 말했다.[20]
윤소종은 역대 중국의 국가들이 "언로가 열리면 나라가 다스려지
고 또 평안하였으며, 언로가 막히면 나라가 어지럽고 또 멸망하였다"
고 하였다. 또한 이른바 '삼대의 정치'가 지닌 핵심적 특징이 바로 원활

---

19 간관은 재상과 대등하다. … 천하의 득실과 생민의 이해와 사직의 대계에 있어서
    오직 듣고 보는 대로 간섭하고 일정한 직책에 매이지 않는 것은, 홀로 재상만이
    행할 수 있으며, 간관만이 말할 수 있을 뿐이니, 간관의 지위는 비록 낮지만 직무
    는 재상과 대등하다. … 전폐(殿陛)의 앞에 서서 천자와 함께 시비를 다투는 자
    는 간관이다. 재상은 도를 마음대로 행하며 간관은 말을 마음대로 행하니, 말이
    행해지면 도도 또한 행해진다(『三峯集』卷10,「經濟文鑑」下).

20 태종은 다음과 같이 말했다: "대간이 관리의 임명장에 등용에 찬성한다는 서명
    을 할 때, 혹은 흠이 있다고 하여 백일(百日)이 경과해도 서명을 아니하고, 심한
    것은 백일이 지나게 되어 드디어 그 관직을 그만두게 하니, 과인이 관직에 임명한

한 의사소통에 있다고 주장했다.

> 요순은 사악(四岳)에게 자문하였고 사방의 문을 열었으며, 사방의 이
> 목이 다다르게 하여 유익한 말이 숨겨짐이 없었는데도, 오히려 한 말
> 이라도 혹시 아래에서 막혀 위에 통하지 않을까 염려하여, 그 신하에
> 게 명하기를, '내가 도리를 어긴 일을 네가 보필할 것이니, 너는 내가
> 보는 데서는 복종하고 안 보는 데서는 비난하는 일이 없도록 하라' 하
> 였으며, 또 말하기를 '너도 또한 착한 말을 하라' 하였습니다. 삼대의
> 성왕들도 모두 이 도에 따라 꼴 베는 천하고 무식한 자에게도 물었으
> 며, 백공(百工)은 각각 자기의 기예에 관한 것을 간하였고, 비방의
> 나무가 있고 진선(進善)의 깃발이 있었으며, 필부필부의 말도 모두
> 위에 들리게 하여 상하가 서로 사귀는 것이 태괘(泰卦)가 되었습니
> 다(『高麗史節要』 卷34, 恭讓王 2年 2月).

'공론'은 공공의 사안에 대해 의사소통을 통해 형성된 적절한 의견
이라고 할 수 있다. 이들은 국가의 근본적인 힘이 무력이나 재력이 아
닌 의사소통의 여하에 있다고 주장한다. 이는 주자의 견해로부터 많
은 영향을 받은 것으로 보인다. 송(宋)은 한당에 비해 군주의 절대권이
강화된 시대였지만, 주자는 군주의 '독단지설(獨斷之說)'이야말로 당대

본래의 뜻이 아니다. … 이제부터 1품에서 9품에 이르기까지 모두 임금이 직접
임명장을 내리는 것이 어떠한가?"(『太宗實錄』 太宗 11年 4月 14日 甲辰). 태종은
1414년에 육조직계체제를 채택했다.

의 가장 심각한 정치적 위기를 초래한 원인 중 하나라고 주장했다.[21] 그러나 이는 단지 이상적인 견해가 아니라, 역사적 경험 속에서 발견한 정치적 원리라고 볼 수 있다. 성리학자들은 '공론'을 가장 핵심적인 정치적 과제로 여겼다. 중종대의 조광조는 "언로의 통색(通塞)은 국가의 관건입니다. 통하면 편안하게 다스려지고, 막히면 어지러워집니다"라고 역설했다(『靜菴先生文集』 卷2, 「司諫院請罷兩司啓」). 선조대의 이율곡은 "전하의 말씀은 겸손하시나 공론을 좇지 않으시며, 나만 옳고 남은 그르다 하시는 것은 나보다 나은 사람이 없다고 여기는 병통이니, 신이 그윽히 근심하는 바입니다. … 만일 임금이 좋은 정치를 하고자 하면 대신도 반드시 할 말을 다할 것이요, 조신(朝臣)도 각각 마음에 품은 바를 진술해야 할 것"이라고 했다(『栗谷全書』, 「石潭日記」 上).

4) 정치의 공공성 3: 총재론(冢宰論), 과거제

셋째, 총재론이다. 이것은 왕권의 집행권을 견제하기 위한 것이다. 견제되지 않은 왕권의 질병은 역사의 경험이 말해주고 있다. 그런데 만약 정치가 하늘의 임무를 대신하는 것이라면, 왕과 신하는 근본적인 의미에서 동일하다. 다만 직책만 다를 뿐이다. 조준은, "재상은 인군의 다음이므로, 더불어 천위를 함께하고 천공(天工)을 대신하는 자"

21　此說者之徒 懼夫公論之沸騰 而上心之或悟也 則又相與作爲獨斷之說 傅會經訓 文致姦言 以心中人主之所欲 而陰以自託其私焉 本其爲說 雖原於講和之一言 然其爲禍則又不止於講和之一事而已(『註頭御定朱書百選』, 「與陳侍郎」18).

이기 때문에 모욕해서는 안 된다고 말했다(『高麗史』 卷118, 列傳31, 趙浚). 따라서 왕은 정치를 독단해서는 안 되며, 천명이 무엇인지 항상 신하들과 의논해야 하고, 자신의 정치적 행위가 천명에 합당한지를 알기 위해 비평에 개방적이어야 한다. 그러나 총재론의 현실적 의미는 세습적인 왕들의 자질 결여로 인한 정치적 불안정을 보완하려는 의도도 크게 개재되어 있었다(錢穆 1985, 118-119). 총재론은 왕의 가장 큰 정치적 임무가 훌륭한 재상을 선발하는 데 있다고 본다. 이는 나아가 왕권을 이에 국한시키려는 논의로 발전되었다. 정도전은 다음 같이 말했다.

> 총재에 훌륭한 사람을 얻으면 6전(六典)이 잘 거행되고 모든 직책이 잘 수행된다. 그러므로 '임금의 직책은 한 사람의 재상을 논정(論定)하는 데 있다' 하였으니, 바로 총재를 두고 하는 말이다. 총재는 위로 임금을 받들고 아래로 백관을 통솔하여 만민을 다스리는 것이니, 그 직책이 매우 크다. 또 임금의 자질에는 혼명(昏明)과 강유(剛柔)의 차이가 있으니, 총재는 임금의 아름다운 점은 순종하고 나쁜 점은 바로 잡으며, 옳은 일은 아뢰고 옳지 못한 일은 막아서 임금으로 하여금 대중(大中)의 지경에 들게 하여야 한다(『三峯集』, 「朝鮮經國典」 治典).[22]

---

22 정도전은 주자의 견해를 채택하고 있다(도현철 1999). 성리학의 재상론에 관해서는 守本順一郎(1985), 김준석(1990) 참고.

총재론의 핵심은 명백히 왕권의 제한과 재상의 권한 확대에 있었다. 그것은 '종통'과 '천명'의 딜레마를 해결하기 위한 방책이었다. '천명론'에 따르면, 왕이 수시로 교체되어야 한다. 이상적인 경우는 요순처럼 현명한 자에게 선양하는 것이다. 그러나 이는 현실적으로 실행이 곤란이다. 왜냐하면 정권교체기마다 누가 적임자인지를 둘러싸고 심각한 정치적 혼란이 야기될 것이기 때문이다. 선거는 아직 상상되어본 적이 없었고, 오히려 정치적 안정을 더 심각하게 위협했을 것이다. 따라서 총재론은 그 대안이었다. 왕위는 세습시키되, 현명한 재상을 등용하여 그 단점을 보완하자는 것이다. 이것이 『서경』에서 묘사되고 있는 주공(周公)과 이윤(伊尹)의 모습이다.[23] 그들은 왕위에 오르지는 않았으나, 왕과 거의 대등한 권한을 행사했다. 정도전은 그러한 이상을 희망했는지 모른다(한영우 1989, 43).[24]

성리학의 정치는 언론을 중시하는 정치이자, 재상들과의 합의를 존중하는 정치이기도 했다.

넷째, 과거제이다. 과거는 세습적 '특권'이 아닌 '능력'을 평가기준으로 삼기 때문에, 정치충원상 커다란 변화를 의미하며, 결국 중요한

---

23 이윤은 탕왕(湯王)의 아들 태갑(太甲)이 무도(無道)하자 3년 동안 동(桐, 山西省 榮河縣 소재)에 추방하기까지 했다. 태갑이 뉘우치자 그를 다시 왕위에 올렸다 (『書經』, 「太甲」 上·下). 그러나 실제 정치에서라면 이윤의 행위는 반역으로 간주되었을 것이다.

24 정도전은 당우삼대(唐虞三代)의 정치에서는 현명한 재상이 막강한 실권을 가지고 제왕을 보필하여 이상적인 정치를 구현했다고 주장했다.

정치변동을 초래한다.[25] 그 기원은 귀족의 특권을 배제하고 왕의 전권(專權)을 강화하려는 것이다(이성무 1992, 73). 과거제는 먼저 세습화된 소수 귀족들의 정치적 전단을 강력히 억제했다. 과거합격자를 계속 배출하지 않는 한 어떤 가문도 정치적 영향력을 지속시킬 수 없었기 때문이다. 둘째, 능력을 통해 진출한 정치가들은 사적인 권력행사에 반대함으로써 왕권의 자의적인 성격을 제한하고자 했다. 셋째, 과거제는 총재의 정무를 보좌할 관료의 선발과 직접 관련되어 있었다. 정도전은 총재가 백관과 만민을 홀로 다스릴 수 없으므로 적절한 인재의 선발과 임용을 중시해야 한다고 보았다(『三峯集』, 「朝鮮經國典」 治典 冢宰論).

IV. 성리학 정치의 딜레마: 진리에 의한 정치의 정복

성리학은 정치의 도덕화와 공공성에 크게 기여했다. 이는 이론적으로 천리라는 개념으로부터 비롯된 것이다. 천리는 도덕과 공공성의 최종 근거이다. 천리에 따라 인륜이 제시되고, 국가는 왕 개인의 소유가 아니라 천명에 의해 위탁된 공적인 것(res publica)이 된다. 그러나 성

---

25 이에 대해서는 오금성(1992, 22-26) 참고. 그 정치적 의미는 한 마디로 특권의 부정이다. 즉, 국가운영의 원리를 공적인 판단기준에 따르려는 것이며, 사회적으로는 귀족제 사회의 대체이다.

리학 정치의 고유한 딜레마도 이 천리에서 비롯된다. 천리가 절대무오
류의 진리(truth)라는 속성 때문이다. 그 반면 정치의 세계는 의견(opin-
ion)으로 이루어져 있다. 진리에 의해 의견을 배제하는 정치가 바로 참
주정(tyranny) 또는 전체주의(totalitarianism)이다. 조선정치에서 이 역설
은 공론정치의 현실에서 뚜렷이 드러났다. 조선의 공론정치는 당쟁으
로 발전하여, 피비린내 나는 살육의 정치로 변모했다. 이런 역설은 성
리학의 형이상학과 정치에 내재된 충돌에서 비롯된 것이다.

　　조선 공론정치의 가장 강력한 주장자들은 사림세력이었다. 사림
의 정신적 기원인 조광조는 "언로의 통색(通塞)은 국가의 관건"이며,
"인군은 언로를 넓히기를 힘써서 위로 공경. 백집사로부터 아래로 여
항. 시정의 백성에 이르기까지 모두 말을 할 수 있게 해야 한다"(『靜菴
先生文集』 卷2, 「啓辭」, 司諫院請罷兩司啓 一)고 주장했다. 율곡 이이 역시
"공론은 국가를 존립하게 하는 원기"이며, 상하에 공론이 없으면 그
나라는 망한다고 주장했다(『栗谷全書』 卷4, 「疏箚」2, 代白參贊論時事疏).
그러나 주자와 마찬가지로 이이의 공론관에는 긴장과 모순이 존재
한다.

　　국시를 정하는 데는 더구나 구설로 언쟁하는 것이 가장 옳지 못한
　　일이겠습니까? 인심이 함께 옳다 하는 것을 공론이라 하며, 공론의
　　소재를 국시라고 합니다. 국시란 한 사람이 꾀하지 아니하고도 함께
　　옳다 하는 것입니다. 이익으로 유혹하는 것도 아니며, 위세로 무섭
　　게 하는 것도 아니면서 삼척동자도 그 옳은 것을 아는 것이 국시입
　　니다. 지금 이른바 국시라 하는 것은 이와 달라서, 주론(主論)하는

자가 스스로 옳다 생각하여도 듣는 자가 혹은 좇기도 하고 혹은 어기기도 하여, 우부우부(愚夫愚婦)까지도 또한 모두 반은 옳다 하고 반은 그르다 하여 마침내 귀일(歸一)할 때가 없을 것이니, 어찌 집집마다 타일러 억지로 정할 수 있겠습니까?(『栗谷全書』 卷7, 「疏箚」5, 辭大司諫兼陳洗滌東西疏).

이는 주자를 답습한 것이다. 문제는 '공론'이 현대 민주정처럼 전제 없는 토론의 산물인가 하는 점이다.[26] 이이의 공론관은 이와 다르다. 주자 역시 폭넓은 의견 개진을 강조하지만, 국시란 "천리에 따르고 인심에 부합하여 천하 사람들이 모두 함께 옳게 여기는 것"(『朱子大全』 卷24, 頁16)이며, 이에 배치되는 소인당의 축출을 주장하고 있다.

세계의 가장 깊은 곳에 '천리'라는 보편적 준칙이 존재하고, 정치 역시 그것의 연장이라고 보는 한(이현출 2002, 118), 성리학의 공론관은 '귀일'을 지향하는 경향성을 지닌다. 즉, 폭넓은 의견 개진을 긍정하면서도 그 최종적인 목적은 진리를 발견하는 것이다.[27] 그런데 현대 정치

---

26 민주정치에서도 다수 의견(興論 general opinion/衆論 mass opinion)과 공적 의견 (public opinion)은 구별된다. 중론과 여론에만 의존하는 민주정치는 '다수의 독재' 혹은 중우정치의 가능성이 있다. 중론의 특징은 관성이며, 공론의 특징은 심의와 성찰이다. 그러나 중론과 공론은 엄격하게 구별되는 실체가 아니며, 맥락 속에서 판단된다. 완전한 공론은 존재하지 않으며, 정도 차이만 인정할 수 있다. 즉, 공론은 고정된 실체가 아니라 과정 속에 존재하는 좋은 견해이다(김대영 2005, 68-99).

27 이상익·강정인(2004, 91)은 주자학의 '공론'을 '공정한 논의'이며, 모든 구성원이 참여하는 '공개적인 논의'라고 이해한다. 즉, 전자는 결과로서의 '공', 후자는 절차로

이론에서는 공론 영역이 근본적으로 인간의 다원성(plurality)과 차이(difference)에 근거하고 있다고 본다.

> '공론 영역의 실재성'은 수많은 측면과 관점들이 동시에 존재한다는 사실에 기초해 있다. 이러한 측면과 관점들 속에서 공동세계는 자신을 드러내지만, 이것들에 공통적으로 적용되는 척도나 공통분모는 있을 수 없다. … 타자에게 보이고 들린다는 것이 의미가 있는 것은, 각자 다른 입장에서 보고 듣기 때문이다. 이것이 공적 삶(public life)의 의미이다(Arendt 1996, 110-111).

이에 반해 이이는 "반은 옳다 하고 반은 그르다"는 정치적 논쟁을 부정하고 있다. 사림을 공론의 진정한 주체로서 상정하는 것은 그러한 사고의 연장으로 생각된다. 지치(至治)와 공론을 위한 유학의 마지막 희망은 천지의 공도(公道)를 자각한 사림인 것이다.

> 무릇 마음으로는 고도(古道)를 사모하고, 몸으로는 유행(儒行)을 실

서의 '론'이 부각된 것으로, "우리는 천명과 민심에는 '론(論)'이 결여되어 있으나, 공론에는 특별히 '론'이 포함되어 있는 것을 주목해야 한다"고 본다. 이러한 견해는 주자학의 공론에 대한 새롭고 훌륭한 해석이다. 그러나 천리(truth)에 의거한 '공'과 의견(opinion)에 의거한 '론'의 긴장 역시 주목해야 할 것으로 생각된다. 왜냐하면 이이의 견해처럼, 절차와 결과가 자연적으로 일치하는 것은 아니기 때문이다. 공론의 리더십과 결단적 정치태도의 분열이 나타나는 것도 그 예증이다(이현출 2002, 125).

천하고, 입으로는 법언(法言)을 말함으로써 공론을 부지하는 사람을

사림이라 한다. 사림이 조정에 있어서 공론을 사업에 베풀면 국가가

다스려지고, 사림이 조정에 없어서 공론을 공언(空言)에 부치면 국가

가 혼란해진다(『栗谷全書』卷3, 「疏箚」1, 玉堂陳時弊疏).

이러한 성리학의 공론관[28]은 사림이 정치적 약자로서 정의를 주장
할 때는 현실적으로 조화롭게 기능했다. 왜냐하면 그것은 현실 정치
의 맥락에서 재야 사림에 대한 언론의 개방과 자연법적 정의를 동시에
포괄하고 있었기 때문이다(이현출 2002, 121). 조광조를 비롯한 사림정치
의 신봉자들은 공론의 완전한 실현을 정치적 이상으로 삼았다. 선조
시대는 사림정치가 처음 개막된 시대였다. 그 실현을 위해 조광조가
죽었으며, 수많은 사림이 처형되고 좌절의 세월을 보내야 했다. 그리
고 마침내 사화(士禍)의 주범이자 공론의 적인 권신이 제거되고, 공론
의 주체인 사림이 전권을 장악했다. 사림의 오랜 정치적 꿈이 실현된
것이다.

그러나 이처럼 이상적인 공론정치의 시대에 율곡 이이는 오히려
공론의 붕괴를 목격해야 하는 역설에 직면했다. 먼저 사림이 동인과
서인으로 분열되었다. 그러자 자신이 공론으로 확신했던 정치적 입장

---

28 올바른 공론은 천리와 인심에 합치되는 것이다. 그런데 주자에 따르면, 인심에는
천리가 담겨있지만, 동시에 사욕(私欲)도 담겨있다. 공론의 근거가 되는 인심은
'도심(道心)'이며, 사욕에 따르는 인심은 '형기(形氣)의 사사로움'에서 생긴 마음이
다(이상익·강정인 2004, 90-91). 그렇다면 공론의 근거가 되는 것은 결론적으로
천리뿐이다(이현출 2002, 119).

은 당론(黨論)으로 비판되었다. 권신정치 시대와는 달리 사림의 '언론'과 '공론'은 자연적으로 일치되지 않았다. 동인은 심지어 이이를 공론의 적인 소인으로 공격했다.

> 병조판서 이이는 … 집요하게 자신의 의견만 내세웠습니다. 그리하여 그의 모의와 계획이 인정에 거슬러서 공론에 죄를 얻었으니, 공론이 어찌 발동하지 않을 수 있겠습니까. … 공론이 있게 되면 만승천자라도 오히려 자신을 굽히고 따르는 법인데, 일찍이 재상의 반열에 있었던 자로서 공론을 무시하고 거리낌이 없는 행위를 이렇게까지 한 자가 있었습니까. … 대체로 대간은 임금의 귀와 눈의 역할을 하면서 한때의 공론을 담당하고 있는데, 그 공론이 통하느냐 막히느냐에 따라서 나라가 다스려지고 혼란스럽게 되는 결과가 빚어지는 것입니다. … 왕안석이 교만하게 임금의 명을 무시한 것이 이이에게 있고, 말하는 자를 배척한 것도 이이에게 있습니다(『宣祖修正實錄』宣祖 16年 6月 1日 辛亥).

이이는 사림과 공론의 적이자 유학의 죄인이며, 국가를 망하게 할 자로서 비판받았다. 주자학의 텍스트에서 왕안석은 공적(公敵)의 대명사이다. 동인이 주축인 삼사(三司)는 특히 공론의 소재를 다투고 있다. 이이는 이런 사태를 이해할 수 없었다.

아, 동·서란 두 글자는 본래 민간의 속어에서 나온 것입니다. 그래서 신이 일찍이 황당무계한 것이라고 웃었었는데, 어찌 오늘날에 이르러서 이렇게 엄청난 근심거리가 될 줄이야 생각이나 했겠습니까.
… 신과 같은 경우도 애초에 사류에 죄를 얻는 것이 아니었습니다.
그저 양쪽 사이를 조화시켜 나라 일을 함께 해 나가려고 했을 뿐인
데, 그 의도를 알지 못하는 사류들은 오해하고서, 서인을 옹호하고
동인을 억제한다고 지목하였습니다. 이렇게 한 번 점이 찍히고 난
뒤로는, 점점 의혹을 품고 저지하여 온갖 비방이 따라 일어나게 되
었는데, 마침내는 성균관과 사학(四學)의 유생들까지도 혹 저를 업
신여기기에 이르렀습니다(『宣祖修正實錄』宣祖 16年 4月 1日 壬子).

공론을 둘러싼 사림의 분열은 이이의 지적처럼 단순한 오해에서
비롯된 것보다, 의견의 차이를 인정하지 않는 진리의 정치관에서 비롯
된 것이었다. 진리가 하나뿐이고 자신의 견해가 진리라면, 다른 견해
는 공론을 해치는 사론(私論) 또는 사론(邪論)일 뿐이다. 18세기 후반
조선정치에 대한 정조의 견해를 보자.

요즈음의 풍속은 의리라는 두 글자를 가지고 사람을 족쇄 채우는
수단으로 삼고 있으니, 한 번만 다른 사람들의 뜻에 들지 않았다 하
면, 곧바로 그 결점을 파헤쳐 들추어 샅샅이 찾아내어 의리에 배치
된다고 몰아붙인다. 이것이 바로 어느 누구도 과감하게 말하지 못
하는 이유이다(『국역 홍재전서』 17, 제174권, 106).

정조에 따르면, 당시의 정치의 주요한 흐름이 '의리'에 의해 지배되
고 있고, 그것이 타인을 공격하고 타인의 의견을 억압하는 수단으로

악용되고 있다는 것이다. 성리학적 공론관은 이처럼 공론을 활성화시키기 보다 왜곡했다. 이 문제를 극복하는 데 실패하면서 조선전기 정치의 이상과 근본원리는 붕괴되기 시작했다. 그러나 새로운 정치원리는 제시되지 않았다. 그로 인해 조선은 구조적이고 만성적인 극단적 분열의 시대로 진입했다.[29] 성호 이익은 조선정치의 분열적 성격이 선조대부터 시작되었다고 보았다.

우리나라는 중세 이래로 간인(奸人)이 용사(用事)하여 사화(士禍)가 계속되었다. 앞에는 무오년(1498, 연산군4)과 갑자년(1504, 연산군10)의 살육이 있었고, 뒤에는 기묘년(1519, 중종14)과 을사년(1545, 명종 즉위년)의 잔학이 있었다. 한때의 충신과 현사가 거센 물결 속에서 함께 죽었지만 그래도 붕당이라는 명호는 없었다. 선조 때부터 하나가 나뉘어 둘이 되고, 둘이 갈라져서 넷이 되었으며, 넷은 또 갈라져서 여덟이 되었다. 당파를 대대로 자손들에게 세습시켜서 당파가 다르면 서로 원수처럼 여기며 죽였다. 그러나 당파가 같으면 함께 조정에 나아가 벼슬하고 한 마을에 모여서 같이 살아서 다른 당파와는 늙어 죽을 때까지 서로 왕래하지 않았다. 따라서 다른 당파의 길흉사에 가기라도 하면 수군거리며 떠들고, 다른 당파와 통혼(通婚)을 하면 무리를 지어 배척하고 공격을 하였다. 심지어는 말씨와 복장까지도 서로 간에 모양을 다르게 하니, 길에서 만나더라도 어떤 당파

---

29 이건창은 조선의 당쟁을 "고금의 붕당을 통틀어 지대(至大), 지구(至久), 지난(至難)한 것"으로 평했다(『黨議通略』, 「原論」).

라는 것을 지목할 수 있었다. 당파가 다르다고 하여 꼭 동네를 달리
하고야 말고 풍속을 달리하고야 마니, 아아! 참으로 심하다(『星湖全
集』卷45, 「論朋黨」).

정치적 대립이 단지 정치세계(political world)에 그친 것이 아니라 결
혼, 주거, 교제, 언어, 복장에 이르는 생활세계(life world)까지 깊숙이 침
투하여 삶을 총체적으로 지배했다는 것을 알 수 있다. 그리고 이 전쟁
은 세대를 초월하여 지속되었다.

또한 지배계급에 한정되지 않았고, 특정 지역에도 한정되지 않았
다. 전 계급과 지역에서 일상화되었다. 이중환은 그 정황을 다음과 같
이 전하고 있다.

신축(경종 1, 1721), 임인(경종 2, 1722)년 이래로 조정에서 노론, 소론,
남인의 삼색이 날이 갈수록 더욱 사이가 나빠져 서로 역적이란 이
름으로 모함하니, 이 영향이 시골에까지 미쳐 하나의 싸움터를 만
들었다. 그리하여 서로 혼인을 않을 뿐만 아니라, 이색(異色)끼리는
서로 용납하지 않는 경지에 이르렀다. 다른 색과 친하게 지내면 절
개를 잃었다느니, 항복했다느니 하여 서로 배척하고, 달사나 천한
노예까지도 한 번 아무 집안의 신이라고 이름이 지어지면, 비록 다
른 집안을 섬기려 하여도 또한 받아들이지 않았다. … 대저 천지가
개벽한 이후로 천하의 수많은 나라 가운데에서 인심이 괴패하고 함
닉되어 곧 그 떳떳한 본성을 잃어버린 것이 오늘날 붕당의 환난처럼
심한 적이 없었다(『擇里志』, 「人心」).

위에서 알 수 있는 바처럼 정치적 논쟁은 공동성찰(collective reflec-tion)을 진전시켰던 것이 아니라 '편 가르기'와 세력화의 방편으로 사용되었다.[30] 이이의 공론정치론은 이러한 역설과 모순에 대한 고투의 과정이었다. 그런데 당론을 지양하고 사림을 화합시키고자 했던 이이의 정치적 개입은 오히려 붕당의 전선을 선명하게 만들어 해결 불가능한 상태로 악화시키는 역설을 야기했다. 정치에 절망한 이이는 천리에 부합되고 만인에게 자명한 공론이 실제의 정치세계에서는 지난하다는 사실을 통감하게 되었다.

V. 결론: '진리의 정치'를 넘어

불교가 유입된 이래 정치사상 최대의 과제는 불교의 탈세속주의를 어떻게 극복하는가에 있었다. 한유가 지적한 위·진·남북조(221-589년)시대는 물론이고 송대에 이르기까지 불교가 사상계를 석권했기 때문이다. 이 과제에 정면으로 대응하여 이론적 체계를 제시한 것이 신유학 혹은 성리학이었다. 성리학은 불교와 도교의 탈세속주의에 대항하여, 세속이야말로 진리를 실현하기 위한 참다운 장이라는 논리를

---

30 언론은 악용될 때 '공론'보다는 '당론'에 의한 세력화가 나타나고, 외적 '투쟁'과 내적 '통일'이 강조된다(김대영 2005, 33). 이중환의 지적은 조선의 언론이 전형적으로 이런 문제에 직면했음을 보여준다.

제시했다. 가장 강력한 근거는 삼강오륜, 즉 인륜의 가치였다. 불교의 논리로는 인륜의 지속성이 유지될 수 없다는 것이다. 성리학은 지식인들이 세속을 떠나지 않고 진리를 탐구할 수 있는 방법론을 제시했다. '격물치지 성의정심'이 그것이다. 뿐만 아니라 탈세속의 태도를 '독선'(獨善)으로 비판하고, 참다운 지식인이라면 세속에 참여하여 세상을 개선할 소명이 있다고 주장했다. '수신제가 치국평천하'의 이상이 그것이다. 실천의 장은 자기 자신(修身)에서 시작하여 가족, 향촌, 국가, 세계로 확대되었다. 이 소임은 전통적으로 왕이나 귀족, 정치가들의 영역이었다. 하지만 성리학은 이것이 지식인 일반의 보편적 소임이라고 보고, 세상을 개선하기 위해 현실 문제들을 열렬히 탐구했다.

인간 세계의 질서를 위한 성리학의 제도적 구상은 크게 양분되었다. 첫째는 정신의 질서이며, 둘째는 신체의 질서이다. 정신의 질서에서 성리학자들이 가장 큰 관심을 기울인 것은 교육이었다. 교육의 선차성(primacy)은 성리학의 형이상학으로부터 직접 도출되었다. 천리는 인간에게 본연지성(本然之性)을 부여했는데도 왜 악이 존재하는가? 성리학은 기질지성(氣質之性)에서 그 이유를 찾는다. 그리고 교육에 의해 이 악을 교정하면, 인간의 참다운 성품을 회복(復性)할 수 있다고 본다. 그 논리는 주자의 「대학장구서(大學章句序)」에 논리정연하게 제시되었다. 교육은 이처럼 개인에서 평천하에 이르는 세계 전체를 개선할 수 있는 가장 근본적이고 확실한 방법이었다. 요순 같은 성왕(聖王)의 목표도 동일하다. 그렇다면 교육은 최고의 정치인 것이다. 이에 따라 성리학자들은 경연, 서연 같은 왕실 교육, 귀족과 관인을 위한 고등교육, 그리고 만인을 위한 일반교육 제도를 체계적으로 제시했다. 실제로도 태학, 국자감, 향교 등의 학교가 수도와 지방에 광범위하게 설립되었다. 민간에서는 더 심오한 학문 탐구를 위해 서원이 설립되었다. 주자의 백록동서원(白鹿洞書院)이 대표적이다.

성리학의 교육은 단지 학문의 습득이 아니라 관습의 체화에 목표를 두고 있었다. 어릴 때부터 소쇄, 응대, 진퇴의 예절을 교육한 것은 그 때문이다. 예를 안다는 것은 자신의 사회적 존재양식을 알고, 그에 따라 자발적으로 행위하는 것이다. 예의 학교는 가족이고, 체화를 목표로 한 교육의 정점은 가례(家禮)였다. 그 텍스트는 주자의 『주자가례(朱子家禮)』였다. 가족 내의 질서는 자연스럽게 국가적 질서로 연결되었다. 그러므로 예의 교육은 인간사회의 평화를 위해 가장 긴요했다.

신체의 질서에서 가장 중요한 것은 신분질서였다. 천리와 본연지성의 관점에서 보면 만인은 평등하다. 그러나 기질지성의 관점에서 보면, 인간은 성인, 군자, 중인(衆人)으로 계서화될 수 있다. 성인은 왕이며, 군자는 관인, 그리고 중인은 일반 백성으로서 왕과 군자의 가르침에 따라야 한다. 이것은 정치사회적 이데올로기이다. 현실의 신분은 인간의 정신적 품격이 아닌 출생에 의해 결정되기 때문이다. 즉, 성리학의 신분 이념과 현실은 괴리된 것이다. 그러나 현실의 신분은 모든 질서에 앞선 질서이다. 피지배층에게 신분 자체는 억압이다. 그러나 국가 전체의 관점에서 보면, 국가의 폭주를 억제하는 균형(balance)을 창조한다. 신분에 의해 재산, 학식, 명예를 세습한 조선의 양반계급은 왕권에 대해 상대적인 독립성을 유지했다. 왕권도 이들의 세습적 특권을 자의적으로 박탈할 수 없었다. 이 때문에 왕의 실정을 비판하는 공론정치가 가능했던 것이다. 팔레(Palais 1993)에 따르면, 조선은 정부와 양반집단의 상호균형 덕분에 정치적 안정을 장기 지속할 수 있었다.

성리학은 왕권의 견제를 위해 천위론(天位論)을 주장했다. 천위론이란 왕위를 포함해 모든 공직은 하늘의 위임에 의한 직위라는 것이다. 따라서 관직은 왕이 관리 개인에게 베푸는 은혜가 아니다. 왕은 사심에 따라 관직을 수여하거나 박탈하면 안 된다. 왕은 하늘의 직임을 함께 수행하는 대신 등 관리들에게 예를 갖춰 대해야 한다. 관리도 왕에게 개인적으로 충성하는 것이 아니라 백성의 안녕을 위해 일할 뿐이다. 왕의 실정에 대해서는 솔직히 비판해야 한다. 개인의 사적 관계가 아니기 때문이다. 천위론의 핵심은 결국 정치권력의 공공성이다.

왕권의 견제를 위한 또 다른 논의는 공론정치론이다. 왕위는 천명에 따른 공적 지위이다. 따라서 천리와 민심에 합치하도록 정치를 시행해야 한다. 천리와 민심을 알기 위해서는 언로를 열고 널리 의견을 들어야 한다. 그렇게 하여 형성된 공론에 따라 정치를 해야 한다. "공론은 국가의 원기(元氣)"로서 평가되었다. 원기가 소진되면 모든 생명체는 죽는다. 공론정치를 위한 제도적 장치 중 하나가 간관제이다. 간관의 직임은 왕과 조정의 정치에 대한 비판이다. 간관의 말에는 면책특권이 보장된다. 간관의 비판을 받으면, 대신이라 해도 관직을 사퇴해야 한다. 언로의 통색은 좋은 통치와 나쁜 통치의 기준이었다.

왕권 견제를 위한 세 번째 논의는 총재론이다. 총재론은 정부의 집행권을 관리의 우두머리인 총재에게 일임하자는 것이다. 정도전은 왕의 임무는 훌륭한 총재를 논정하는 데 있다고 주장했다. 왕의 입장에서 보면, 왕의 정치적 실권을 모두 박탈하는 것이다. 일종의 상징적 군주제와 유사하다. 이 때문에 태종과 세조는 육조직계제를 채택하여

의정부를 자문기관화하고 실권을 회복했다. 그런데 총재론은 군주제의 폐단을 방지하기 위한 것이다. 세습 군주제의 가장 큰 문제 중 하나는 훌륭한 왕이 드물다는 것이다. 능력이 아니라 세습에 의해 왕위를 계승하기 때문이다. 총재론은 이 단점을 극복하기 위한 권력위임론이다.

과거제 또한 왕권을 견제하고 정치적 공공성을 확보하기 위한 제도적 방안이다. 중국과 조선의 과거제는 전근대 사회가 성취한 뛰어난 제도적 결실이다. 과거제의 본질은 공직 담당 자격을 신분(status)이 아닌 능력(merit)의 관점에서 본다는 것이다. 이것은 근대에 이르기까지 어떤 사회도 성취하지 못한 것이다. 중국 또한 당대까지는 기본적으로 귀족집단이 정치를 담당했다. 과거제는 성리학이 확립된 송대에 완비되었다. 한국은 조선에서 확립되었다.

성리학은 정치와 통치에서 공공성을 크게 제고시켰다. 공공성의 근거는 진리와 도덕이었다. 정치는 진리와 도덕에 따라야 했다. 천리가 인간과 세계의 유일한 근원이라면 이런 결론은 형이상학적으로 불가피하다. 문제는 진리가 단일하다면, 정치는 다원적이라는 점에 있다. 진리의 정치에서는 '차이(difference)'를 '오류(fallacy)'로 인식하고, 제거하고자 한다. 그러나 차이에 대한 부정은 정치에 대한 부정이다. 만약 진리의 단일성에 의해 정치적 다원성을 통일하려고 하면, 전제정이 출현한다.

진리에 의한 정치의 정복을 막기 위해서는 '의견'을 다른 관점에서 이해해야 한다. 철학적으로 급진적 회의주의(radical skepticism)가 필요하다.

의견은 원래 나쁜 의미를 함축하고 있는 용어가 아니다. 의견이란 단순히 나의 자의적·주관적 의견을 가리키거나 나의 이해관계가 반영되어 현실을 왜곡시키는 것이 아니라, 나의 주관성이 배제된 채 세계가 나에게 열려져서 드러나는 것(dokei moi, it-appears-to-me)을 지칭한다. 실존적 존재로서 나는 세계의 한 부분이며, 내가 비록 의도적으로 세계의 리얼리티를 왜곡시키려 하지 않았다손 치더라도 세계의 한 부분인 나에게는 그 세계의 리얼리티가 부분적으로만 열리기 때문에 내가 볼 수 있는 것은 한정적일 수밖에 없다. 그러나 그 부분성은 거짓이 아니다. 또 그 부분들을 뛰어넘어 존재하는 리얼리티의 전체는 누구에게도 드러나지 않는다. 따라서 정치란 이러한 의견들을 전체적 진리로 대체하는 것이 아니라, 이 의견들을 존중하고 그것들 사이의 합의적 과정을 통해 의견들의 조화, 즉 공동의 견(common opinion)을 만들어 공동체 구성원의 조화와 협력을 이끌어내는 것이다(이동수 2004, 63).

'진리의 정치'는 아이러니를 인정하지 않는다. 하지만 나의 견해가 나에게 열린 부분적 세계라면, 그리고 "부분들을 뛰어넘어 존재하는 리얼리티의 전체는 누구에게도 드러나지 않는다"면, 아이러니는 불가피하다. 즉, 로티(Rorty 2020)에 의하면, 이론은 진리의 해명이 아니라 자신에 대한 재서술(re-description)일 뿐이다.

어떤 의미에서 조선 후기의 정치는 이 문제에 대한 고뇌의 과정이었다. 하지만 조선의 성리학은 이런 각성에 이르지 못했다. 그 결과 조선 후기 붕당정치는 특정한 '진리'에 의해 정치로부터 '의견'을 배제해 가는 과정이었다. 선조 대 이후 조선 사림의 공론정치가 유혈이 낭자한 당쟁으로 변모했다. 이 고투의 긴장과 격렬성은 공론정치에 대한 회의를 야기했다. 정여립 사건을 둘러싼 1589년 기축옥사(己丑獄事)는 그 시작이었다. 그 격렬한 대립을 해소하기 위해 '탕평정치'가 시도되었다. 그러나 정조 사후 조선정치는 마침내 '세도정치'라는 최악의 사태로 종결되고 말았다.

율곡 이이는 성리학의 정치에 내재한 이런 딜레마가 현실과 접점을 상실한 청론(淸論)에 있다고 인식했다.

> 그대가 고금의 일을 두루 보더라도, 어찌 군자가 뜻을 이루어 청론(淸論)을 한창 행하면서, 나라 일을 낭패시킨 것이 오늘날과 같은 적이 있었습니까? 조정에서는 무엇보다도 식견(識見)이 제일이니, 식견이 밝지 못하면 비록 어질더라도 일을 성취시키지 못하게 됩니다. 허노재(許魯齋, 許衡)가 말하기를, "인자하고 예양(禮讓)하며, 효제(孝悌)하고 충신(忠信)하면서도, 나라를 망치고 가산을 탕진시키는 것이 모두 이것이다"라고 하였습니다. 내가 일찍이 지나친 말이라고 하였는데, 이제 비로소 징험해 보니, 옛날 사람의 말을 가볍게 보아 넘길 수가 없습니다(『栗谷全書』, 書, 「答李潑」庚辰).

청론은 천리로부터 비롯된 도덕정치이다. 이에 반해 식견(識見)이란 현실에 대한 이해력, 즉 실천적 이성(prudenzia)이다. 이이는 설사 도덕적으로 정당해도 '식견'이 없는 정치는 국가를 망하게 할 수도 있다고 주장했다. 정치에서 가장 중요한 것은 진리나 도덕이 아니라 식견이라고 본 것이다. 이렇게 이이의 견해는 성리학의 정치관을 넘어섰다.

조선 후기의 정치는 진리의 정치를 넘어서지 못했다. 그 결과 정치는 생기를 잃고 정치적 지성은 생동감을 상실했다. 그 이유는 바로 청론의 지배에 따른 '의견'의 종언, 그리고 식견의 부재와 직접 관련을 가지고 있는 것으로 생각된다. 그런데 오구라 기조(大倉紀藏)에 따르면, 현대 한국정치에서도 이런 특징이 바뀌지 않았다고 본다.

> 조선 혹은 한국은 하나의 철학이다. 철학 그 자체가 영토·사람·주권으로 응결된 것이 조선 혹은 한국이다. 여기에서 철학이란 '리(理)'를 말한다. 주자학에 의한 국가 통치 이후, 이 반도를 지배해 온 것은 오로지 '리'였다. 항상 '하나임(一個性)'을 주장하는 '리'였던 것이다. '리'란 무엇인가? 보편적 원리이다. 그것은 천(天), 즉 자연의 법칙과 인간 사회의 도덕이 한 치의 오차도 없이 일치된, 아니 일치되어야 한다고 여기는 절대적인 규범이다. 오늘날의 한국인의 도덕 지향성은 이 전통적인 '리' 지향성의 연장이다. 조선 왕조의 철학자들은 실로 치밀한 이기론(理氣論)을 수백 년 동안이나 되풀이했다. 여기에는 이유가 있다. 인간의 마음에서 사회와 우주에 이르는 모든 영역을 '리'와 '기'의 관계를 가지고 좀 더 논리정연한 체계로 설명할 수 있는 세력만이 정권을 장악할 수 있었기 때문이다. 그리고 이 철학 논쟁에서 패배한 그룹은 권력에서 배제된다. '리'는 보편의 운동이다(大倉紀藏 2017, 20).[31]

31 그런데 오구라 기조는 한국정치에서 '진리의 정치'는 기실 '이익의 정치'의 다른 모습으로 본다. 진리는 규범이자 동시에 "돈과 밥의 원천"이기 때문이다. 성호 이익도 그렇게 생각했다: "붕당(朋黨)은 투쟁에서 나오고, 투쟁은 이해(利害)에서 나온다. 이해가 절실하면 붕당은 심각해지고 이해가 오래되면 붕당은 강고해지니, 형세상 그렇게 되는 것이다. 어떻게 그렇게 되는 것을 분명히 아는가? 지금 열 명이 똑같이 배가 고프다. 밥은 한 그릇인데 모두 숟가락을 들이대니 밥그릇을 비우기도 전에 싸움이 일어난다. … 나라의 붕당이라고 하여 이것과 무엇이 다르겠는가. … 붕당이란 무엇 때문에 생기는 것인가? 대개 과거제도가 번잡하여 인재를 뽑는 것이 너무 많으며, 사랑하고 증오하는 것이 너무 편벽되어 승진과 파면이 일정하지 못하기 때문이다. … 우리나라는 인재를 등용할 때 더욱 과거만 오로지 하였다. 그러나 맨 처음에는 수가 매우 적었었는데, 선조 때부터 점차 증가되더니 지금에 와서는 극도로 많아졌다. 북조(北朝) 사람 최량(崔亮)의 말에 "관직 하나를 가지고도 열 명에게 준다 하더라도 오히려 다 제수할 수 없다" 하였는데, 참으로 오늘의 실정에 꼭 맞는 말이다. 그렇기 때문에 세벌(世閥)과 문장의 집안에서도 빈곤하게 살면서 홍패(紅牌, 과거 합격증)를 안고 한탄하는 자를 이루 다 기록할 수 없으니, 당이 어찌 갈라지지 않겠는가?" 당쟁은 표면상 고원한 형이상학 사이의 대립으로 보인다. 하지만, 그 속을 뜯어보면 단순한 밥그릇 싸움이다. 즉, 조선정치와 한국정치의 내면적 특징은 '위선성'이라는 것이다.

참고문헌

「大學章句序」

「西銘」(張載)

「韓愈傳」

『稼亭集』(李穀)

『高麗史節要』

『高麗史』

『舊唐書』

『黨議通略』(李建昌)

『東文選』

『明道先生文集』(鄭顥)

『明宗實錄』

『牧隱文藁』(李穡)

『復性書』(李翶)

『三峯集』(鄭道傳)

『書經』

『宣祖修正實錄』

『星湖全集』(李瀷)

『陽村集』(權近)

『栗谷全書』(李珥)

『二程全書』(鄭顥·程頤)

『靜菴先生文集』(趙光祖)

『註頭御定朱書百選』

『周易』

『朱子家禮』(朱熹)

『朱子大全』(朱熹)

『朱子語類』(朱熹)

『朱熹集』(朱熹)

『中庸章句』(朱熹)

『昌黎先生文集』(韓愈)

『太祖實錄』

『太宗實錄』

『擇里志』(李重煥)

『국역 홍재전서』(正祖)

김대영. 2005. 『공론화와 정치평론: 닫힌 사회에서 광장으로』. 서울: 책세상.

김영수. 1997. "고려말과 조선조 건국기의 정치적 위기와 극복과정에 관한 연구." 서울대학교 박사 학위 논문.

김영수. 2006. 『건국의 정치: 여말선초, 혁명과 문명전환』. 서울: 이학사.

김준석. 1990. "17세기 정통주자학파의 정치사회론: 송시열의 세도정치론과 부세제도리정책." 『동방학지』 67권, 87-196.

도현철. 1999. 『高麗末 士大夫의 政治思想研』. 서울: 일조각.

손영식. 1993. "宋代 新儒學에서 哲學的 爭點의 研究: 道德 形而上學의 原則性·實踐性·現實性 問題를 中心으로." 서울대학교 박사 학위 논문.

오금성. 1992. "中國의 科擧制와 그 政治·社會的 機能: 宋·明·淸시대의 사회의 계층이동을 중심으로." 역사학회 편. 『科擧』. 서울: 일조각.

이동수. 2004. "정치와 정쟁: 근대적 정치관을 넘어서." 『철학과 현실』 61호, 55-66.

이범직. 1990. "조선전기의 五禮와 家禮." 『한국사연구』 71호, 31-61.

이상익. 2004. 『유교전통과 자유민주주의』. 서울: 심산.

이상익·강정인. 2004. "동서양 사상에 있어서 정치적 정당성의 비교: 儒家의 공론론과 루소의 일반의지론을 중심으로." 『정치사상연구』 10집 1호, 83-110.

이성무. 1992. "韓國의 科擧制와 그 特性: 高麗 朝鮮初期를 中心으로." 역사학회 편. 『科擧』. 서울: 일조각.

이용주. 1997. "주희와 도교: 朱子學 성립의 계기를 통해 본 儒敎·道敎思想의 교차점." 『종교학연구』 16권, 85-118.

이정주. 1997. "麗末鮮初 儒學者의 佛敎觀: 鄭道傳과 權近을 中心으로." 고려대학교 박사 학위 논문.

이현출. 2002. "사림정치기의 공론정치 전통과 현대적 함의." 『한국정치학회보』 36집 3호, 115-134.

주웅영. 1985. "家廟의 設立背景과 그 機能: 麗末鮮初의 社會變化를 중심으로." 『역사교육논집』 7권, 43-78.

지두환. 1982. "朝鮮初期 朱子家禮의 理解過程: 國喪儀禮를 中心으로." 『한국사론』 8권, 63-92.

채정수. 1984. "權近의 佛敎觀." 『東亞大論文集』 8집, 7-24.

한영우. 1989. 『鄭道傳思想의 硏究』. 서울: 서울대학교출판부.

황원구. 1981. "朱子家禮의 形成過程: 王法과 家禮의 連繫性을 中心으로." 『인문과학』 45권, 81-119.

Arendt, Hannah 저·이진우·태정호 역. 1996. 『인간의 조건』. 서울: 한길사.

Bol, Peter K. 저·김영민 역. 2010. 『역사 속의 성리학』. 서울: 예문서원.

Burke, Edmund. 1971. *Reflection on the Revolution in France,* Introduction by A. J. Grieve. New York and London: Everyman's Library.

Canetti, Elias 저·강두식 역. 1993. 『군중과 권력』. 서울: 학원사.

Kuhn, Dieter 저·육정임 역. 2015. 『하버드 중국사 송: 유교 원칙의 시대』. 서울: 너머북스

Palais, James B. 저·이훈상 역. 1993. 『傳統韓國의 政治와 政策: 朝鮮王朝 社會의 政治·經濟·이데올로기와 大院君의 改革』. 서울: 신원문화사.

Rorty, Richard 저·김동식·이유선 역. 2020. 『우연성, 아이러니, 연대』. 고양: 사월의책.

守本順一郎(모리모토 준이치로) 저·김수길 역. 1985. 『동양 정치사상사 연구: 주자사상의 사회 경제적 분석』. 서울: 동녘.

島田虔次(시마다 겐지) 저·김석근·이근우 역. 1986. 『朱子學과 陽明學』. 서울: 까치.

大倉紀藏(오구라 기조) 저·조성환 역. 2017. 『한국은 하나의 철학이다: 리(理)와 기(氣)로 해석한 한국 사회』. 서울: 모시는사람들.

錢穆(첸무) 저·차주환 역. 1985. 『中國文化史導論: 中國文史哲論』. 서울: 을유문화사.

개화파의 세계관: 실학과의 연속성 관점에서*

김충열

I. 서론

국사편찬위원회가 펴낸『한국사』(전24권)는 19세기 후반 서양 제국주의 세력에 의한 소위 서세동점의 격변기에 일어난 위정척사론 및 개화사상의 등장과 개항을 기준으로 하여 한국사에서 "근대"의 시작으로 잡고 있다(국사편찬위원회 1978). 이 시대구분의 중요한 모멘트는 물론 서양 세력의 도래와 뒤이은 동아시아 전통질서의 붕괴 그리고 동아시

---

* 이 글은『한국동양정치사상사연구』20권 1호(2021)에 게재된 "1880년대 개화파의 세계관 탐구: 실학과의 연속성의 관점에서"를 수정·보완한 것이다.

아 국가들이 겪은 다양한 차원에서의 질적인 변화이다. 이 시대구분
법은 전례 없는 양상으로 발생한 일련의 정치외교사적 사건들을 근대
적 전환의 일차적인 계기로서 의미부여 하고 있다. 시대구분의 기준으
로 이정표적 사건들을 주목하는 것은 불가피하지만 사건사를 통하여
역사를 이해하게 되면, 그 사건들 이전에 한 사회가 내적으로 겪어 온
사회경제적, 문화적 차원에서의 변화의 맥락이 묻히기 쉽고 그 결과
역사의 내적 연결성이 가려져서 마치 역사가 새로 시작되는 듯한 인상
을 주게 된다. 서양의 도래로 인한 외적 충격으로 야기된 동아시아 국
가들의 반응으로서의 근대로의 진입이라는 이해방식은 낡은 해석법으
로서 지난 몇십 년 사이에 다수의 학자에 의하여 비판되어 왔다.[1] 중
국사에서처럼 한국사에서도 서양 세력과의 대면 이전부터 근대로의
단초는 이미 내부에서 싹트고 있었다.[2] 한국사의 시대구분을 위해 불
가피하게 "근대"라는 표현을 쓰더라도 그것이 이전 시대와의 단절을
의미하는 것으로 이해되어서는 안 되며, 다만 당시 한국 사회에서의
질적 변화가 그 이전 어느 시대보다 빠르게 진행되어 현대 한국인들의
삶의 방식의 기원이 있는 시기라는 의미로 이해되어야 할 것이다. 이
점에서 『신편 한국사』(전52권)는 1권 서론에서 한국사 개관을 담당한 학
자들에 의해서 "고대"와 "근현대"의 시대구분 용어들이 사용되고 있기

---

1   대표적인 연구는 다음과 같다: Cohen(1984), Schwartz(1972, 71-88), Wood-
     side(2006).
2   이 시각은 조선 후기 사회경제사 연구와 실학 연구에서 두드러지게 나타나고 있
     다. 대표적인 연구로는 김용섭(1970; 1979), 한영우 외(2007).

는 하지만 본격적인 역사서술에서는 이들 용어를 배제하고 있는데, 이 것은 역사가 어느 순간에도 단절적이지 않다는 보다 발전된 인식을 반 영하고 있는 것으로 여겨진다(국사편찬위원회 2002).

1. 실학과 개화사상의 관계에 대한 기존 연구들

한국에서 "근대"를 시작하는 사상으로 말해지는 것이 전편『한국 사』에서 지적한 '개화사상'이고 개화사상의 근대적 성격은 기존 연구 들에서 대부분 인정하고 있다. 개화사상 자체는 평가가 엇갈리는 급 진개화파 인물들과 달리 국가의 위기에 대응하여 안으로부터 발생한 자주적이고 개혁적인 사상으로서 대체로 긍정적인 평가를 받아왔다.[3] 이러한 맥락에서 개화사상이 조선 후기 실학과 연결된다는 주장이 제 기된 것은 이상한 일이 아니다. 연구자들은 실학파와 개화파의 인적 계보에 대한 분석과 두 사상 조류의 내용에서의 유사성에 대한 분석 을 토대로 개화사상이 19세기 후반에 일본 및 서양과의 교류 속에서 새로 생겨난 것이 아니라 실학의 역사적 배경에서 도출되어 나온 것으 로 평가하였다. 대표적으로 김영호와 강재언, 이광린, 신용하는 박지 원, 박제가, 정약용, 김정희 등으로부터 박규수와 오경석, 유홍기, 강 위, 신헌 등을 매개로 한 실학파와 개화파 사이의 인적 연결성을 폭넓

---

3   급진개화파의 정치적 동기와 행동에 대한 최근의 비판적인 평가는 김종학(2017) 참고.

게 조사하고, 실학의 사상적 특징들, 예를 들어 중국적 세계질서의 부정과 화이관 비판, 성리학에 대한 회의, 만인평등론, 외국과의 통상과 상업론 등이 개화사상에서 재현되고 있음을 주장하였다(강재언 1982, 50-54, 59-73; 김영호 1972, 675-691; 신용하 1985, 107-187; 이광린 1970). 이에 더해 김명호(2011, 134-151)는 박규수의 사상을 규명하면서 그가 조부인 박지원의 사상을 계승하고 있으므로 박규수에게 지도받은 개화파는 실학과 연결된다는 논리를 옹호하였다.[4]

다른 한편, 이 주장에 대한 비판적 견해도 제기되었는데, 정용화(2004, 135-139)는 개화사상은 정치, 경제, 사회질서 및 대외관계에서 서구의 근대 질서에 기반하여 국가를 근본적으로 개혁하려 한 것으로 유교적 질서를 고수한 채 그것을 수정하려는 사상인 실학과는 다르다고 보았다. 그 증거로서 그는 실학은 여전히 "화이관"과 "조공 질서"와 같은 유교적 가치를 견지하고 있었으므로 개화파에게서 잘 드러나는 자주독립론과는 질적인 차이가 있으며, 실학 속에서는 "자연권에 근거한 개인과 그들의 공동체로서의 국민국가 관념"은 찾아보기 어렵다고 주장하였다.[5] 장인성은 개화사상은 개국상황의 위태로운 "세계정

---

4   박영효가 증언한 박규수를 통한 실학의 개화사상으로의 연결의 맥락은 이광수(1962, 400-405) 참고.

5   조광(2000, 501-533)은 실학과 개화사상의 연결성에 관한 연구사를 검토한 후, 실학과 개화사상이 연결되어 있다는 설득력 있는 증거를 찾기 어렵다고 보았다. 하지만 그의 분석은 실학과 개화사상을 역사적 맥락으로부터 분리해 개별 사유체계로서 비교하는 실수를 범하고 있다. 실학적 사고가 19세기 후반의 역사적 전환기의 새로운 시대적 맥락 속에서 어떻게 변용될 수 있는지에 대한 고민이 결여되어 있다.

세"와 1840년대 이래 도입된 세계 인문지리와 국제정세를 담은 "중국 서"들이 큰 영향을 주어 발생한 것으로, 이것은 1880년대 초반 개화 유생과 개화 상소의 분출에서 확인할 수 있다고 하였다. 그는 따라서 개화사상은 새로운 역사적 컨텍스트에 대한 "실학적 반응"일 뿐, 실학 의 직접적 계승으로 보기는 어렵다고 보았다(장인성 1998, 212-213).

위의 두 입장을 연속론과 단절론으로 명명하면, 연속론은 인적 계보뿐 아니라 인간 사고의 저층에서 이루어지는 사유의 근본적 전환 과 그것의 지속성을 강조하고 있다. 즉 실학은 몇몇 학자들의 비전통 적인 개성적 사고를 지칭하는 것이 아니라 조선 후기 당시 여러 차원 에서 있었던 광범위한 지적 전환을 가리키는 것으로, 이 전환이 19세 기 전반의 서학탄압과 실학의 위축기에도 지속하였을 거라는 가정에 기대고 있다. 따라서 필자가 보기에 인적 계보와 사상의 내용적 유사 성 분석은 가장 두드러진 특징들의 조사에 불과하다. 조선의 유학사 에서 실학이 가지는 근본적인 지적 전환을 규명하고 이것이 개화사상 에서 어떻게 나타나는지를 살펴보는 것이 보다 중요한 과제가 된다. 필자는 실학의 성리학과의 단절은 무엇보다 '세계관'에서의 차이이고, 이 점에서 실학의 역사적 의미가 드러난다고 본다.

후자인 단절론은 19세기 후반의 시대적 상황의 단절적 성격에 초 점을 두는 것으로 이 시대의 특징들을 강조하여 이전 시대와의 차이 를 부각하고 있다. 정용화의 개화사상의 근대사상으로서의 측면 강조 는 모든 사상 조류는 연속과 불연속의 이원성을 가지고 있음을 놓치 고 있다. 개화사상의 실학과의 차이는 19세기 후반의 동아시아에서 발생한 역사의 격변을 반영하고 있다는 점이다. 하지만 이 불연속이 실학과의 단절을 증명하지는 않는다. 그 자신도 인정하였듯이, 실학자들의 사유 속에는 전통적인 유학적 세계관이 여전히 존재하지만 동시에 그 세계관을 의심하는 혹은 그 세계관을 부정하는 요소도 내재하여 있기 때문이다. 실학은 18세기 조선의 유교 사회를 반영하면서 동시에 유학적 사고를 넘어서는 요소를 가지고 있었음을 염두에 두어야 한다. 그리고 이 초유학적 요소는 시대적 맥락에 따라 변용될 수 있는 성질의 것이었다. 장인성은 유교 자체에 "이념적 성격과 실학적 성격"이 함께 있음을 말하면서, 18세기 실학과 같이 개화사상도 개국상황에서의 "실학적 반응"으로 본다는 점에서 개화사상을 조선의 사상사 속에서 이해하는 시각을 가지고 있다. 필자 역시 이 견해에 동의하지만, 문제는 조선의 사상사 속에서 실학이 가지는 독특함과 실학에서 개화사상으로의 내적 연속성을 저평가하는 점은 아쉽게 생각한다. 조선의 유학 사상사를 장기적 시각에서 바라보면 세계를 이해하는 틀로써의 '세계관'의 전환이 17세기 후반부터 서서히 발생하고 있었고, 18세기에 소위 실학에서 보다 강하게 드러나며, 19세기 후반의 개화사상에서는 그것이 전면화되어 유학의 사유틀 자체를 넘어서고 있다. 실학의 등장은 따라서 성리학의 세계관과 다른 세계관의 등장과 확산을 의미하며 이것은 개화사상에서 계승되고 있는 것이다.

우리는 먼저 유학과 실학의 관계를 규명하여 실학을 구체화할 필요가 있다. 유학을 정치사상으로 이해할 때 그 정치사상 속에는 '정치적 필요'에 관한 측면과 '윤리적 이상'에 관한 측면이 서로 긴장을 이루고 있고 조선에서 정학(正學)으로 기능한 성리학(혹은 주자학)은 특히 후자가 철학적으로 정교화된 형태이다. 조선 전기에 성리학이 내재화되지 않았을 때는 유학고전의 공부(혹은 고학)와 성리학의 공부가 공존하였고 학문 경향에 있어서 윤리적 이상뿐만 아니라 정치적 필요의 주제도 중요하게 간주하였다. 15세기 후반부터 성리학의 이해가 깊어지면서 유학 공부는 윤리적 이상 쪽으로 기울어 17세기까지 지배적인 학문 경향을 이루었다. 하지만 16세기 후반부터 국내적으로 여러 제도적 폐단들이 쌓이고 특히 17세기를 전후하여 양난의 위기 속에서, 일부 학자들 사이에서 점차 정치적 필요 쪽으로의 학문적 관심의 부활이 있었고 이 경향은 18세기에 실학으로 발전하였다.[6] 실학은 따라서 유학의 한 계기로서 생겨난 것으로 양자는 연속적이라고 볼 수 있다. 하지만 유학 내의 '정치적 필요'의 사상은 유학 자체를 넘어설 수 있는 지적인 자원을 내재하고 있었다. 왜냐하면 '세계관'의 측면에서 볼 때, 정치적 필요에 기반한 세계관과 윤리적 이상에 기반한 세계관은 공존할 수 있지만 긴장의 요소를 가지고 있었고, 정치적 필요의 측면과 긴밀히 연결되어 있는 실용적, 합리적, 경험적, 실증적 세계관은 후자의 윤리적 세계관의 헤게모니에 균열을 만들고 윤리적으로 정의된 세계에 분열을 가져올 여지가 있었기 때문이다. 따라서 정치사상으로서 유학은 그 자체의 이념적 긴장 속에서 그 자신을 넘어설 수 있는 지적 자원이 있었고, 이 점은 바로 실학의 '세계관'에 대한 탐구를 통하여 분명하게 드러난다.

---

6 이 관점에서의 조선조 유교정치사상사에 대한 보다 상세한 기술은 필자의 졸고
   (김충열 2020, 167-191)를 참고.

2. '세계관'의 관점

세계관(Weltanschauung, worldview)이란 프로이트(Sigmund Freud)에 의하면 하나의 지적인 구성물로서 그 위에서 문제들을 일관된 방식으로 이해하고 대답되지 않은 문제들을 남겨두지 않는 하나의 지배적인 가설체계를 말한다(Freud 1965, 158). 서양 사상사에서 세계관은 이미 플라톤에서부터 세계 이해의 틀로서 중요한 의미를 가지고 있었는데, 플라톤은 세계를 진리의 세계, 규범의 세계, 미학적 세계로 구분하는 관점을 가지고 있었고 이 삼분법은 칸트에 의해 계승되었으며 근래에 하버마스도 이러한 세계관을 계승하였다. 한편, 세계관 개념을 중요하게 다룬 독일 철학자 딜타이(Wilhelm Dilthey)는 서양철학사에서 세 가지 세계관이 두드러지는 것으로 보았는데, 고대 그리스의 데모크리투스(Democritus)와 홉스, 흄 등으로 대표되는 '자연주의'(naturalism)와 플라톤과 칸트 등에게서 나타나는 자유의지의 강조와 이원론의 세계로 특징되는 '자유의 관념론'(idealism of freedom 혹은 subjective idealism), 그리고 헤라클리투스(Heraclitus), 라이프니츠, 헤겔 등에게서 두드러지는 것으로서 실재하는 것의 합리성을 주장하고 일원론적인 '객관적 관념론'(objective idealism)이 그것이다(Makkreel 1992, 346-356). 다른 한편 프로이트는 근대란 합리적 혹은 과학적 세계관이 대두하고 종교적, 철학적 세계관이 쇠퇴하는 것으로 보았는데, 과학적 세계관이란 자연세계뿐 아니라 문화세계의 문제들에 있어서도 인간이 그들의 인지 능력으로 투명하게 해석해내는 것을 지칭하였다. 이 점에서 그가 행한 정신분석은 비과학적(혹은 종교적) 세계관 비판에 대한 마지막 공헌이 되는 것으로 보았다(Freud 1965, 158-182).

위에서 다룬 '세계관' 이해는 두 가지의 다른 층위에 기반해 있다. 먼저 프로이트는 그가 산 19세기 후반과 20세기 전반기의 시대를 반영하고 있는데, 그는 정신분석학을 하나의 과학으로서 정립하려고 하였고 기독교적 세계관을 정신분석의 방법으로 해명하여 '유아적 환영'에 사로잡혀 있는 그 세계관의 오류를 폭로하였다. 세계를 과학적/합리적 관점에서 해석하려는 프로이트의 목표 속에는 근대의 세계라는 시간성이 내재하여 있다. 딜타이는 서양철학의 세 가지 포괄적이고 환원불가능한 형이상학적 세계관의 구조를 심리학적으로 규명하는 것을 목표로 하였는데, 그에 의하면 각각의 세계관은 서로 다른 '세계상'(world-picture)의 층, 그 위에 있는 '삶의 평가'(evaluation of life)의 층, 그리고 그 위의 '생활 방식(conduct of life)의 이상(원칙)'의 층을 가지고 있다고 보았다. 나아가 그는 이 층위들은 개인의 성격(character)과 경험(experience)에 따라 다르게 형성된다고 하였는데, 다른 곳에서는 이를 '삶의 무드'(moods of life)라는 표현으로 설명하였다. 플라톤과 칸트, 하버마스의 삼분법은 세계를 객관적으로 이론화하는 것에 목표를 두었고, 그들 자신이 그 분리된 세계관을 통해서 세계를 이해하고 있는 상황을 반영한다. 필자는 프로이트의 '역사적' 접근을 딜타이 및 플라톤의 '이론적' 접근과 구분하고 그 바탕 위에서 한국의 상황에 대입해 보면, 하나의 의미 있는 시사점을 제공한다고 본다.

먼저 프로이트의 역사적 관점을 적용해 보면, 실학의 실용적, 합리적, 경험적, 실증적 세계관은 성리학의 윤리적 세계관의 약화, 나아가 한국의 중세적인 세계의 쇠퇴를 반영한다고 말할 수 있다. 조선 중기처럼 성리학의 윤리적 세계관이 헤게모니를 가진 시대에는 그 지배적 세계관이 사회문화적 상징체계 및 정치적 권위와 연결되어 있었기 때문에 새로운 세계관이 등장하기가 어려웠다. 다른 중심적 세계관의 등장과 기존의 세계관의 대체는 주로 인간 삶(역사)의 변화를 반영하는 점을 고려하면, 18세기에 이미 조선사회의 (근대적) 변화는 여러 차원에서 나타나고 있었다고 보아야 한다. 이 장기적이고 거시적인 세계관의 전환은 어느 한 개인이나 그룹의 발상이 아니므로 정치권력도 이 전환의 과정을 붕괴시키기가 어렵다. 19세기 전반기에 서학의 탄압으로 인한 실학의 위축이 실학 속에 내재해 있는 새로운 세계관까지 말살하였다고 보기 어려운 이유이다.

실학이 성리학적 세계관의 내적인 분열을 의미한다면, 위정척사사상과 개화사상은 그 분열된 세계관의 전면화를 나타낸다. 딜타이의 심리학적 접근을 통해서 보면, 어느 한 세계관의 독점적 지배가 붕괴된 이후 포괄적이고 환원불가능한 복수의 세계관의 등장은 개별 철학자의 삶의 무드, 즉 성격과 경험이 낳은 결과이다. 조선 말기의 경우 위정척사를 주장한 이항로(1792-1868)나 기정진(1798-1879), 최익현(1834-1907)은 18세기 말이나 19세기 전반기에 시골에서 태어나 자라면서 전통의 영향을 강하게 받았다고 볼 수 있다. 그들의 삶의 무드는 여전히 전통적이었고, 유교적 세계관을 통해 세계를 해석하는 것은 그런 맥락에서 이해할 수 있다. 반면 김옥균(1851-1894)을 비롯한 개화파는 대개 1850년대와 60년대 생이고 서울을 성장배경으로 하고 있다. 여러 기록들이 말하고 있듯이 그들은 박규수나 유홍기로부터 실학과 변화하는 당대의 세계에 대한 교육을 받았고, 새로 수입된 중국서들을 통하여 새로운 세계를 대면하였다. 이들의 삶의 무드가 그들을 개화의 세계관으로 이끌었던 것이다. 하지만 이미 조선에서 진행되고 있었던 세계관의 분리가 선행되지 않았더라면 개화사상의 전면화는 거의 어려웠을 것이다. 개화기의 역사적 격변은 그 전면화를 촉진하였다고 볼 수 있다.

이 가설을 증명하기 위해서는 먼저 실학 속에 존재하는 새로운 세계관을 확인하고, 이 세계관이 개화사상에서 보다 더 강화되고 전면화된 형태로 드러남을 밝혀야 한다. 그렇게 함으로써 우리는 실학과 개화사상이 한국사상사 속에서 연속적임을 주장할 수 있게 될 것이다. 본 연구는 개화사상이 역사적 격변기에 등장하였지만 여전히 한국정치사상의 흐름 속에 존재한다는 점을 실학의 세계관과 개화사상의 세계관의 연결성에 초점을 맞추어 규명하는 것을 목표로 한다. 19세기 후반의 시대적 분위기가 개화사상 속에 깊이 스며들어서 실학자들보다 세계를 더 사실적, 현실적으로 해석하고 있긴 하지만 세계를 보는 토대인 세계관에서는 실학과 연속적이었다. 본 연구는 역사적 전환이 본격적으로 시작된 1880년대에 쓰인 개화파의 저작들, 특히 《한성순보》(1883.10-1884.12), 《한성주보》(1886.1-1888.7), 박영효의 「건백서」, 유길준의 『서유견문』을 주 텍스트로 삼아서 분석한다.

II. 실학의 세계관

17세기 후반 이래의 실용적 학풍으로서 당대의 국가적인 문제들에 대한 학문적 천착, 다양한 분야의 지식에의 관심, 유학경전의 재해석, 솔직한 감정의 표현으로서의 예술 경향 등으로 요약되는 실학(實學)에 대한 주류적 해석은 대체로 교조화된 성리학에 반대하여 유학 본래의 수기치인 정신으로 돌아가고 사회의 변화에 대응하여 그 필요의 문제들에 관심을 돌리는 개혁적 학문사조로 이해하는 것이다. 이 관점은 실학의 등장을 조선의 체제교학으로 일컬어지던 성리학 혹은 주자학으로부터의 발전으로 이해하고 있다. 이 해석을 유학사 전체의 관점에서 살펴보면, 본래 실용적 통치사상과 이상적 윤리사상의 두 측면이 긴장을 이루고 있던 고전 유학의 사상체계 중에서 전자인 실용적 통치사상의 측면을 회복하고자 하는 지적 노력이 실학이라고 평가할 수 있다. 실제로 근기(近畿) 남인계 실학자들의 경우 고대 중국의 육경고학으로 회귀하는 뚜렷한 경향이 있는데 이것은 이러한 관점에서 해석할 수 있다.[7]

애초에 성리학적 도덕지상주의에 대한 일부 학자들의 회의는 16세기 후반 이래의 누적된 국가의 제도적 폐단들, 또 16세기 후반과 17

---

7 육경고학으로의 회귀는 미수 허목(1595-1682)에게서 잘 드러난다. 그는 익명의 학자에게 보낸 편지에서 오십년간 고문(古文)을 읽으며 성인의 생각을 구하기 위해 노력하였고 후세에 조탁(彫琢)된 글은 하나도 마음에 두지 않았다고 말하고 있다("答客子言文學事書"『記言』1). 허목의 문집인 『記言』은 친척관계에 있던 성호 이익에 의해 사숙되었고 이익의 글들은 다산 정약용과 젊은 남인 학자들에게 큰 영향을 미쳤다. 다른 한편 고학으로의 회귀는 북인계 남인 학자들인 백호 윤휴와 반계 유형원에게도 나타나는데, 연구자들은 이것을 북인의 두 거목인 서경덕(1489-1546)과 조식(1501-1572)의 학풍에서 찾고 있다. 허목의 고학에 대한 조명은 정옥자(1979, 197-232), 한영우(1985, 40-87). 북인계 남인의 학풍에 관한 연

세기 전반기에 발생한 두 번의 외침으로 인한 국가적 위기상황이 배후에서 작용하고 있었다. 하지만 그 위기상황을 유학적 질서의 강화를 통하여 극복하고자 한 집권세력 때문에 주자학에 대한 반성은 즉각적으로 이루어지지는 않았다.[8] 실학적 사고는 17세기 후반에 일부 비주류 학자들 사이에서 성장하고 있었는데, 18세기 이후 영·정조대에 국가가 안정기에 접어들면서 새로 수입된 학문들, 특히 청으로부터 수입된 서양의 과학기술 서적들과 고증학과 같은 학문들이 비교적 자유로운 조선 후기의 사회문화적 상황과 결합하면서, 주자학의 틀을 벗어나 보다 자유롭고, 비판적이며, 실용적이고, 경험주의적인 학풍을 형성하였다.

이 자유로운 지적 분위기가 낳은 하나의 두드러진 경향은 성리학의 윤리적 세계관의 헤게모니에 균열이 생기고 세계를 보는 관점이 다기화되었다는 점이다. 탈윤리적 세계관(혹은 세계관의 분열)의 조짐은 애초에 근기 남인계 학자들이 육경고학으로 회귀하면서 그들의 세계관이 보다 실용성의 문제에 치중하고 또 다양한 학문분야에 관심을 보

구는 신병주(2007) 참고.

8 김준석(2003)에 의하면 17세기의 위기를 대처하는 방식에 있어서 서인과 남인이
   달랐다. 서인 학자들은 양난 이후 느슨해진 사회질서를 유교 윤리로 다잡는 데
   초점을 두었고, 내적 제도의 결함에서 오는 고질적 문제들은 수취제도 개선을 통
   한 제한적인 방식의 개혁론에 그쳤다. 반면 남인 학자들, 특히 윤휴와 유형원과
   같은 북인계 학자들은 국가개혁의 문제에 더 많은 비중을 두었으며, 그들의 개혁
   사상은 서인학자들보다 더 급진적이었다.

이고 있는 점에서 찾아진다.[9] 이들에게서 특징적인 주자학의 상대화는 이 고학으로의 회귀가 낳은 한 결과라고 볼 수 있다. 하지만 윤리적 세계관의 위축과 그로 인한 세계의 분리현상의 보다 직접적인 계기는 18세기에 조선 지식인들 사이에서 유행한 서양 과학기술 서적의 영향이었다. 서양의 과학기술서, 지리서, 세계지도 등은 전통적 우주론에서 윤리론의 근거를 찾았던 성리학의 자연세계와 인간세계의 통합적 사고체계를 허무는 결과를 낳아 결국 객관적 법칙이 지배하는 물리/자연세계와 도덕이 지배하는 인간세계가 분리되는 계기를 제공하였다. 예를 들어 성호 이익의 경우 『성호사설』에서 보이듯이, 세계를 합리적이고 경험적인 관점에서 이해하게 되면서 물리/자연세계의 이해는 기존의 성리학적 우주론으로는 해석될 수 없는 것으로 간주하였다. 과학적 합리성의 관점에서 자연세계를 이해하였기 때문에 그는 주자(朱子)의 자연현상 이해의 비과학성을 지적하여 교정하는 것도 주저하지 않았고, 결국 「역상」(曆象)이란 짧은 글에서 "도구와 수학의 법에서는 나중에 나온 것이 더 정교하다. 비록 성인의 지혜라도 미진한 바가 있다. 그러므로 후대인은 [도구와 수학의 법을] 더욱 증수하여 더 오래가고 더 정교하도록 만들어야 한다"고 적고 있다(민족문화추진회 1985, 188-189).[10] 성호에게 성인의 지혜는 최소한 물리/자연세계의 영역에서는 완전하지 못한 것이었으며 수학이나 기술의 영역에서는 후대인

---

9   허목, 윤휴, 이익, 정약용 등의 학문적 특성은 실용성의 강조와 다양한 지적 관심으로 공통되고 있다.

10   凡器數之法 後出者工 雖聖智有所未盡 而後人因以增修 宜其愈久而愈精也.

의 노력에 의해 더욱 정교해지는 것으로 이해되었다.

이 관점은 서양의 과학지식을 보다 더 체계적으로 수용한 노론 북학파의 담헌 홍대용(1731-1783)에게서 더 명확하게 드러난다. 그의 명저 『醫山問答』은 직접적으로 드러내지는 않지만 성리학의 체계를 허무는 저작이라고 평가할 수 있다. 이 저작에서 그는 태양계와 지구의 운행 법칙을 과학적으로 설명함으로써 성리학이 가정하고 있는 우주론의 기본 전제가 비사실적임을 폭로하였다(홍대용 2006).[11] 대표적으로 홍대용은 유학, 혹은 중국사상의 뿌리 깊은 소위 '천인감응설' 혹은 '천도/인사 연계설'을 근거 없는 것으로 보아 별들의 운동에서 인간사회의 징조를 읽어내려는 것은 하늘의 헛그림자(空之虛影)를 잡으려는 것이고 점성가들의 오류(司星之謬)일 뿐으로 간주하였다. 과학적 합리성의 관점에서의 전통개념의 부정은 '음양'(陰陽)에 대한 해석에서 두드러지는데, 전통적으로 성리학의 이론체계 속에서 음양론은 만물의 기원이 되는 원리이자 자연의 변화를 설명하는 개념으로 이해되었다. 홍대용은 사계절의 변화를 태양과 지구 간의 거리와 태양빛이 지구표면에 닿는 각도로 설명하면서, 음양은 고대인들이 낮과 밤의 주기적 변화를 관찰한 후 만든 개념일 뿐인 것으로 이해하여 음양론의 신비성을 제거해버렸다. 나아가 서양의 보다 정확한 지리서와 세계지도를 접한 후 전통적인 중국의 지리적 중심성과 조선의 동국(東國)설을 비판하고, 지구상에서 동서의 위치는 그 기준에 따라 달라지므로 그 기준

---

11   대화를 나누는 두 인물이 '實翁'과 '虛子'인 것에서 이미 홍대용의 의도가 담겨있다.

이 놓여지는 곳이 바로 세계의 중앙이 된다고 보았다. 이런 맥락에서 그는 공자가 지었다고 하는 『春秋』에서 제시된 엄격한 내외(內外)관, 즉 안쪽의 중국문명(華)과 바깥의 야만(夷)의 관점도 당시 주나라의 관점일 뿐이며, 본래 안과 밖은 어디에나 있는 일반적인 개념일 뿐인 것으로 치부하였다. 또 공자로 하여금 구이(九夷)로 들어가 살게 하였더라면 공자가 중국의 법도로 구이의 풍속을 변화시켜 주도(周道)를 일으켰을 것이므로, 그 경우에 그 구이가 중심이 되어 내외의 구별(內外之分)과 높임과 물리침의 의리(尊攘之義)가 형성되는 또 하나의 '춘추'(域外春秋)가 만들어졌을 것이라고 하였다. 물리/자연세계가 과학적이고 합리적으로 재구성되면서 성리학 이론체계의 한 축을 담당한 전통적 우주론은 더 이상 지탱될 수 없게 되었다. 모호하고 신비적이며, 중국중심적인 전통개념들이 과학적 합리성에 의해 그 비과학성의 진실이 드러나면서 유학의 학문적 가치는 위축되기 마련이었고 유학의 윤리는 더욱 좁은 영역 안에 갇히게 되었다.

과학적 합리성 위에서 새로 이해된 물리/자연세계가 도덕의 영역으로부터 분리되는 경향은 다산 정약용(1762-1836)에게도 거의 동일하게 발생하고 있다. 자연현상의 원리들을 설명하는 글들에서 '음양'과 '기'(氣)와 같은 모호한 표현들을 사용하지 않고, 보다 엄밀하고 체계적인 설명을 하는 점에서 정약용은 오히려 홍대용을 넘어서고 있었다. 나아가 과학적이고 합리적인 접근을 내면화함으로써 그는 당시 조선에서 흔히 행해진 비과학적 관행들에 대하여 강한 비판적인 태도를 가졌다. 예를 들어, 전통의학에서 팔목의 혈류의 흐름을 통하여 질병을 진단하는 관행(소위 맥), 얼굴의 상을 통하여 사람의 운명을 점치는 방법, 또 풍수지리설에 대하여 그는 비판하고 있다(정약용 「脈論」, 「相論」, 「風水論」). 이 점에서 그가 스승으로 생각한 성호 이익의 경우처럼, 정약용도 물리/자연세계는 도덕이 지배하는 세계와는 다른 논리로 이해되어야 함을 분명히 하였다. 「技藝論」에서 정약용은 '효제'(孝悌)와 같은 도덕적 가르침은 이미 성인들에 의해 분명히 드러났고 남은 것은 그것들을 실천하는 것임에 반하여, 기술의 영역은 시간이 갈수록 진보하고 성인이라도 모든 기술을 만들 수는 없으며 한 성인의 지혜가 여러 사람들의 지혜보다 더 나은 것도 아니라고 보았다(정약용 「技藝論 一二三」). 객관적 자연법칙이 지배하는 물리/자연세계의 독자성을 인정하고 있었던 것이다. 그럼에도 불구하고 그가 유학의 윤리론을 부정하는 데까지 나아간 것은 아니다. 과학적 세계관을 수용하면서도 인간사회의 영역에서는 유학의 도덕, 특히 '효제자'로 요약되는 실천적 도덕률의 유효성을 인정하고 있었다. 다만 그것은 오직 인간들의 관계의 영역에서만 필요한 것이었고 그 정당화 작업도 새로 행해지지 않으면 안 되는 것이었다.

도덕 영역의 위축은 실학자들의 실용적, 합리적, 경험적, 실증적 세계관이 확대되는 것과 일치하는데 이 경향은 그들의 유학텍스트 해석에도 큰 영향을 미쳤다. 주자의 경전해석을 상대화하고 독자적으로 사서(四書)를 해석한 대표적인 17세기의 학자들인 백호 윤휴(1617-1680)와 서계 박세당(1629-1703)의 『大學』 해석, 그중에서도 유명한 '格物' 해석의 특징은 텍스트 이해에 있어서 합리성의 측면을 강조하고 있는 점이다. 윤휴는 논란이 되는 '격물'을 해석할 때, 격물이 소위 팔조목의 처음에 오는 이유는 그것이 주자가 강조한 인지적인 요소, 즉 "사물의 이치를 궁구하여 그 극처에 이르지 않음이 없고자 하는 것"뿐 아니라,[12] 하나의 경전 해석의 태도로써 뒤이은 조항들에도 관철되기 때문이며, 그런 점에서 주자처럼 격물에 대한 구체적인 설명이 빠져있다고 볼 필요가 없다고 보았다. 즉 격물은 뜻을 보다 정밀하게 하는 문제(精意)뿐 아니라 마음 속에서 사물을 공감하여 느끼는 문제(感通)까지 포괄한다. 사물을 '格'한다는 것은 따라서 '學問思辨'을 통한 인지적 행위뿐 아니라 '居敬', '存誠'의 마음의 태도까지 내포하는 것으로 보았고, 오히려 후자의 측면을 더 강조하였다. 이렇게 해석함으로써 격물은 뒤이은 다른 조목들에까지 관철되는 것으로서 '격물'에 대한 구체적 설명이 빠져있다고 보아 스스로 보충한 주자의 노력은 잘못된 것이 된다.[13]

박세당의 '격물' 해석은 그의 『대학』 해석에서 주자 비판의 중심을 이루고 있다. 그는 주자가 격(格)을 '이른다'는 뜻의 "至"로 본 것과 물(物)을 "일"(事)로서 해석한 것, 또 "物格은 사물의 이치가 지극한 곳에 이르지 않음이 없음이다. 知至는 내 마음의 아는 바가 극진하지 않음이 없는 것이다"[14]고 해석한 것을 두고 이는 성인의 지극한 공과(功課)이고 학문의 할 일을 다 마친 상태에 해당되는 것으로 초학자에게 해

---

12 格 至也 物 猶事也 窮至事物之理 欲其極處無不到也 『大學章句』.

13 '格'에 대한 이러한 관점을 윤휴는 고전 속에서 사용된 '格' 자의 용법에서 찾았다. 또 주자의 해석을 상대화함으로써 그는 주자의 편집본 대신 「大學 古本」을 중요시하였다(민족문화추진회 1996b).

14 物格者 物理之極處 無不到也 知至者 吾心之所知 無不盡也 知旣盡 則意可得而實矣 意旣實 則心可得而正矣 『大學章句』.

당되는 것이 아니라고 보았다. 즉 '격물'은 배움을 얻는 이가 처음으로 들어가는 단계이고 뒤이은 조목들과 연결되어 있으므로 주자의 해석은 논리적으로 합당하지 않다는 것이다. 이런 맥락에서 그는 격물을 "사물의 법칙"을 찾는 것이고 그럼으로써 그 "바름"을 얻는 것이라고 보았다.[15] 이 해석은 그의 텍스트 이해에 '논리적 합리성'이 깊이 들어 있었음을 의미하는데, 이는 서계가 『대학』과 『중용』의 장과 절을 재편정하고 문장들을 과감히 재배치하여 뜻이 잘 통하도록 한 작업과 일맥상통한다.[16]

실학자들 중 위의 새로운 세계관 혹은 방법론을 가지고 유학텍스트를 재해석하여 유학을 새로운 토대 위에 세우고 그 실천성을 확보하려 했던 대표적인 학자는 정약용이다. 주자와 다른 독특한 경전 해석으로 유명한 그는 유학을 합리적이고 경험적인 기반 위에서 재정립하려고 하였는데, 그의 성리학의 인간 본성론, 즉 '性' 개념에 대한 해석은 그의 특징이 가장 잘 드러나는 부분이다. 주자는 성을 '본연지성'과 '기질지성'으로 구분하여 '리'(理)의 영향을 받은 본연지성은 순선하고 '기'(氣)의 영향을 받은 기질지성은 상황에 따라 선하기도 하고 악하기도 하다는 관점을 제시하여, 본연지성을 보존하고 기질지성을 수양해

---

15 格 則也 正也; "其要唯在乎尋索是物之則而得其正也"(민족문화추진회 1982).

16 백호와 서계의 한 가지 특징은 『대학』과 『중용』의 정본(正本)으로 간주된 주자의 편집본을 독자적으로 재편정하여 새로운 버전을 만든 데 있다. 그 재편정의 이유를 서계는 논리적인 연결성을 더해서 그 의미들을 명쾌하게 드러내기 위함에서 찾았다. 주자를 상대화함으로써 두 사람은 결국 주자 정통론자인 송시열과 그의 제자들에 의해 '斯文亂賊'의 칭호를 얻었다.

야 한다는 공부론을 제안한 것으로 유명하다. 이 이론은 리와 기라는 우주 전체를 규정하는 철학적 개념이 개인 윤리의 영역과 곧바로 연결되는 사례를 제시하는데, 문제는 각인의 기질의 요소는 경험적으로 인정되지만 '리' 개념이 어떻게 각인의 본성이 되는지는 설명하지 못한다.[17] 텍스트 분석에 더해서 그는 인간의 본성을 경험적으로 관찰하여, 성이란 오히려 '嗜好'와 같은 것이라는 견해를 제시하였다. 즉 선호하는 것과 싫어하는 것의 구별이야말로 인간 본성의 가장 중요한 측면 중 하나라는 것이다. 「中庸自箴」에서 그는 "나의 본성은 생선회를 좋아하고 불고기를 좋아한다"라거나 "나의 본성은 개구리 우는 소리를 싫어한다"와 같은 기호로서의 성의 사례들을 소개하고 있다(정약용 1986, 199). 나아가 그는 감각적 기호로서의 성을 윤리의 문제에 적용하여 인간이 선한 행위를 좋아하고 악한 행위를 싫어하는 것 역시 타고난 성의 기호라고 파악하였다. 문제는 이 경우 결국 본성 속에 선을 파악하는 능력이 있다고 보아야 하므로, 그는 이를 '도의'(道義)라고 부르고 각인의 다른 '기질'(氣質)의 측면도 역시 인정할 수밖에 없었다. 주자와 다른 점은 두 요소가 서로 분리된 것이 아니라 하나로 통일되어 있으며 양자는 자아 내에서 서로 다투고 있는 것으로 생각하였다.

---

17 다산의 '性'론을 이해하는데, 필자는 정일균(2000)의 저작을 주로 참고하였다.

기질의 문제에서도 주자와 달리 인간과 동물이 같은 기질을 가진 것이 아니고, 성인이 범인보다 우월한 기질을 가진 것이 아니며, 선함과 악함은 주로 사람이 태어난 후 환경과 교육에 의해 결정되는 것으로 보았다. 정약용이 주자의 이원론적 틀을 완전히 버린 것은 아니지만 그의 '성'론은 경험주의에 기반하여 보다 합리적인 이론이 되었다. 유학의 인간 본성론, 나아가 윤리론은 따라서 정약용에 의해서 경험주의적으로 재정립되었다. 경험주의적, 합리주의적 세계관의 침투 속에서 성리학의 형이상학적 윤리철학은 그 토대를 잃을 수밖에 없었고 유학은 '효제자'의 실용적인 윤리적 가르침으로 축소되는 것이 불가피하였다.

Ⅲ. 개화파의 세계관

18세기 후반의 비교적 자유로운 학풍은 로마 가톨릭의 확산에 대한 보수세력의 서학 탄압에 의해 19세기 전반기에 크게 위축되었다. 내부의 보수적 분위기와 세도정치로 인한 혼란의 와중에서 1860년대부터 조선은 서양 제국주의 국가들에 의해 개방의 압력을 받게 되고, 마침내 1876년 일본과의 조약으로 인하여 대외 개방과 무역이 시작되었다. 비슷한 시기에 이러한 시대의 흐름을 수용하고 그에 빠르게 적응하고자 근대적 국가개혁을 주장한 소위 '개화파'가 등장한 것은 잘 알려진 사실이다. 자유로운 학풍의 위축과 반세기가 넘는 기간 동안의 시간적 격차 때문에 여러 학자들은 실학의 전통보다는 1840년대 이래 중국으로부터 전래되어 온 새로운 세계정보를 담은 신서적들의 영향이 개화파의 등장에 중요한 역할을 한 것으로 보았다. 하지만 조선의 개화파가 어떻게 등장할 수 있었는가는 이미 성리학의 세계이해 틀이 붕괴되고 있었던 18세기 후반이래의 조선의 지적 경향을 빼놓고는 설명하기 어렵다. 한 예로서, 동시대 위정척사를 주장한 보수적 유학자들은 여전히 성리학의 윤리적 세계관으로 세계를 바라보았고, 화이관에 기초하여 당대를 이해했던 그들에게 세계관의 분리와 중국(유교) 문명의 상대화는 거의 찾기 어렵다. 세계를 이해하는 기본적 관점이 전통윤리에 기반하고 있었기 때문에 기존의 질서와 어긋나는 것들은 모두 야만의 것들로 간주되었다. 중국으로부터의 새로운 서적들도 이단의 것들로 이해됨으로써 그들을 계몽시키고 세계의 변화에 눈뜨게 하는 역할과는 거리가 멀었다. 세계관의 다기화와 세계의 분리를 스스로 고민하고 체득할 기회를 갖지 못한 보수주의자들에게 당대는 문명이 붕괴되는 야만의 시대일 뿐이었다. 새로운 시대의 수용과 적응은 그 이전에 변화를 수용할 세계관을 내면화하고 있었는가의 문제가 관건이 된다. 시대의 변화를 포용하려 한 개화파는 사전에 그러한 세계를 수용할 세계관을 가지고 있었다고 해석할 수 있다. 새로운 세계관은 이미 18세기 조선의 자유로운 학풍 속에서 점진적으로 성장하고 있었던 것이다.

실학과 개화사상의 차이점 중 하나는 실학이 학자들의 순수한 지적 활동의 산물인 반면, 개화사상은 국가적 위기상황에 대한 현실적 의견들과 구체적인 문제들에 대한 논평에 기반하고 있어서 그들의 글이 순수 학문적인 작업이 아닌 점과 더불어, 그들이 산 1880년대의 시대적 분위기가 그들의 세계관 속에 깊이 들어있다는 점이다. 제국주의 시대의 국가적 과제인 '부강'(富强)의 건설이 개화파의 세계관의 중심에 놓여 있는 것은 이상한 일이 아니다. 그럼으로써 본래 실학파에게서 드러나는 인식의 문제로서의 세계 해석틀로서의 세계관이 개화파에게는 구체적, 현실적 사안들에 대하여 보다 더 사실적, 경험적, 현실적인 관점을 강조하는 해석의 프레임으로 나타나고 있다. 위에서 실학을 해석할 때 세계를 객관법칙이 지배하는 물리/자연세계와 규범이 지배하는 인간세계의 영역으로 구분했던 것처럼, 이 장에서도 이 구분법을 사용하여 개화사상의 세계관을 분석하고 그 세계관이 실학과 연속적이면서 동시에 다른 점이 있음을 주장하려고 한다.

1. 물리/지리세계의 과학적·실증적 이해

실학자들의 물리/자연세계의 이해는 앞 장에서 언급한 대로 서양의 과학기술 서적들에 크게 힘입은 것이다. 물리/자연세계의 객관적 법칙과 과학적 논리를 이해하게 되면서 그들은 곧 자신들이 교육받고 또 당연하게 인정되어 온 전통적인 중국의 물리/자연세계의 이해에 의문을 가지게 되었다. 18세기의 실학자들에게 중요했던 점은 따라서 서양으로부터 전래된 새로운 지식이 준 충격 속에서 전통적인 우주론과 대결하는 것이었다. 홍대용의 『의산문답』 속에 전형적으로 드러나는 이러한 태도는 흔히 '과학적'이라는 말로 요약되는 논리적, 실증적, 객관적, 경험적 세계관 속에서 표출되고 있다. 18세기 실학자들의 물리/자연세계의 이해와 그들의 세계관은 물리/지리세계에 대한 보다 정교하고 개선된 지식들과 함께 19세기의 개화파 지식인들의 저작들 속에서 계속되고 있다. 특히 《한성순보》와 유길준의 『서유견문』은 그 시작에서 지구를 둘러싼 물리세계와 지구 위의 지리세계를 꽤 상세히 소개하면서 독자들에게 최신의 지식을 제공하여 그들 앞에 펼쳐지고 있던 새로운 세계를 올바로 인식하도록 하고 있다. 이 절에서는 이 두 저작을 분석하여 개화파 지식인들이 이해하고 있던 물리세계와 지리세계의 특징을 살펴보기로 한다.

먼저 지적되어야 할 점은 물리/지리세계의 이해에 관한 한 개화파의 세계관은 실학파의 세계관과 거의 전적으로 연속적이라는 점이다. 물론 거의 한 세기의 시간적 격차 때문에 개화파 지식인들은 당시 접할 수 있는 자료의 양에서 실학파 지식인들보다 훨씬 유리한 위치에 있었고, 그 점에서 개화파의 저작들 속에서 소개되는 지식들은 최신의 것들로 오늘날의 관점에서도 거의 수정이 필요치 않은 것들이었다는 점에서는 차이가 있다. 《한성순보》의 경우 창간호부터 제2호까지는 지구를 둘러싼 태양계를 먼저 소개하고, 동시에 제2호의 한 기사에서부터 지구 위의 대륙들에 대하여 개략적 소개를 하는데, 먼저 유럽에 대하여 그것의 지리적 특성과 주요 바다의 명칭, 국가들, 인종들, 그리고 그들의 종교와 정치체제들을 다루고 있다(한성순보 83a/10/31; 83b/10/31; 83c/10/31; 83a/11/10; 83b/11/10). 뒤이은 호들에서는 아시아를 제외한 다른 대륙들에 대하여 소개하며, 제6호의 한 기사부터는 개별 국가들의 설명으로 넘어가서 첫 번째로 영국을 사례로 그 지리적, 인종적, 그리고 역사적 특성과 그 산업, 정치체제, 군사력을 소개하고 있다(한성순보 83/11/20; 83/11/30; 83a/12/09; 83/12/20). 이러한 설명 방식은 유길준의 『서유견문』에서 보다 체계적인 방식으로 계속되고 있다. 유길준 역시 태양계 내에서의 지구의 특성과 지구과학의 핵심적 지식을 나열한 후, 초점을 좁혀서 지구상의 육대주와 각 대륙의 주요 국가들을 설명한다. 이후 그의 설명은 지구상의 주요한 산들과 바다, 강, 호수로 이어지고, 다음으로 인종을 다섯 가지로 구분하여 설명하며, 마지막으로 세계의 물산을 자연이 만들어낸(天生) 물품과 인간이 만들어낸(人作) 물품으로 구분하여 열거한다(유길준전서편찬위원회 1971). 《순보》와 『서유견문』에서 공통적으로 드러나는 물리/지리세계 설명의 특징은 저자들이 세계를 엄격히 '객관화'하고 있다는 점이다. 세계는 더 이상 음과 양의 기가 작용하여 생겨난 것이 아니라 실증과 실측, 또 과학적 분석을 통하여 존재하는 객관화된 세계가 되었다. 이러한 세계에서는 실학자들이 비판한 중국-동국설처럼 어느 곳도 중심이 아닌 상대화된 세계였고, 인간의 의도나 목적과는 무관하게 존재하는 세계들이었다. 이 근대적 물리/지리세계의 지식이 《순보》와 『서유견문』의 앞부분에 배치된 이유는 홍대용이 이야기 형식을 통하여 전통적 세계관과 대결한 것처럼, 여전히 잔존해 있던 전통적인 물리세계관과 중국 중심의 지리관을 타파하기 위한 것이라고 생각된다. 특히 유학자들의 경우는 대개 『주역』에서 빌려온 개념들에 기반한 성리학적 우주론을 내면화하기 마련인데, 이 새로운 지식들의 전면화는 그 전통적 우주론을 깨뜨리기 위한 전략이라고 볼 수 있다.

이 실증적이고 객관화된 세계를 소개할 때 《순보》의 편집자들과 유길준이 사용하고 있는 기술(記述)의 방식은 고려할 가치가 있다. 그들은 새로운 세계를 소개하면서 수많은 정보와 지식을 하나의 표준화된 방식으로 배치하여 설명하였고 정보들을 통계적 데이터화하여 비교하는 방법을 사용하였다. 예를 들어, 《한성순보》의 기사들 중 세계 여러 나라를 소개하는 "각국지략"(各國誌略)은 각국의 지리, 인종, 역사적 특징, 그리고 그들의 산업과 정치 군사적인 상황을 표준화된 객관적 정보 중심으로 요약기술하고 있다. 마찬가지로 각 대륙과 나라의 인구, 각국의 큰 강과 각 대륙의 큰 산 등을 통계적 데이터로 작성하여 비교적으로 이해하도록 하고 있다. 객관화된 사실들로서 이해된 물리/지리세계의 관점은 따라서 그 세계를 기술하는 방식에도 침투되어 있었던 것이다. 이 새로운 세계관의 지배 속에서 유교적 혹은 중국중심의 세계는 더 이상 지탱될 수 없었다.

《순보》와 『서유견문』의 물리/지리세계의 이해 중에서 실학과의 차이가 드러나는 부분은 지리세계의 이해에서 보이는 '부강'에의 경도이다. 전통적인 중국중심의 세계관이 붕괴되고 19세기 후반의 제국주의적 팽창의 시대에 부강이 개화파 지식인들의 사고를 지배한 것은 쉽게 이해할 수 있고, 이 부강의 관점이 지리세계의 이해에도 침투한 것은 이상한 일이 아니라고 볼 수 있다. 부강은 주로 한 국가의 경제력과 군사력으로 평가되는데, 이것은 경험적으로 관찰되고 객관적으로 측정 가능한 것이었다. 지리세계를 이해할 때에 이 부강의 관점이 작용한 것은 이러한 맥락에서였다. 예를 들어, 《한성순보》에서는 지구상의 대륙들을 소개할 때 부강한 국가들이 많은 유럽 대륙이 가장 먼저 왔고 다음이 아메리카 대륙이었다. 개별 국가들을 소개할 때에도 당시 가장 부강한 영국이 먼저였고, 다음이 미국이었다. 이들 부강한 나라들에 대해 기술할 때, 편집자의 초점은 무엇이 그들을 부강하게 만들었는가에 있었고, 그들의 역사기술은 당연히 그들 나라의 발전과정에 강조점이 주어졌다(한성순보 83/12/20; 84/02/17; 84/03/08). 부강의 시각은 역으로 아시아 국가들의 빈약의 원인에 대한 관심으로 이어졌는데, 1884년 3월 8일 자의 한 기사에서는 유럽과 아시아의 영토 크기, 인구수, 육해군의 규모를 비교하면서, 아시아가 그 영토와 인구 면에서 우월함에도 빈약한 것은 옛 습관을 유지하면서 변화에 실패하였기 때문으로 결론짓고 있다. 이 시각은 편집자들이 아프리카 대륙과 오세아니아 대륙을 논할 때도 드러나는데, 그들은 유럽인들의 이들 원주민에 대한 지배를 한편으로는 슬픈 현실로 묘사했지만 동시에 이들 "야만인들"이 유럽인들과 같은 문명을 만드는 데 실패한 데에서 그 원인을 찾았다(한성순보 83/11/30; 83a/12/09). 유길준의 경우 이 부강의 관점은 그가 지리세계를 다룬 제2편의 후반부, 즉 주요 국가의 생산품과 수출, 수입품을 소개할 때 잘 드러난다. 그에 의하면 한 나라의 부강은 천연자연의 풍부함이 아니라 그 자원을 가공하는 능력에 있는데 영국이 그 전형적인 사례이며, 영국의 부강은 영국인들이 근면하고 게으른 사람이 적은 데 있다고 보았다. 반대로 아프리카의 흑인들과 아메리카의 토인들은 천연자원이 풍부함에도 빈약한데 그것은 그들이 게으르고 자원을 가공할 재주와 지력이 부족하기 때문이라고 평하였다. 이 지리세계의 이해에서의 부강의 관점은 인간세계를 '부강'의 시각에서 보는 그 당시의 사고방식이 지리세계로 확장된 것이지만, 이 부강의 시각 역시 세계를 객관적, 실증적, 경험적으로 보는 관점이 낳은 결과였다. 이러한 세계관의 하나의 부정적인 효과가 바로 서구중심적 지리관이었던 것이다. 요약하면, 부강의 시각이 지리세계의 이해에 침투되어 있는 점은 19세기 후반의 상황을 반영하지만, 그 이면에서 물리/지리세계를 객관적, 실증적, 경험적으로 보는 접근은 실학파의 관점을 계승하고 있다고 볼 수 있다.

2. '부강'의 세계관

실학자들이 물리/자연세계를 과학적, 실증적, 객관적, 경험적으로 이해하는 시각을 가졌다는 것은 동시에 그들이 인간세계를 이해하는 데에도 그러한 세계관을 적용하고 있었음을 의미한다. 앞에서 살펴본 대로 정약용의 경우, 과학적, 합리적 관점을 내면화하면서 비과학적 사회적 관습들을 비판하게 되었고, 유학텍스트의 해석에서도 합리주의적, 경험주의적 관점을 통하여 텍스트를 재해석하였다. 하지만 그는 여전히 유학의 윤리적 세계관을 유지하고 있었기 때문에 '부강'과 같은 목표를 전면화하여 인간세계를 평가하는 기준으로 삼지는 않았다. 개화파 지식인들의 경우는 19세기 후반의 역사적 조건 속에서 사고하였고, 부강을 이루지 못하면 망국에 이른다는 관점이 그들의 사고를 지배하고 있었다. 이 경험을 통하여 획득된 사고방식은 당시의 국제관계와 맞물려 인간세계를 보다 더 사실적, 현실적으로 해석하도록 몰아갔다. 그들은 '부강'을 통하여 당시 세계를 이해하였고, 그들의 사상과 정치적 행동은 이러한 세계 해석의 토대 위에서 이루어진 것이었다. 부강 혹은 부강한 근대국가로의 전환은 그들의 정치적 행동의 목적이 되었는데, 이 점은 여러 연구들에서 다루어졌으므로 더 언급할 필요가 없다. 여기서는 개화파 지식인들이 부강의 세계관을 견지함으로써 갖게 된 경향들을 '부강'을 중심으로 한 유학텍스트의 재해석과 사회의 상업사회로의 재구성의 측면을 《한성순보》와 《한성주보》를 중심으로 살펴보려고 한다.

위에서 언급한 것처럼, 부강을 중심으로 인간세계를 해석하는 관점은 전형적으로 19세기 후반의 역사적 조건의 산물로 이해된다. 하지만 이 해석이 전적으로 역사적 사실에 부합한 것은 아니다. 왜냐하면 일부 실학자들, 특히 박제가(1750-1815)와 같은 북학파(北學派)의 경우 부국(富國)이 그들의 경세론의 중심에 놓여 있었기 때문이다. 오랑캐라고 부르며 내적으로 멸시하던 청을 직접 방문하여 살펴볼 기회를 가진 북학파 지식인들은, 당시 청의 성세를 목격하고 기존의 윤리적 관점에서의 청국관을 교정하게 되었고, 나아가 청으로부터 배워야 한다는 북학론을 펼치게 된 것은 잘 알려진 사실이다. 초정 박제가의 『북학의』(北學議)는 이러한 사고가 체계적으로 개진된 저작으로서 당시 조선을 어떻게 부유하게 만들 것인가에 대한 고민이 이 저작 속에 상세하게 수록되어 있다. 병오년(1786)에 정조에게 올린 "병오소회"(丙午所懷)에서 그는 "현재 국가의 큰 폐단은 한마디로 가난"이라고 말하며, 가난을 구제하기 위한 방법으로는 중국과 통상하고 중국의 발전된 문물을 수용하는 것밖에 길이 없다고 말하고 있다(박제가 2008, 200). 『북학의』에서 보이는 그의 세계관은 실용적이고 합리적인 것이며 전통적인 윤리관에서 벗어나 있었다. 그의 가장 큰 관심은 조선의 저발전과 문물의 쇠락, 그리고 백성들의 궁핍한 삶이었으며, 이 문제를 바로 잡은 후에서야 도덕을 논할 수 있다고 보았다. 그에게는 "백성들의 이익"이 가장 중요한 것이었고, 이를 위해서는 오랑캐에게서 나온 법이라도 채택하여야 한다는 입장이었다(박제가 2008, 188). 이와 같은 실용주의적 관점은 그 방향은 달리하지만 정약용이 과학적, 합리적, 경험적인 관점에서 비과학적 관행들을 비판하고 유학텍스트를 재해석하는 것과 일치하는 것이다. 그것은 이 당시 진행되고 있던 세계관의 분리를 반영하고, 실학자들이 가진 국가의 필요 문제에의 관심, 또 박학풍의 지식이 유행한 18세기 후반의 학풍을 드러내고 있다. 무엇보다 윤리적 세계관의 약화가 이들 실용적 지식인들에게 당시 조선이 처해 있던 물질문명의 차원에서의 쇠퇴와 저발전의 문제에 관심을 돌리도록 하였을 것이다.[18]

  1880년대 개화파 지식인들이 부강을 국가의 목표로 내세운 것은 무엇보다 그 시대의 맥락이 작용하고 있었다. 하지만 그 내용에서는 『북학의』에서 제시된 박제가의 경세사상과 그리 큰 차이가 드러난다고 볼 수 없다. 먼저, 《한성순보》의 "富國設上"이란 기사에서 잘 드러나듯이 그들은 유학텍스트 중 부강을 지지하는 구절들을 강조하고 있는데, 예를 들어 『주례』(周禮)란 책이 태평을 이루는 방법을 말하고 있지

---

18 19세기 후반에 급진개화파에게 변화하는 새로운 세계질서를 인식하도록 하는 데 기여한 것으로 알려진 오경석이 박제가의 저작을 중시하였다는 사실은 의미심장하다. 박제가의 부강의 경세사상이 19세기 후반의 개화파에게서 그대로 재현되고 있는 것은 이 맥락에서 이해할 수 있다(신용하 1985, 120-122).

만, 그것의 주된 내용은 어떻게 국가를 부유하게 만들 것인가를 넘어서지 않는다고 말하거나(한성순보 84a/05/25; 84b/05/25),[19] 『논어』「자로」(子路)편의 유명한 "백성을 부유하게 만들어준 후에 가르쳐야 한다"(富而後敎)는 구절, 『맹자』「진심상」(盡心上)편(23장)의 "[농지를 잘 보살펴주고 세금을 적게 거두면] 백성을 부유하게 할 수 있다"(民可使富也), 또 《한성주보》의 "歸商論"에서 인용하고 있는 『서경』의 "유무를 교환함으로써 재화가 존재하게 되었고 백성들이 쌀밥을 먹게 되었으며 나라들이 다스려졌다"는 구절 등이 대표적이다(한성주보 86a/09/20; 86b/09/20).[20] 이 구절들은 유학텍스트를 인용하여 자신들의 논지를 강화하려는 시도인데, 이와 비슷한 구절들은 『북학의』에서 박제가도 인용하고 있다.[21] 18세기 후반의 박제가나 19세기 후반의 개화파나 모두 전통적인 윤리적 관점과 대결할 필요가 있었고, 고전 유학의 텍스트들 속에서 자신들의 논거를 가져왔던 것이다.

부강의 관점에서 유학텍스트를 재해석하고 있는 개화파의 사상은 《순보》와 《주보》 속에 나오는 "격물치지"(格物致知)의 재해석 속에서 명확하게 드러난다. 이 신문 기사들에서 드러나는 '격물치지'는 부강의 목표와 연결되어서 글자 그대로 '사물을 연구하여 지식을 습득함'

---

19 이 기사는 애초에 중국 신문에 실린 기사를 전재한 것인데, 편집자가 당시 조선인들에게 '부국'의 중요성을 강조하기 위한 목적으로 이 기사를 의도적으로 이용한 것으로 해석된다.

20 《주보》 속의 "論學政第二"(86/02/01)도 부강을 강조하면서 고전을 인용하고 있다.

21 박제가 자신이 쓴 『북학의』의 "自序"에 이런 내용이 들어 있다.

이란 의미로 해석되었고 그런 만큼 실용적 가르침으로 전화되었다. 《한성주보》의 "論開礦"이란 기사에서는 '격물치지'를 "치국평천하의 근본"이라고 말하며, 일단 격물치지가 이루어지면 생재(生財)의 일과 사물을 이용하는 것, 그리고 국가의 내수외교에 대해 두려워할 것이 없다고 말하고 있다(한성주보 86/09/13). 당시 조선의 어려운 현실도 격물치지의 소홀에 있다고 보면서, 학교의 교과목도 격물치지와 관련된 과목들을 가르쳐야 한다는 점을 주장하였다. 이 당시 《순보》와 《주보》에서는 '자연과학'의 번역어로 격물치지에서 기인한 "격치학"(格致學)과 일본에서 번역된 어휘인 "과학"(科學)이 함께 사용되고 있었는데, 이를 통해서도 '격물치지' 개념의 변화가 여실히 드러난다.[22] 박영효 역시 이런 관점에서 '격물치지'를 재해석하였는데, 그의 1888년 「건백서」의 여섯 번째 주제인 '백성의 교육'에 대한 부분에서, 그는 "어리석고 썩어빠진 유자"(愚癡之腐儒)들이 사서삼경과 제자백가서만 읽어 암송하고 문장을 작성할 수 있으면 대학사가 되는 전통적 학문을 비판하고 "격물궁리지학"으로부터 "평천하지술"로 나아가야 한다고 하였는데, 그에게 격물궁리지학은 서양의 교육과 같은 "실용"(實用)의 학문이며 조선에서 성행한 "문화"(文華)는 말단의 것으로 치부하였다(朴泳孝 1888, 306-307). 1880년대 개화파의 부강의 세계관에서 교육은 기존의 도덕교육을 의

---

22 《순보》의 "中西時勢論"(84/01/08)과 "電報設"(84/01/18)은 "격치학"이란 표현을 사용하였고, "富國設下"(84/06/04)는 "과학"이란 표현을 사용하였다. 다른 한편 유길준은 『서유견문』 13편에서 '물리학'을 '格物學'으로 번역하였고, 박영효는 1888년에 고종에게 올린 소위 「건백서」(建白書)에서 실용적인 학문을 가리키며 "格物窮理之學"이란 표현을 사용하고 있다.

미하는 '수신'에서 근대적 실용교육을 의미하는 '격물치지'로 그 중심이 전환되고 있었는데, 이는 박제가가 『북학의』에서 '수신'의 문제를 전혀 언급하지 않는 것과 같은 맥락이라고 볼 수 있다.

《한성순보》와 《주보》를 통해서 볼 때, 19세기 후반의 개화파 지식인들이 보는 새로운 사회상은 '상업사회'였고 동시에 조선의 후진적 문명을 발전시키기 위한 각종 '산업'의 발전이 요구되었다. 물론 박제가가 『북학의』에서 사회 전 분야에 걸쳐 청의 선진적 제도와 기술 수용을 말하고 있었던 것처럼, 19세기 후반 조선의 경우도 상업뿐만 아니라 여타의 부문에서도 저발전 상태에 있었고 광범위한 개혁과 변화가 필요하였다. 하지만 19세기 후반에는 발전 모델이 중국이 아닌 서양의 강국들이었고, 서양의 부강 뒤에는 상업의 발달이 있다는 인식이 확산되어 있었다. 상업에 대한 강조는 이러한 맥락에서 이루어졌는데, 《순보》와 《주보》의 상업 관련 기사들은 대체로 상업활동이 모든 사람들에게 이익을 준다는 관점을 강조하고 있다. 예를 들어, 《주보》의 "論商會"라는 글에서는 상업의 역할을 강조하며 있는 것과 없는 것을 교역하지 않는다면 농부와 공장(工匠)도 편안히 자기의 업에 열중하고 일용에 도움을 얻을 수가 없게 된다고 적고 있다. 나아가 '말리'(末利)의 추구라는 전통적인 시각을 비판하며 "이익만을 노리는 말기(末技)라 하여 강구하기를 깨끗이 여기지 않는다면 그런 사람과는 나라를 다스리는 요무(要務)를 말할 수가 없다"고 쓰고 있다(한성주보 86/03/01). 상업을 다루는 기사들에서 특징적인 점은 선비(士) 계층에게 상업에 종사하도록 권고하고 있는 점인데, 이 점은 유길준의 『서유견문』 제14편에서도 강조되는 내용이다. 예를 들어, 《주보》의 "歸商論"에서는 스스로 귀하다고 생각하면서도 가난을 면치 못하는 선비의 삶의 모순을 지적하며, "선비는 시세에 통달하고 출입에 밝아 세칙을 정할 수 있고 귀천에 민첩하여 시세를 판단할 수 있으니" 상회를 세우거나 차관을 내어 상업을 일으킬 것을 제안하고 있다(한성주보 86a/09/20). 이와 같이 상업에 대한 조명과 상업사회로의 전환의 필요성은 1880년대의 개화파 지식인들이 공유한 사항이었는데, 그 당시 부강의 필요가 상업사회로의 전환을 촉진하고 있었다고 해석할 수 있다. 하지만 상업에 대한 조명은 이미 『북학의』에서 박제가가 "부강의 방법"으로써 강조하고 또 구체적으로 당시의 상황에서 어떻게 중국과 국제무역을 할 것인지에 대한 방략도 소개하고 있는 것을 보면, 이 시기에 와서 처음 제기된 것은 아니었다. 오히려 상업론은 19세기 전반기의 보수화 속에서 묻혀 있다가 이 시기에 다시 제기된 것으로 보아야 할 것이다.

상업과 더불어 부강을 이루기 위해서는 각종 산업을 일으켜야 한다는 주장도 《순보》와 《주보》 속에서 흔히 찾아볼 수 있다. 이 중 광산개발 문제는 여러 기사들에서 다루어지고 있는데, 1880년대에 외국인들에게 개발권이 주어지며 시작된 광산개발은 이미 《순보》와 《주보》에서 부강을 얻을 방법으로써 "광무국" 설치와 같은 구체적 제안과 함께 그 필요성이 인식되고 있었다(한성주보 86/09/13; 86/06/31도 참고). 광산개발 외에 철로와 전선의 설치, 서양 국가들의 화폐제도를 본받아 화폐경제를 체계화할 필요, 또 당시 조선에서 저발전된 목축업의 강조도 부강을 위해 행해져야 할 산업으로 이해되었다(한성주보 86/02/01; 86/02/22; 86/03/01; 86/05/17). 요약하면, 1880년대에는 제국주의의 시대적 조건 속에서 부강이 국가적 목표로 등장하였고, 개화파 지식인들은 이 시대적 요구를 빠르게 인지하고 있었다. 부강은 인간세계를 해석하는 하나의 핵심적인 관점으로 작용하고 있었는데, 이는 기존의 윤리적 세계관이 거의 영향력을 잃고 있는 상황을 대변한다고 볼 수 있다. 18세기 후반에 박제가가 부강을 강조하며 '북학'을 주장할 수 있었던 데에는 이 윤리적 세계관의 영향력 약화가 그 배경에 있었다. 부강의 세계관은 세계에 대한 실용적, 합리적, 경험적, 객관적 관점과 함께 등장하였던 것이다.

3. 현실주의적 정치세계 이해

1880년대의 개화파 지식인들이 인간세계를 해석할 때 두드러지는 또 하나의 특징은 그들이 정치세계를 매우 사실적, 경험적, 현실적으로 이해하고 있다는 점이다. 이 점은 개화파와 실학파의 세계관의 가장 큰 차이를 이루는 것으로 그들의 국제관계 이해에서 두드러지게 나타난다. 이 절에서는 개화파 지식인들의 중국관과 그들의 정치현실주의적 국제질서관을 통하여 1880년대 개화파 세계관의 한 특징을 조명하려고 한다.

잘 알려져 있다시피, 종주국(suzerain state)으로서의 중국에 대한 상대화 혹은 유길준의 표현대로 수공국-중공국 관계의 부정과 독립국 지위의 확보 노력은 1880년대 개화파에게서 처음으로 시작되었다. 하지만 역사적으로 고찰해 보면, 중국에 대한 상대화 혹은 부정은 전통적 지리관 위에서 형성된 중국의 중심성이 새로운 지리관에 의해 붕괴되고, 또 유일한 문명으로서의 중국의 지위가 서양문명의 소개와 함께 흔들린 과정에서 서서히 시작되었다고 볼 수 있다. 중국의 상대화는 역시 19세기 전반기의 보수화 속에서 위축되었다가, 1840년 이래 서양강국의 도래 이후 중국이 겪은 굴욕적인 사건들과 뒤이은 정치적 변동들의 와중에서 매우 빠르게 진행되었다고 보아야 한다. 조선의 개화지식인들은 이 새로운 세계질서를 인지하고, 그 신질서에 적응하여 조선을 변화시키기 위해 노력한 와중에 중국의 정치적 지위뿐 아니라 유교문명까지도 상대화한 것으로 생각된다. 개화파 지식인들의 대 중국관에 있어서는 김옥균, 박영효와 같은 급진파와 유길준과 같은 온건파 사이에 관점의 차이가 있었다. 먼저 급진파의 김옥균의 경우,『갑신일록』에서 보이듯이 1882년 임오군란 이후 중국의 간섭으로부터 나라의 '독립'과 친청파 관리들의 제거를 통한 국가의 근대적 개혁을 갑신정변의 이유로 삼고 있었다. 그는 조선의 빈약을 중국의 오랜 제후국으로 있었던 데에서 찾고 과거의 관계를 단절함으로써 부강을 이룰 수 있다고 보았으며, 갑신정변은 이러한 인식이 정치적 행동으로 나타난 것이었다. 그는 이 당시 중국의 쇠락을 잘 인식하고 있었고 더 이상 조선이 중국의 영향력 하에 있어서는 안 된다는 입장이었다. 1885년에 고종에게 올린 상소문에서도 이러한 중국관이 드러나는데, 그는 당시 동북아의 가장 중요한 국제정치적 갈등 국면을 영국과 러시아의 대결로 파악하였다. 같은 해에 이미 영국이 거문도를 점령하였기 때문에 러시아가 대응조치로 조선의 한 항구를 장악할 가능성이 있는데, 이 상황에서 중국은 조선의 영토를 보전해 줄 어떤 조치도 취할 수 없을 것으로 생각하였다(한국학문헌연구소 1979, 143-147).[23] 그는 중국의 힘이 쇠퇴한 것을 잘 이해하고 있었고 조선이 할 일은 중국에 의존하기보다 국가개혁을 통하여 독립국가로 일어서는 것이라고 생각하고 있었다. 김옥균이 이러한 정치관을 갖게 된 것은 전통적 종주국인 중국에 대한 상대화의 역사와 더불어 그의 사실적, 경험적 세계해석과 『만국공법』과 같은 저작의 영향이 있었다고 평가할 수 있다. 근대적 자주독립국가를 만드는 데 중국과의 관계는 방해물로 이해되었던 것이다. 이와 같은 중국의 상대화 혹은 격하는 박영효에게서도 드러나는데, 그의 「건백서」의 여덟 가지 국가개혁의 주제들 중 첫 번째 주제인 국제정치적 환경에 대한 설명에서 그는 김옥균과 같이 영국과 러시아의 경쟁을 주요한 갈등 국면으로 보고 러시아의 남하 정책을 우려하였는데, 흥미롭게도 중국을 전혀 언급하지 않았다. 대체로 그의 「건백서」에서 중국은 동북아 삼국의 하나로서 간주되었다(朴泳孝 1888, 296-297). 이들 급진파에게 중국은 부강에서 뒤처진 나라로서 그 국제적인 지위는 오히려 일본보다 낮게 취급되었다. 따라서 이미 18세기 실학파에 의해 시작된 중국의 상대화는 이들 급진개화파에 이르러 그 정점에 이르고 있었던 것이다.

　온건파인 유길준의 중국관은 보다 신중하였다. 그는 대체로 조선의 자주독립에 대해서는 서양의 국제법의 논리에 따라 그 당위성을

---

23 영국과 러시아의 대결을 당시 동아시아에서 가장 중요한 대결 국면으로 파악하고 조선이 취해야 할 전략을 조언한 사람은 일본에 주재하던 청의 외교관 황준헌(黃遵憲)이었다. 그의 에세이 『조선책략』은 조선의 관리들과 지식인들에게 큰 영향을 미쳤다.

긍정하고 있었다. 따라서 『서유견문』 제3편 "방국의 권리"의 후반부에서 그는 "증공국"(贈貢國, tributary state)과 "속국"(屬國, dependent state)을 구분하며 조선은 중국에 대해 공물을 바치는 증공국이지만 속국은 아니라는 점을 국제법의 논리를 따라 설명하였다. 즉, 증공국은 다른 나라와 조약을 체결할 수 있고, 외교사절을 보내며, 독자적으로 전쟁을 선포할 수 있을 뿐만 아니라, 두 이웃 나라가 충돌 시 중립을 선포할 수 있기 때문에 독립국가라고 본 것이다.[24] 하지만 그는 급진파와 달리 신중한 접근을 취했는데, 조선이 국제법상 독립국가이긴 하지만 중국과의 오랜 조공관계를 서둘러 폐지해서는 안 된다는 입장을 가졌다. 그에 의하면, 조공관계는 큰 나라와의 관계에서 작은 나라의 "處地와 形勢"에서 비롯된 것이므로 두 나라가 합의를 통하여 조공을 폐지하기 전까지는 계속되어야 한다고 본 것이다(유길준전서편찬위원회 1971, 114). '방국의 권리'의 규범적인 내용을 통해 볼 때, 그 역시 국가들의 자주독립의 권리를 충분히 이해하고 있었지만 급진적인 기존 관계의 단절이 가져올 위험을 우려하였기 때문에 신중한 접근을 취한 것으로 보인다. 그는 대체로 중국에 대해서는 상대적인 관점을 가지고 있었지만, 급진파와 달리 전통적인 유교문명에 대해서는 여전히 긍정

---

24 정용화(1998, 297-318)의 연구에 의하면, 유길준의 이 견해는 1882년 임오군란 이후 청의 조선에 대한 제국주의 정책, 특히 갑신정변 이후 조선에 주차한 청의 위안스카이(袁世凱)에 의한 무도한 국내정치 개입과 속방화에 대한 대응이었다. 유길준은 국제법의 개념들을 이용하여 조선의 청에 대한 관계를 재정의한 최초의 인물인 미국인 외교고문관 오웬 데니(Owen N. Denny)에게서 위의 개념들에 대한 정보를 얻었다. 데니에 대해서는 Denny(1888) 참고.

적인 태도를 견지하고 있었다. 따라서 그의 전통수용적인 태도가 그의 온건한 중국관에도 어느 정도 영향을 미치고 있었다고 해석할 수 있다.

서양의 과학기술의 세계관을 수용하고 있었지만 동시에 유교적 세계관을 견지하고 있었던 대부분의 실학자들에게 냉정한 정치현실주의의 국제관계 관념은 별로 드러나 보이지 않는다. 그것은 유학의 국제정치관을 대표하는 국가 간의 '禮'나 '事大字小'의 도덕주의적 성격을 실학자들이 수용하고 있었기 때문일 것이다. 이 점에서 1880년대 개화파의 정치현실주의의 채택은 조선의 유교정치사상사에서는 매우 예외적인 경우였고, 그들에게는 더 이상 유학의 도덕적 정치관이 영향을 미치고 있지 않았다는 것을 반증한다. 이 점은 무엇보다 1880년대의 시대적 배경과 조건에서 기인한 것으로 해석되어야 하는데, 특히 국제규범을 기술하고 있는 국제법과 제국주의 국가들의 실제 행태 사이의 괴리의 경험과 서양 제국주의 국가들의 약소국의 침탈에 대한 소식들을 통하여 자연스럽게 정치질서를 현실적 힘의 관계로 보는 세계관을 형성시켰다고 보인다. 1880년대 개화파의 저작들을 분석하여 보면 정치현실주의적 입장은 점진적인 진행과정을 겪었다고 보여진다. 1880년대 초의 기록인 《한성순보》나 유길준의 초기저작에서는 국제관계에서의 약육강식적인 측면을 이해하고 있었지만, 동시에 국제조약이나 국제법, 공의(公議)에 의한 문제해결의 가능성에 대해 여전히 신뢰를 가지고 있었다. 예를 들어, 유럽에서 프랑스와 러시아의 동맹에 대항하여 오스트리아, 프러시아, 이태리가 동맹을 맺은 사실을 다룬 《순보》의 기사는 이 세력균형을 이용하여 국제적인 평화체제의 수립에 독일(德國)이 나설 것을 제안하고 있으며(한성순보 83b/12/09),[25] 한 일본인 학자의 견해를 소개하고 있는 기사에서도 국제문제를 다루는 국제기구를 설립하고 이 기구에 군사력까지 부여함으로써 세계평화를 달성할 수 있다는 낙관적인 견해를 보여주고 있다(한성순보 83/12/20).[26] 유길준도 「세계대세론」(世界大勢論, 1883)이라는 글에서 당시 조선의 불평등 조약의 문제를 지적하면서 조선의 군사력이 약한 데에 그 원인을 돌리면서도, 국제법의 존재 때문에 국가들은 이유 없이 군사를 동원할 수 없고, 평화시에는 국제법에 따라 문제를 해결하고 상호간의 친선을 도모하며, 외교조약을 체결하고 사절의 방문을 통하여 평화적 공존을 도모한다고 보았다(유길준전서편찬위원회 1971). 이러한 이상주의적 시각은 『서유견문』에서도 계승되어 제3편에서 그는 국가들의 동등한 권리를 먼저 설명하고, 같은 맥락에서 중공국이 독립국임을 논증하였으며, 국제법과 국제여론의 효력도 인정하고 있었다. 이러한 관점은 그가 여전히 유학의 이상주의적 국제질서관을 내면화하고 있던 데에 기인한다고 볼 수 있다.

이와 달리 1886년에 재간된 《한성주보》와 1888년에 쓰인 박영효의 「건백서」에서는 현실주의적 국제정치관이 지배적이었다. 《주보》는

---

25 이 기사의 편집자는 해당 이슈를 중국의 『호보』(滬報)와 최근의 전보 내용(近信)에서 찾았다고 밝히고 있다. 맥락상 편집자는 두 자료를 편집하거나 그 소스들에 기대어 새로 작성한 것으로 보인다.

26 편집자는 이 기사를 중국의 『순환일보』(循環日報)에서 가져왔다고 말하는데, 저자인 왕도(王韜)의 긍정적인 논평을 인용하며 그 자신도 왕의 견해를 수용하고 있다.

중국 신문에 실렸던 국제관계 기사를 여러 편 전재한 《순보》와 달리 조선의 편집자들이 직접 썼는데, 갑신정변 후 조선에서의 각국의 이해 다툼과 1885년 영국의 거문도 점령사건 등을 포함한 국제관계의 냉정한 현실을 목도한 후였기 때문에 그 기사들은 시종일관 당시 국제질서를 과거 중국의 "춘추전국시대"와 같은 것으로 이해하고 있었다. "論天下時局"이란 《주보》의 한 기사는 당시 서양 국가들의 제국주의적 팽창과 약소국의 침탈을 설명하면서, 강대국들이 국제법의 기반 위에서 약소국과 상업조약을 체결하지만, 필요할 때에는 국제법과 조약을 주저 없이 무시하면서도 부끄러움을 모른다고 적고 있다. 저자는 당시 세계를 "큰 나라가 작은 나라를 억압하고 강국이 약소국을 능멸하는"(大之抑小强之凌弱) 시대로 규정하고 있었다(한성주보 86/03/08). 일본이 서양국가들과 맺은 불평등조약을 개정하기 위해 이십 년을 노력한 것을 논한 한 기사에서는 국제조약과 국제법이란 부강한 나라들이 자기를 용서하고(恕己) 다른 나라들을 꾸짖는(苛人) 수단일 뿐이라고 혹평하고 있다(한성주보 86/05/24). 박영효도 당대를 춘추전국시대와 같다고 평가하면서 "강국이 약국을 병탄하고 대국이 소국을 삼키는"(强者并其弱大者吞其小) 시대로 묘사하고 있었다. 나아가 《주보》의 편집자들처럼, 국제법과 국제공의는 본래 믿을 수가 없다고 하면서 한 나라가 독립할 수 있는 힘을 갖지 못하면 외국이 그 나라의 영토를 할양하고 그 나라는 분할된다고 하며 그 사례로 폴란드와 터키를 들고 있다. 이와 같이 정치현실주의적 관점을 취하고 있었기 때문에 그의 목표는 조선이 제국주의 국가들의 희생양으로 전락하는 것을 막는 것이었고, 그의 「건백서」에서 나머지 일곱 가지 조항과 첨부된 구체적 개혁안들은 조선을 개혁하고 부강하게 하여 나라의 주권을 지키는 방법에 대한 내용이었다. 1880년대와 90년대에 김옥균, 박영효와 같은 급진파의 정치적 행위들은 이러한 정치현실주의적 세계관과 긴밀히 연결되어 있었다. 보수적 유생들과 정부 내의 온건파들에 대항하여 그들은 보다 빠르게 국가개혁과 부강을 이룸으로써 나라의 독립을 유지하고자 하였던 것이다. 요약하면, 18세기 세계관의 분리 이후 세계를 보다 더 경험적, 사실적으로 이해하고 있던 조선의 개화파는 당대의 제국주의적 정치질서의 경험 속에서 국제관계를 약육강식으로 이해하는 현실주의적 시각을 발전시켰다. 인간세계를 힘의 관계로 이해함으로써 그들은 유교의 도덕정치관으로부터 벗어나고 있었다. 이 점은 개화파의 세계관이 실학파와 차이가 나는 부분인데, 그것은 주로 19세기 후반의 제국주의적 역사적 조건을 반영하는 것으로 이해할 수 있다. 나아가 세계관의 분리가 점차 도덕적 정치관의 약화로 귀결되는 것은 역사의 필연적인 과정일 수밖에 없었다.

IV. 결론

1880년대 개화파 지식인들의 저작 속에 드러난 세계관을 탐구한 본 연구의 결론을 우리는 세계관에서의 패러다임 전환이라고 부를 수 있다. 특히 성리학의 도덕적 세계관과 비교해 볼 때 개화파들, 특히 급진파의 세계관은 거대한 단절이 있는 것처럼 보인다. 하지만 이 패러다임 전환이 조선의 역사 속에서 점진적인 과정 속에 있었다는 사실을 놓쳐서는 안 된다. 조선 정치사상사의 기존 연구들은 15세기에 대체로 균형을 이루었던 유학의 도덕적 세계관과 실용적 세계관이 16세기에 성리학의 내재화 속에서 전자가 지배적인 상황이 되었고, 양난 이후 양자가 점차 그 균형을 회복하는 지적 경향이 있었으며, 이 경향이 18세기에 실학으로 발전하였음을 논증하고 있다(김준석 2003; 정재훈 2005; 정호훈 2004). 경로의존성의 역사법칙은 세계관에서도 예외적이라고 보기 어렵다. 또 19세기 전반기의 역사적 단절은 왜 실학적 세계관의 계승이 소수파에게 나타났는지를 설명하는 데 좋은 이유를 제공한다.

중국의 정치사상의 흐름으로부터 영향을 깊게 받은 조선의 정치사상사를 장기적 관점에서 바라보면, 그것은 중국에서의 유학사상의 발전과 유사한 패턴을 가지고 있음을 발견하게 된다. 그 핵심은 유학사 내에서 자기교정의 형태로의 발전이 있었다는 것이다. 합리주의적 사고는 이미 송대 유학자들에게서 드러나고, 명대에는 사상가 자신의 개성을 과감히 드러내는 경향이 있었다. 명말청초의 일단의 유학자들에게서는 합리주의적 사고가 강하게 드러나고 동시에 명의 멸망에 대한 반성에서 반전제적인 정치사상의 흐름이 있었다. 이민족인 청의 지배 하에서 이러한 경향이 위축되는 듯했지만 이 흐름은 태평천국운동으로 부활하여 청말과 민국시대의 반전제적, 민주주의적 정치사상의 부흥을 낳았다. 핵심은 이러한 발전의 과정이 고전의 재해석을 통하여 일어났으며 그 위에서 새로운 사상의 수용도 있었다는 점이다(소공권 1998; 풍우란 2014). 이러한 흐름은 유학의 도그마티즘의 점진적인 쇠퇴과정으로 이해가능하고 중국 사상사 내에서 새로운 시대로의 전환을 예기하고 있었다고 평가할 수 있다. 이와 같은 패턴이 필자가 보기에는 조선의 사상사 속에서도 나타나고 있다. 조선 후기의 실학은 유학사와 무관하게 등장한 학풍이 아니며, 여러 실학자들의 공부의 궤적이 증명하고 있듯이 유학 고전들을 통하여 그 실용성을 회복하고 다양한 학문을 수용하고, 그 과정에서 윤리적 도그마티즘을 넘어서게 된 지적인 발전과정으로 이해하여야 한다. 실학은 따라서 유학의 체계 내에 있으면서 동시에 유학을 넘어서는 내적인 지적 발전으로 평가할 수 있다.

조선 후기 실학의 유행은 특히나 중국에서 유입된 서양 과학기술의 서적들이 큰 역할을 한 것으로 보인다. 이들 서적들 속에 드러난 세계에 대한 다른 이해방식은 지배적인 윤리적 세계관의 균열을 낳아 세계를 보다 실용적, 합리적, 경험적, 실증적, 객관적으로 이해하려는 세계이해 틀을 형성시켰다고 보여진다. 이렇게 형성된 세계관은 서학의 탄압 속에서도 쉽게 사라지지 않았으며 지식인들의 세계이해의 하나의 관점으로 살아남았다. 개화파는 이러한 세계관을 계승하였고, 서세동점의 제국주의시대의 영향 속에서 그러한 관점을 강화시킨 것이었다. 개화파의 가치전복적 세계관은 단순히 19세기 후반의 산물이 아니라, 그들 속에 내재되어 있던 세계이해 틀이 확장되고 강화되어 애초에 그 세계관에 기여했던 유학의 체계 자체를 벗어 던지게 된 경우라고 이해되어야 한다. 전근대와 근대는 이 점에서 연결되어 있었고, 유학은 전근대 사상이라고 불릴 수 있지만 동시에 근대사상을 태동할 수 있는 지적 자원을 내재하고 있었다. 유학과 같이 포괄적이고 실용성(혹은 세속성)에 기반한 학문체계는 인간의 다양한 경험들에 대한 적절한 반응들을 체계화한 것으로 그 반성된 반응들 중 일부는 그 체계를 넘어설 수 있는 이론적 자원을 제공하기 마련이다.

개화사상을 조선의 정치사상사의 흐름, 또 유학사 전체의 흐름 속에서 이해하게 되면, 그것이 조선의 지배적인 사상과 별개의 것으로, 즉 서양 근대의 지적 영향 속에서 형성된 것으로 이해되어서는 안 된다는 것을 알게 된다. 그들의 세계관, 그들의 정치사상과 행동은 연속적이고 일관되어 있었다. 그들은 조선시대에 도덕적이면서 열정을 가지고 세상을 바꾸고 싶어 했던 젊은 유학자 지식인들을 닮아 있다. 유학의 정치사상의 핵심개념인 '公'(혹은 公共性)의 사상은 1880년대와 90년대의 경우 다른 어떤 정치적 계파들보다 이들 개화파의 저작들 속에서 강하게 드러난다. 이 '공' 관념의 연장선에서 '민'을 중심에 두는 정부 역할의 재정의와 정치의 공공성을 위한 의회설립의 논리가 도출되었고, 그 결과 제도적인 차원에서의 근대 정치의 단초가 1890년대 후반에 처음으로 마련되었다. 전통은 역사의 격변기로 보이는 시기에도 변형된 형태로 자신을 유지하고 계승되어진다고 말한 가다머의 통찰은 한국 근대사에서도 그대로 적용된다(Gadamer 1998, 281).

참고문헌

朴泳孝(박영효). 1888. "朝鮮國 內政ニ 關スル 朴泳孝 建白書." 『日本外交
　　　文書 21』, 292-311. 東京: 日本國際連合協會.

『大學章句』.

《한성순보》. 1983a. "論洲洋." (10월 31일).

《한성순보》. 1983b. "地球圖解." (10월 31일).

《한성순보》. 1983c. "地球論." (10월 31일).

《한성순보》. 1983a. "歐羅巴洲." (11월 10일).

《한성순보》. 1983b. "論地球運轉." (11월 10일).

《한성순보》. 1983. "亞米利加洲." (11월 20일).

《한성순보》. 1983. "亞非利駕洲." (11월 30일).

《한성순보》. 1983a. "阿西亞尼亞洲." (12월 9일).

《한성순보》. 1983b. "奧普意三國同盟." (12월 9일).

《한성순보》. 1983. "鎖兵說." (12월 20일).

《한성순보》. 1984. "中西時勢論." (1월 8일).

《한성순보》. 1984. "電報設." (1월 18일).

《한성순보》. 1984a. "富强之說雖爲講王道者所不談論究 王業所不能外."
　　　(5월 25일).

《한성순보》. 1984b. "富國設上." (5월 25일).

《한성순보》. 1984. "富國設下." (6월 4일).

《한성주보》. 1986. "論學政第二." (2월 1일).

《한성주보》. 1986. "論貨幣第一/第二." (2월 22일)

《한성주보》. 1986. "論商會." (3월 1일).

《한성주보》. 1986. "論天下時局." (3월 8일).

《한성주보》. 1986. "牧牛設." (5월 17일).

《한성주보》. 1986. "論西日條約改證案." (5월 24일).

《한성주보》. 1986. "論開礦第一." (6월 31일).

《한성주보》. 1986. "論開礦." (9월 13일).

《한성주보》. 1986a. "歸商論." (9월 20일).

《한성주보》. 1986b. "懋遷有無貨居烝民乃粒萬邦作乂." (9월 20일).

강재언. 1982. 『한국근대사연구』. 서울: 한울.

국사편찬위원회. 1978. 『한국사』 전24권. 서울: 국사편찬위원회.

국사편찬위원회. 2002. 『신편 한국사』 전52권. 서울: 국사편찬위원회.

김명호. 2011. "실학과 개화사상." 『한국사 시민강좌 48』, 134-151. 서울: 일조
      각.

김영호. 1972. "실학과 개화사상의 연관문제." 『한국사연구 8』, 675-691.

김용섭. 1970. 『조선후기 농업사 연구 1: 농촌경제·사회변동』. 서울: 일조각.

김용섭. 1979. 『조선후기 농업사 연구 2: 농업과 농업론의 변동』. 서울: 일조각.

김종학. 2017. 『개화당의 기원과 비밀외교』. 서울: 일조각.

김준석. 2003. 『조선후기 정치사상사 연구』. 서울: 지식산업사.

김충열. 2020. "정치적 필요와 윤리적 이상의 긴장: 조선시대 유교정치사상사
      를 위한 분석틀의 모색." 『한국정치학회보』 54집 4호, 167-191.

민족문화추진회. 1982. 『국역 사변록』. 서울: 민족문화추진회.

민족문화추진회. 1985. 『국역 성호사설』. 서울: 민족문화추진회.

민족문화추진회. 1996a. 『국역 다산시문집』. 서울: 솔출판사.

민족문화추진회. 1996b. 『국역 백호전서 8』. 서울: 민족문화추진회.

박제가 저·안대회 역. 2008. 『북학의』. 서울: 돌베개.

소공권 저·최명·손문호 역. 1998. 『중국정치사상사』. 서울: 서울대학교출판부.

신병주. 2007. 『조선 중·후기 지성사 연구』. 서울: 새문사.

신용하. 1985. "오경석의 개화사상과 개화활동." 『역사학보』 107권, 107-187.

유길준전서편찬위원회. 1971. 『유길준 전서 1: 서유견문』. 서울: 일조각.

유길준전서편찬위원회. 1979. "세계대세론." 『유길준 전서 3』. 서울: 일조각.

이광린. 1970. "강위의 인물과 사상: 실학에서 개화사상으로의 전환의 한 단면." 『한국 개화사상 연구』. 서울: 일조각.

이광수. 1962. "박영효씨를 만난 이야기." 『이광수 전집 17』. 서울: 삼중당.

장인성. 1998. "체제해체기의 개혁사상: 서세동점에 따른 유교적 담론의 변용 양상과 그 개혁사상적 함의." 강광식·전락희·유종선·장인성 편. 『조선시대 개혁사상 연구: 정치적 담론분석을 중심으로』, 177-225. 성남: 한국정신문화연구원.

정약용 저·전주대학교 호남학연구소 역. 1986. 『國譯 與猶堂全書 1』. 서울: 여강출판사.

정옥자. 1979. "미수 허목 연구: 그의 문학관을 중심으로." 『한국사론』 5권, 197-232.

정용화. 1998. "유길준의 양절체제론: 이중적 국제질서에서의 방국의 권리." 『국제정치논총』 37권 3호, 297-318.

정용화. 2004. 『문명의 정치사상: 유길준과 근대한국』. 서울: 문학과 지성사.

정일균. 2000. 『다산 사서경학 연구』. 서울: 일지사.

정재훈. 2005. 『조선전기 유교 정치사상 연구』. 파주: 태학사.

정호훈. 2004. 『조선후기 정치사상 연구』. 서울: 혜안.

조광. 2000. "실학과 개화사상의 관계에 대한 재검토." 강만길 편 『조선후기사 연구의 현황과 과제』, 501-533. 서울: 창작과 비평사.

풍우란 저·박성규 역. 2014. 『중국철학사』. 서울: 까치글방.

한국학문헌연구소. 1979. 『김옥균전집』. 서울: 아세아문화사.

한영우. 1985. "허목의 고학과 역사 인식: 〈東事〉를 중심으로." 『한국학보』 11권 3호, 44-87.

한영우·정호훈·유봉학·김문식·구만옥·배우성. 2007. 『다시, 실학이란 무엇인가』. 서울: 푸른역사.

홍대용 저·조일문 역. 2006. 『林下經綸 · 醫山問答』. 서울: 건국대학교출판부.

Cohen, Paul A. 1984. *Discovering History in China: American Historical Writing on the Recent Chinese Past.* New York: Columbia University Press.

Denny, Owen N. 1888. *China and Korea.* Shanghai: Kelly and Walsh Limited Printers.

Freud, Sigmund. 1965. "The Question of A Weltanschauung" In *New Introductory Lectures on Psychoanalysis*, edited by James Strachey, 158-182. N.Y.: W.W.Norton &Company, Inc.

Gadamer, Hans-Georg. 1998. *Truth and Method (2nd).* translated by Joel Weinsheimer and Donald G. Marshall. New York: Continuum.

Makkreel, Rudolf A. 1992. *Dilthey: Philosopher of the Human Studies.*

Princeton, NJ: Princeton University Press.

Schwartz, Benjamin. 1972. "The Limits of "Tradition Versus Modernity" as Categories of Explanation: The Case of the Chinese Intellectuals." *Daedalus* 101(2): 71-88.

Woodside, Alexander. 2006. *Lost Modernities: China, Vietnam, Korea and the Hazards of World History*. Cambridge, Mass.: Harvard University Press.

일본 천황의 세 신체:
메이지 천황의 재현을 중심으로*

김태진

I. 머리말: 왕의 신체는 어떻게 재현되는가

[그림 3-1] 디에고 벨라스케스, 시녀(Las Meninas)

---

*   이 글은 2021년 『일본사상』 40호에 실린 "천황의 세 신체: 메이지 천황은 어떻게
     재현되는가"라는 논문의 내용을 수정한 글입니다.

디에고 벨라스케스(Diego Velázquez)의 유명한 그림 〈시녀들(Las Meninas, 1656-1657)〉은 많은 작가들뿐만이 아니라 사상가들에게도 분석의 대상이 되어왔다. 일반적인 그림과 다른, 언뜻 보기에도 복잡한 구조를 보이는 이 작품은 그야말로 수수께끼처럼 많은 연구자들의 해석 욕구를 자극해 왔던 것이다. 그중에서도 이를 고전주의 에피스테메의 등장으로 분석한 푸코의 설명은 유명하다.[1]

우선 이 그림은 화면 가운데 위치한 마르가리타 공주와 그녀의 시녀들을 그린 것으로 보일 수 있다. 하지만 동시에 화폭에 담긴 화가, 그리고 뒤편 그림 속 거울에 희미하게 비친 왕과 왕비의 모습에 주목할 필요가 있다. 그림이 그려졌을 상황을 재구성해 보자면 아마 이랬을 것이다. 그림 속의 화가는 저 뒤편 거울에 비친 인물인 펠리페 4세와 왕비 마리아나를 그리고 있었고, 마르가리타 공주는 이 모습을 구경하기 위해 수행시녀와 시녀 및 궁신, 난쟁이를 대동하고 왔다. 거울의 오른편에 방 안으로 들어오려는, 혹은 지나가려는 이 역시 그림을 그리는 장면을 목격하고 있다. 그렇다면 화면 왼편에 화가 앞에 자리 잡은 캔버스에는 분명 왕과 왕비가 그려지고 있었을 것이다. 마르가리타 공주를 그린 것으로 보일 수 있는 이 작품에서 왕과 왕비의 존재야말로 이 그림의 인물들을 한자리에 모이게 한 이유였다.

---

1 그는 1963년 프라도 미술관에서 이 그림을 감상한 것이 재현의 시대와 인간학의 시대에 대해 통찰하는 계기가 되었다고 말하고 있다. 그는 이 그림에 대해 장장 18쪽에 걸쳐 서술하는데, 이것이 바로 『말과 사물』의 1장이다(Foucault 2012, 24-43).

이때 거울에 비쳐진 왕과 왕비가 이 그림의 중심을 차지하는 이유는 푸코가 지적하듯이 이것이 3중의 기능을 수행하고 있기 때문이다. 그림의 구도상으로 "그려지는 모델의 시선, 장면을 바라보는 관객의 시선, 그리고 그림(재현되는 그림이 아니라 우리 앞에 있고 우리가 논의하는 그림)을 그리는 화가의 시선은 정확히 이 왕의 자리라는 중심에서 서로 겹친다"(Foucault 2012, 41). 특히 그림에서는 화가 자신의 모습이, 그것도 일부러 자신의 존재감을 나타내려는 듯이 캔버스에서 한 발을 뺀 채 본인의 모습을 등장시키고 있는데, 이는 당시로서도 드문 일이었다. 이 그림 속의 화가가 그림을 그린 벨라스케스 본인의 모습이라고 한다면 그는 왜 자신의 모습을 등장시켰을까? 이 그림을 통해 무엇을 보여주려 한 것인가?

푸코는 이를 통해 주체와 대상을 한 평면 위에 연결시켜서(자연의 빛), 한 점의 중심(왕의 자리=신의 자리)으로 구조화(도표)시키는 고전주의 시대의 '에피스테메'를 발견한다. 그런 의미에서 그림 〈시녀들〉은 단순히 공주를 묘사하기 위한 것도, 그렇다고 왕을 묘사하기 위한 것만도 아니라는 설명이다. 이는 '고전주의적 재현의 재현', 즉 고전주의적 재현에 의해 열리는 공간 그 자체를 정의하고 있는 셈이다. 재현은 여기에서 자체의 모든 요소, 가령 재현이 제공되는 시선들, 재현에 의해 가시적이게 되는 얼굴들, 재현을 탄생시키는 몸짓들로 스스로를 재현하고자 한다(Foucault 2012, 42-43).

이처럼 푸코의 대답은 고전주의적 에피스테메로서의 이 그림의 가려진 의미를 설명해주는 통찰력을 제공해주지만, 여전히 몇 가지 풀리지 않는 의문을 남긴다. 그렇다면 왜 왕은 그림의 중심적 위치를 차지하면서도 거울 속에, 캔버스의 대상으로, 화가의 시선으로서만 존재할 수밖에 없었는가? 이를 정치적 신체로 연결해서 분석한 오사와 마사치(大澤真幸)의 분석을 참조해 보자.[2] 그는 벨라스케스의 〈시녀들〉에서 특이한 점은 국왕을 그리는 화가의 손이 보이고, 국왕은 거울을 통해서 '간접적'으로만 드러나고 있다는 것이라 말한다. 벨라스케스 자신도 다른 작품에서 펠리페 4세를 몇 번이나 그린 바 있지만, 〈시녀들〉은 그러한 그림들과도 분명 다른 점이 있다는 것이다. 그것은 바로 왕에게는 그릴 수 없는 측면이 있음을 이 그림이 보여준다는 점이다. 이는 바로 칸토로비츠(Ernest Kantorowicz)가 『왕의 두 신체(*King's two bodies: A Study in Medieval Political Theology*)』에서 제시했던 왕의 '자연적 신체'(body natural)와는 다른 '정치적 신체'(body politic)라는 측면이다. 즉 통상의 육체를 갖고, 생리적 변화를 겪으며, 나이도 먹고, 때로는 과오를 범할 수 있는 왕은 다른 일반의 인간과 동일하게 묘사할 수 있는 대상으로 자연적 신체를 갖는다. 그러나 볼 수 없고, 만질 수 없는 측면, 즉 모든 자연적, 생리적인 한계나 어리석은 일, 실패로부터 자유로운 정치적 신체를 보이는 그대로 그리는 것은 불가능하다.[3] 그렇게 보

---

2 푸코의 〈시녀들〉 분석에 대해 권력과 재현의 관점에서 바라보는 시도는 이외에도 Schmitter(1996), Alpers(1983) 등 참조.

3 푸코 역시도 조금은 다른 맥락이지만 『감시와 처벌』에서 칸토로비츠에게 경의를 표하며 자신의 수형자의 신체 논의를 왕의 신체와 대비하여 설명한 바 있다. "이전에 칸토로비츠는 '국왕의 신체'에 관해서 주목할만한 분석을 행한 일이 있다. 그 분석에 따르면 '국왕의 신체'는 중세에 만들어진 법률 중심의 신학에 의거한 이중적 역할의 신체라는 것이다. 왜냐하면 국왕의 신체는 살다가 죽는 일시적인

자면 벨라스케스의 〈시녀들〉은 왕의 정치적 신체를 직접적으로 묘사할 수 없는 신체로서 표상할 수밖에 없음을 보여주는 작품이라 할 수 있다. 그런 점에서 이 그림에서 간접적으로 재현될 수밖에 없는 왕의 신체는 재현이란 무엇인가라는 질문과 정치적 신체란 무엇인가라는 질문에서 하나로 합쳐진다(大澤真幸 2017, 176-182).

그렇다면 여기서 우리는 왕의 신체의 '재현(representation)'이란 무엇인가를 다시 물어야 할지 모른다. 왜냐하면 재현이 미술에서 묘사, 표현을 의미하는 것뿐만이 아니라 정치적 의미에서 대표, 대의라는 뜻을 동시에 갖고 있기 때문이다.[4] 이때 represent라는 말은 어원적으로는 다시(re) 나타나게(present) 한다는 것으로, 즉 다시 현존하게 만든다(making present again)는 의미를 갖는다. 그러나 이것이 방에 책을 가지고 들어오는 것처럼 글자 그대로 없었던 것을 가져온다는 의미는 아니

요소 이외에 다른 요소를 내포하고 있는데, 그것은 시간을 초월하여 머물고, 그 왕국의 구체적인 그러나 감축되지는 않는 (신성불가침의) 지주로서 보존되는 것이기 때문이다. … 이 반대의 극점에 사형수의 신체를 놓고 생각해 볼 수 있을 것이다. 그 신체도 역시 법률상의 지위를 가지고 있다. … 정치적 영역의 가장 어두운 지대에서 사형수는 국왕과 대칭적이고 도치된 형상을 보여준다. '가장 작은 사형수의 신체'(lesser body of the condemned man)라고 명명할 수 있게 만든 칸토로비츠에게 경의를 표하면서 그의 작업을 분석해 보면 그렇다"(Foucault 2003, 60-61). 푸코는 칸토로비츠의 논의가 국왕의 권력을 보충하기 위해 신체의 이중화를 만들어 내었다면, 사형수의 복종하는 신체에 행사되는 과잉권력 역시 또 다른 유형의 이중화를 만들어 내었다고 분석한다.

4 현재 대의민주주의로 번역되는 representative democracy의 사례를 보면 알 수 있다. representation 개념의 일본에서의 번역과 관련해서는 이관후(2016), 송석윤(2000), 홍철기(2021) 등 참조.

다. 오히려 재현이란 전혀 현존한다고 할 수 없는 어떤 것을 어떤 의미에서든 현존하도록 만드는 행위를 의미한다. 어떤 것이 동시에 현존하면서도 현존하지 않는다고 말한다는 것은 역설이지만, 대표 혹은 재현이란 이러한 근본적인 이원론을 내장하고 있는 용어인 것이다(Pitkin 1967, 8-9).

따라서 representation이 정치적으로 쓰일 때 이는 그것이 왕의 뜻이건, 국회의 뜻이건, 인민의 뜻이건 간에 무언가 직접 눈에 보이지 않는, 현존하지 않는 것을 다시 현존하게 만든다는 의미로서 대표 내지 대의라는 개념을 사용함에 주의할 필요가 있다. 즉 대표 내지 대의란 단순히 대신해서 토론한다거나 누구의 자리를 대신한다는 의미만이 아니다. 그런 점에서 '대의 정치'(representative democracy)란 누군가를 대신해서 논의하고 결정한다는 것이라기보다 정치의 본질로서 무언가를 다시 '재현'해낸다는 의미로서 파악해야 할 것이다.[5]

따라서 이는 정치라는 것이 단순히 제도적 차원에 그치는 것이 아니라 신학적 관점, 미학적 관점 내지 연극적 관점과 연결되어 있음을 보여준다. 이 현존하지 않는 것을 어떻게 다시 나타나게 할 것인가는 그리 간단한 문제가 아니기 때문이다. 그런 점에서 벨라스케스의 그림에서 왕의 신체가 재현(대표)되는 양식은 정확히 정치적 신체란 무엇인지, 나아가 정치 내지 통치란 무엇인지를 말해준다. 즉 푸코가 이야기

---

5   그런 점에서 단지 대의민주주의(representative democracy)를 간접 정치와 동의어로 파악할 수만은 없다. 대의/대표의 정치적 개념과 관련해서는 홍철기(2014; 2018) 참조.

했던 통치성(governmentality)의 문제이다.[6] 푸코가 이야기하는 통치성이 단순히 '죽이는 권력'에서 '살리는 권력'으로의 변화, 즉 근대의 통치의 양상이 생명권력의 차원으로 변화했다는 도식적인 이해에 그치는 것이 아니라면, 통치의 합리성(governmental rationality) 혹은 통치의 인식 내지 기술(mentality of government or art of government)이라는 보다 넓은 의미에서 그가 이야기하는 권력 작동의 양상, 주체화의 양상, 자기와 타자의 지배 양상과 관련하여 접근할 필요가 있다.

이번 장은 근대 동아시아에서 통치성이 만들어지는 과정에서 메이지 천황을 다루고자 한다. 즉 왕이 재현/대표되는 양상을 통해 메이지 시기 만들어지는 통치의 합리성이 구성되는 양상을 탐구한다. 물론 메이지 천황에 대한 연구는 이미 수없이 많이 나와 있다. 또한 메이지 천황의 신체의 재현에 대한 분석 역시 적지 않다. 본 연구는 그 중에서도 칸토로비츠의 '왕의 두 신체(King's Two Bodies)' 이론을 발판 삼아, 이를 통해 메이지 천황의 '정치적 신체'를 분석해 온 연구들을 검토하고자 한다. '왕의 두 신체 이론'은 서양의 정치적 신체에 관한 대표적인 논의로서, 왕의 신체에 관련된 가장 유명하고 널리 알려진 연구라 할 수 있다. 그러나 1957년 책이 출판된 이후로 학자라면 누구나 다 알고 있을 만큼 유명한 논의이지만, 정작 칸토로비츠의 논의

---

6   푸코의 '통치성' 개념에 대해서는 푸코 본인 역시 다양한 방식으로 설명하고 있으며, 이를 해석하는 연구자들의 의견 역시 다양하다. 본고에서는 각각의 에피스테메에 따른 통치의 합리성 내지 인식, 기술의 변화라는 관점을 따라 서술한다. 푸코의 통치성에 대해서는 Gordon et al.(2014), 이동수(2021) 등 참조.

자체는 제대로 된 논쟁을 불러오지 못했다. 다만 그의 책 제목이 주는 영감을 통해서 그 이후의 작업들은 각자가 주목하는 방향에 맞춰 이를 해석해 왔다(Jussen 2009, 102-104).[7]

    일본도 역시 마찬가지이다. 천황의 신체를 논하는 데 있어 적지 않게 이 이론이 자주 활용되어 왔지만, 일본에서의 연구들 역시 그의 논의 중에서 주로 개인적 신체와 다른 정치적 신체를 가진다는 점만을 이 이론의 전부인 듯이 소개되어 왔다.[8] 하지만 후술하듯이 왕의 두 신체에 대한 논의는 단순히 왕의 신체가 불사의 정치적 신체로서 영속한다는 점에만 있지 않다. 그런 점에서 본고의 목적은 메이지 천황의 재현의 의미를 다루는 논문이기도 하지만, 일본에서 연구자들에 의해 '천황의 재현'을 다루는 방식 자체를 이차관찰자(second order ob-server)의 입장에서 다루는 데 관심이 있다. 즉 천황의 신체에 대한 '재현'을 어떤 방식으로 '재현'하고 있는가를 검토하고자 하는 것이다. 연구자들이 과거의 천황의 신체를 어떤 방식으로 재현하는가라는 문제는 더 넓게는 천황 혹은 일본을 어떻게 재현해 내고자 하는가라는 연구자들의 현재의 욕망을 대변하는 것이기도 하기 때문이다.

7　그의 작업은 이후 연구자들에게 많은 영감을 주었는데, 그 이후 *The Queen's Two Bodies*(Marie Axton), *The King's Simple Body*(Alain Boureau), *The King's Body*(Sergio Bertelli), "The King's One Body"(David Gallo), "The King's Many Bodies"(Gunther Teubner) 등의 작업들이 이어지고 있다.

8　한국에서도 메이지 천황의 시각적 재현과 관련되어 주은우(2014), 여성 천황제 관련하여 권숙인(2013), 북한의 초상화와 일본의 초상화를 비교분석한 박상희(2019a; 2019b) 등에서 왕의 두 신체론에 대해 간략하게 논하고 있다.

II. 불사의 신체로서 천황

왕은 그 자신 안에 두 신체-자연적 신체(Body natural)와 정치적 신
체(Body politic)를 갖는다. 그의 자연적 신체(만약 그것이 그 자체로
고려된다면)는 가사(可死)의 신체(Body mortal)로, 본성상 혹은 우발
적으로 일어나는 모든 질환에 종속되며, 유아기나 노년기의 우매함
에 종속되며, 다른 사람들과 마찬가지로 자연적 신체에 일어나는
결함들에 노출된다. 그러나 그의 정치적 신체는 눈으로 볼 수 없으
며, 손으로 만질 수 없는 몸으로, 정치조직이나 통치기구로 구성되
며, 인민들을 지도하고, 공공의 복리를 도모하기 위해 만들어진 것
이다. 이러한 신체는 자연적 신체가 종속되는 유아기나 노년기, 그
리고 다른 자연적 결함이나 허약함이라고는 전혀 존재하지 않는다.
이 때문에 왕의 정치적 신체로서 수행하는 것은 그 자신 자연적 신
체에 내재하는 어떤 무능력에 의해서도 무효화되거나 파기되지 않
는 것이다(Kantorowicz 1957, 7).

일반적으로 왕의 두 신체론에 관해 많이 인용되는 칸토로비츠의
문장이다. 그는 왕의 두 신체론을 설명하면서, 영국 여왕 엘리자베스
1세(1558-1603 재위)의 통치하에 집대성한 에드먼드 프라우던 판례집의
케이스를 소개하고 있다. 위 문장은 랭카스터 공령을 둘러싼 소송에
서 선왕 에드워드 6세와 랭카스터가의 계약이 왕이 미성년이라는 이
유로 무효가 된다는 주장에 대한 반박 논리로서 소개된다. 그 요지는

왕은 자연적 신체뿐만 아니라 정치적 신체를 갖고 있다는 논리였다. 왕이 어린 것은 자연적 신체이지, 임대계약을 체결한 것은 그의 정치적 신체이며, 따라서 미성년이라는 자연적 신체의 무능함으로 그 계약이 무효화되지 않는다는 주장이었다.

뿐만 아니라 정치적 신체는 왕의 죽음으로 무화되지 않는다. 왕의 죽음을 의미하는 Demise란 말 역시 원래의 의미는 '분리해서(de) 놓여진 것(mise)', '떨어져서 다른 곳으로 옮겨진 것'이 된다. 이는 왕의 죽음을 통해 정치적 신체가 하나의 자연적 신체로부터 떨어져 다른 자연적 신체로 이동함을 보여준다.

> 왕권의 죽지 않는 부분이 하나의 육화(incarnation)에서 다른 육화로의 영혼의 이동은 왕의 붕어(demise)라는 개념으로 표현된다. 그것은 확실히 왕의 두 신체라는 이론 전체의 핵심적인 부분이다. 이처럼 왕의 살(flesh) 안에서 정치적 신체의 '육화(incarnation)'는 자연적 신체의 불완전성을 제거할 뿐만 아니라 그의 대문자로서의 왕, 즉 초신체(superbody)와 관련해서 개인적 왕의 '불가사성'(immortality)을 운반해 준다(Kantorowicz 1957, 13).[9]

---

9   그는 영혼(soul)의 이동, 즉 왕권에서 불가사적인 부분이 다른 신체로 넘어가는 것이 왕의 두 신체 이론의 핵심이라고 지적한다. 즉, 신의 시간이라 할 수 있는 '영원(aeternitas)'을 대신해서 천사의 시간이라 할 수 있는 '영속(aevum)'이라는 아이디어가 등장하는 것이다. 이때 신의 시간인 영원이 무한을 기반으로 하며, 인간의 시간이 유한성에 기반한다면, 천사의 시간인 영속이란 유한하면서도 동시에 영원을 향한다는 점에서 구별된다.

따라서 정치적 신체는 왕의 자연적 신체에서 기원하는 어떠한 무능력함, 질병에서도 자유로울 뿐 아니라, 영혼의 이동을 통해 영속적으로 이어지는 것을 핵심으로 한다. 이때 왕의 정치적 신체는 볼 수 없고, 만질 수 없지만 자연적 신체와 분리되어 왕권의 신성한 근거가 된다.[10]

일본의 역사학자 다카하시 후지타니는 메이지 시기의 일본의 천황론에서도 유사한 논리가 보이고 있음을 지적한다. 그는 당시 영국 유학생이었던 스에마쓰 겐초(末松謙澄)의 논의를 소개하고 있다.

> 고대 일본의 관행처럼 영국에서는 새 군주의 대관식을 즉위 당일에 행하지 않는다. … 우선 왕통의 정신에 따라서 국왕은 결코 죽는 사람이 아니라고 본다. 법적 용어로 이것은 이른바 불멸의 왕이다. 이는 국왕의 생명이 실제로 불멸하는 뜻이 아니라, 그가 죽으면서 국왕으로서의 권력과 존엄이 즉각 후계자에게 전달된다는 뜻이다. 그것은 한순간도 지체되어서는 안 된다고 여겨지므로, 옛 왕의 신체가 새 왕으로 교체되는 사이에도 왕의 정신에는 결코 변동이 없다고 본다. (프랑스 군주정의 관습 가운데 국왕의 죽음이 임박하면 급히 침

---

10 그런 점에서 칸토로비츠는 셰익스피어의 『리처드2세』의 비극은 정치적 신체와 자연적 신체로서의 두 신체를 갖던 왕이 어떻게 자연적 신체로 전락해 가는가, 이 과정에서 보여주는 왕권의 변화를 '신체'(body)라는 관점에서 설명하는 이야기로 읽는다. 셰익스피어의 비극의 본질은 아버지의 법을 회복시켜야 할 사람들이 정치적 신체를 제대로 이어받지 못함으로써 생기는 문제라는 것이다(Kantorowicz 1957, 24-41).

상으로 다가와 '국왕은 죽었다. 국왕 만세'라고 외치는 관습이 있다. 이 관습도 같은 생각에서 나온 것 같다. 영국에서도 조지 4세의 죽음에 즈음하여 트럼펫 소리에 맞추어 격자창을 통해 '국왕은 죽었다, 국왕 만세'라는 외침이 터져 나왔다.) … [영국에서는] 법적으로 국왕의 생명의 끝을 ['death'가 아니라] 'demise'라고 부른다. '사(死)' 대신 '붕(崩)'이라는 용어를 사용하는 동양과 비슷하다. 십중팔구 'demise'의 본뜻은 재산의 양도일 것이다. 그리고 이것을 국왕의 죽음과 결부시키는 것은, 군주가 죽을 때 자신의 왕국을 후계자에게 양도한다고 하는, 즉 위에서 언급한 불멸의 국왕관에 근거한 해석에서 비롯된다(末松謙澄 1881; Takashi 2003, 200-201 재인용).

후지타니는 스에마쓰가 '왕의 두 신체'라는 개념을 일본에서는 처음으로 설파하고 일본의 천황제를 이와 비슷한 이원론적 관점에서 처음 이론화한 사람으로 평가한다. 물론 그가 서양의 왕의 두 신체에 대한 체계화된 이론적 논의를 접한 것은 아니었지만, 이러한 논리 자체가 소개되고 있다는 점에 주목하고 있다. 19세기 말과 20세기의 일본 사상가들이 마치 유럽과 일본의 왕위에 대한 관념이 서로 대동소이한 것처럼 기술했고, 그렇게 함으로써 근대 천황의 논리를 만들어 내었다고 그는 평가한다. 이는 '만세일계'라는 혈통의 연속성을 통해 시간적 영속성을 부여하는 과정이었다.[11]

그러나 신체가 교체되는 사이에도 변함없이 유지되는 '왕의 정신', '불멸의 왕'은 무엇을 의미했는가 혹은 무엇 때문에 이러한 논리를 가지고 오게 되었는지를 좀 더 자세히 살펴볼 필요가 있다. 주지하듯이 메이지 시기 들어서면서 기존의 숨겨진 자리에서 영적인 것을 담당하던 천황에게 세속적인 차원에서 신성성을 부여하는 작업이 시작된다(Kim 2011, 54-83). 천황의 천도를 건의한 〈오사카 천도 건백서(大坂遷都建白書)〉에서 오쿠보 도시미치(大久保利通)는 주상(主上)이 '구름 위'에 산다고 말하고, 용안은 뵙기 어렵다고 생각해, '옥체(玉体)'는 땅을 밟지 않는다는 인식이 퍼져있던 당대의 상황을 비판한다. 이는 천황을 지나치게 추존해 받들어 분에 넘치는 존대고귀한 것으로 생각하게 한다는 것이다. 이로써 상하의 격절(隔絶)이 일어나는 것이 오늘날의 폐습이 된다고 그는 보았다(大久保利通 1988, 7).[12]

즉 구름 위에 살며 땅을 밟지 않는 천황의 신체를 땅으로 끌어내릴 필요가 있었다. 오랫동안 지속되어 온 봉건시대의 천황과 민중의 소원한 관계가 새로운 국가의 권위를 만들어 내는 데 방해가 되었고, 이를 타파하기 위해서는 우선 천황을 일반 사람들의 눈에 보이는 존

---

11 물론 후지타니는 칸토로비츠 논의를 근대 일본에 기계적으로 아무 문제 없이 이용할 수 있다고 보지 않는다. 오히려 19세기 말과 20세기의 일본 사상가들이 마치 유럽과 일본의 왕위에 대한 관념이 서로 대동소이한 것처럼 기술함으로써 근대 천황의 이원론을 만들어 냈다는 것을 주장한다. 근대 일본의 '왕위'는 적어도 두 개의 '신체', 즉 국민공동체의 세속적이고 가변적인 번영을 나타내는 부분과 그것을 초월하는 영속성을 나타내는 부분으로 구성된다는 것이다(Takashi 2003, 203-204).

12 스에마쓰 역시 오쿠보의 논지에 담긴 의미는 "통치자와 신민이 화합할 수 있는 비책은 상호 친숙과 애정"이라 파악하며, 영국 궁정의 관행에 근거하여 궁내성이 천황과 황태자의 평범한 일상행동을 수도의 언론을 통보하여 홍보하도록 권고했다(Takashi 2003, 207-208).

재로 만들어야 함을 알고 있었던 것이다. 이렇게 해서 오사카친정이나 동행(東行) 등과 같은 천황의 시각화를 수단으로 하는 정치적 역사가 시작되었다(多木浩二 2007, 14-15).

그러나 메이지 천황의 신체가 정치적 신체로서 곧바로 등장할 수는 없었다. 초기의 동행을 묘사한 그림을 보아도 천황은 좀처럼 자신의 모습을 드러내지 않는다. 드러낼 때조차도 그것은 익명으로 처리된 천황의 모습이었다. 오히려 천황의 행렬을 묘사하는 니시키에(錦繪)에서 천황은 봉련(鳳輦) 속에 반쯤 가려지고, 천황의 모습보다는 행렬 그 자체 내지 배경이 더 주목된다. 이는 미적 배려의 측면이나 자기 규제와 같은 요소도 포함하고 있을 터지만, 천황의 신체는 숨겨짐으로써 그 모습을 드러내었던 것이다(多木浩二 2007, 17-31).[13]

[그림 3-2] 月岡芳年, 武州六鄉船渡圖(1868)

[그림 3-3] 歌川廣重, 奧羽御巡幸萬世橋之眞景(1876)

---

13 메이지 천황이 자신의 신체를 사람들 앞에 드러내게 된 메이지 10년 이후에도 순행을 묘사하는 니시키에에서 누가 보아도 천황임을 알 수 있지만, 천황의 이름만을 적지 않는다거나 천황임을 밝히지 않는 방식이 사용되고 있다. 이는 천황을 천황이라고 말하지 않으면서도 특별한 존재로 제시하는 '이중적 차이'를 만드는 방법이었다고 다키는 설명한다(多木浩二 2007, 94-97).

따라서 천황의 순행만으로 왕의 '정치적 신체'가 재현되는 것은 아니다. 메이지 초기의 천황의 순행은 그동안 가려져 있던 천황의 신체를 가시적으로 드러내는 작업이었지만, 정치적 신체는 자연적 신체를 직접 나타냄으로써 재현될 수 있는 것이 아니었다.[14]

다키 고지(多木浩二)는 이어 천황의 초상화를 분석하면서 정치적 신체의 비가시성을 지적한다. 메이지 20년대 들면 순행은 더 이상 실시되지 않고, 그 대신 '어진영'이 전국의 소학교로 하사되기 시작한다. 이제 천황의 사진이 실제의 천황과 똑같은 기능을 하게 되는, 사진이 천황의 '대리물'이 될 수 있었던 것이다.[15]

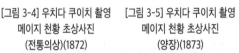

| [그림 3-4] 우치다 쿠이치 촬영 메이지 천황 초상사진 (전통의상)(1872) | [그림 3-5] 우치다 쿠이치 촬영 메이지 천황 초상사진 (양장)(1873) | [그림 3-6] 에도아르도 키오소네 그림 메이지 천황 초상화(콘테화)(1888) |

---

14 우화 벌거벗은 임금님(The Naked King)에서처럼 그저 자연적 신체를 본다고 해서 그것만으로 정치적 신체가 곧바로 사람들의 인식에 떠오르는 것은 아니다. 다만 '벌거벗은 자연적 신체로서의 임금'이 보일 뿐이다. 그런 점에서 벌거벗은 임금님을 보고 웃는 행위는 정치적 신체가 완성되지 못했을 때 혹은 제대로 인식되지 못했을 때 일어나는 이야기라 할 수 있을 것이다.

많은 기존연구에서 분석하고 있듯이 메이지 천황의 초상으로 남아있는 것 중 세 종류가 대표적이다. 첫 번째 사진은 1872년 우치다 쿠이치가 찍은 사진으로, 『메이지천황기』에 의하면 순행이 있은 후 처음으로 전통의상을 입은 천황을 72장 찍어 궁내성에 제출한 것이었다. 의상도 여러 벌이었는데, 하나는 전통적인 소쿠타이 차림이고 다른 하나는 노우시를 입고 머리에 킨코지를 쓴 것이었다. 모두 전통의상을 입고, 의자에 앉아 있는 모습으로 옆 탁자에는 칼이 놓여있고, 오른손에는 부채를 들고 있는 청년의 모습이다. 다음 해 73년에는 천황이 머리를 잘라 모습이 변했기 때문에 다시 우치다를 불러 촬영하였다. 그해에 "각국 제왕의 제복을 참작하여 군복 규정을 정한" 것에 맞춰 새로 제정된 군복을 착용하고 한 손에는 검을 쥔 군인의 모습을 하고 있다. 물론 이는 당시 문명의 기준으로서 서양 황제들의 사진들을 따라 한 것이었다(多木浩二 2007, 65-66; 若桑みどり 2007, 53-62). 천황이 종래의 여성적인 궁정을 벗어나 점차 용감하고 씩씩해져 가는 변화의 양상을 보여주는 대목이자, 세속화되어 가는 과정에서 정치질서를 담당하는 역할을 부여받은 모습을 보여준다.[16]

---

15 천황의 초상이 필요했던 이유는 외교관계상 국가원수를 대표할 수 있는 초상이 필요해졌기 때문이다. 이에 대해서는 多木浩二(2007, 111-116), 若桑みどり(2007, 27) 등 참조.

16 다카시(Takashi 2003, 205)는 그런 점에서 "메이지 천황은 천황이자 천황위(emperorship)였으며, 신비하면서도 가시적이고, 초월적이면서도 관여하고, 신적이면서도 인간적이며, 모든 인간사에서 면제되면서도 국가의 모든 성취에 책임을 지는 이원적 존재"가 되는 과정임을 강조한다.

그러나 정치적 신체와 관련해서 보다 중요한 것은 두 번째에서 세 번째의 초상으로의 변화라 할 수 있다. 이는 앞의 두 사진을 찍은 지 15년이 지난 이후에야 완성된 공식적인 초상화였다. 『메이지천황기』에서는 "천황이 사진 촬영을 좋아하지 않았다. 현재 사진으로 존재하는 것은 프랑스 구식 군복을 착용한 것을 비롯하여 모두 십몇 년 전에 촬영한 것이기에 외국 황족이나 귀빈에게 증정하는 데 적합하지 않아 부탁하는 사람이 있을 때마다 대신들이 그 의견을 처리하는 데 곤란을 겪었다"고 기록되어 있다. 그래서 천황에게 비밀로 하고 옆방에서 문틈으로 천황 모르게 스케치를 하여 이를 근거로 콩테로 완성했다는 것이다. 그다음에 이 그림을 궁정화가 키오소네(Edoardo Chiossone)의 지도하에 사진사 마루키 리요가 촬영하여 어진영으로 완성하게 된 것이다(若桑みどり 2007, 59-60).

이렇게 완성된 천황의 초상은 실제 천황의 모습을 찍은 사진보다 무언가 존엄한 이미지, 풍채가 좋아 보이는 믿음직한 신체, 의자 등받이에 기대지 않고 칼을 손에 쥐고 있는 당당하고 진취적인 자세, 제법 어울려 보이는 복장과 꽉 찬 배경, 서구형의 국왕 모습과 흡사한 이상화된, 비현실적 이미지로서 등장한다. 우치다 쿠이치의 사진이 젊고 마른 체형, 무언가 자신 없거나 불만이 있어 보이는 듯한 표정, 의자에 기대앉은 무기력해 보이는 자세, 칼을 비스듬하게 기대놓은 진취성이 없는 포즈, 서구의 옷을 빌려 입은 듯한 어색한 복장과 텅 빈 배경을 보여주는 것과 대조적이다. 실제로 이 초상에 대해서는 "천황이 지닌 뛰어난 풍채와 성군으로서의 위용을 제대로 그려냈다"는 평가가 뒤따랐다(多木浩二 2007, 157-165).

사진이나 그림은 그 대상을 상기시키기 위한 것이지만, 사진 내지 그림 속에서 묘사된 대상이 곧 실제 인물 자체는 아니다. 즉 재현은 어떤 대상을 상기시키지만, 그 대상 자체는 아닌 것이다. 이는 사진이나 그림의 본질이 실제 모습을 얼마나 정확하게 재현해내는지 관심을 갖지 않음을 말해준다.[17] 그렇다면 천황의 초상에서 보여야 하는 것은 단순히 천황의 긴 턱이라던가, 어딘지 불만 있어 보이는 표정 자체를 지워버리는 것이 아니라 그러한 현실의 모습을 뛰어넘는 그 무언가를 포착해 내는 것이 중요하다. 따라서 이는 단순히 천황을 위엄 있어 보이게 만드는 작업만은 아니다. 그런 점에서 앵커슈미트(Frank Ankersmit)가 지적하듯이 재현/대표(representation)는 재현 대상/대표되는 자의 외형적 모습과는 독립적이다. 오히려 그 핵심을 끄집어낸다는 점에서 메이지 천황의 사진에서 중요하게 다뤄지는 것은 실제 모습보다는 천황으로서의 이미지이다. 그리고 이 이미지를 통해 만들어지는 정치적 신체의 모습이다.[18]

이때 다시 한 번 주의해야 할 것은 다키가 지적하듯이 이것이 '이중의 재현'의 작업이 이뤄지고 있다는 것이다. 앞서 설명하였듯이 키오소네는 천황의 사진을 직접 찍은 것이 아니라 그림으로서 먼저 그릴 수밖에 없었다. 그래서 그는 자신이 직접 장신구를 걸치고 다양한

---

17 특히나 동아시아에서 초상의 의미는 그 대상을 얼마나 정확하게 묘사하는가가 아니라 그 사람의 특징을 얼마나 잘 표현해내느냐는 데 있다. 이에 대해서는 조선미(2012) 등 참조.

18 이러한 미학적 차원의 재현/대표에 관해서는 Ankersmit(2001) 참조.

방면에서 사진을 찍어 초상화를 그리는 데 활용하게 된다. 천황이 초상으로 된다는 것은 신체의 시각화를 의미하는 이상, 천황은 반드시 '살아있는 신체'이어야 함과 동시에 천황제 국가의 기저에 존재하는 초역사적인 또 하나의 '신체'이기도 해야 했다. 그저 사진에 불과한 사진을 찍은 우치다 쿠이치의 경우와 달리, 키오소네가 이중적 의미를 지니는 상징으로 천황의 신체를 화폭 속에 표현할 수밖에 없었던 필연성이 여기에 있었다(多木浩二 2007, 179-180). 그런 점에서 이는 칸토로비츠가 설명하는 신체의 이중적인 의미를 담고 있는 것이었다.

이는 당시 이노우에 코와시(井上毅)가 고용외국인 법률가였던 뢰슬러(Hermann Roesler), 모세(Albert Mosse)와 '제국 대권'에 관해 논의하는 과정에서도 엿볼 수 있다. 이노우에는 "국왕은 국권의 초상(シンボル)이다. 따라서 독일 각국의 헌법에서 명확히 말하고 있는 것 같이 국왕은 일체의 제반 정권을 총람해, 헌법에 따라 이를 시행하는 자이다"라고 설명하는데, 여기서 주목할 것은 '초상'이라는 단어에는 '심볼'이라고 후리가나가 달려 있다는 점이다(國學院大學日本文化硏究所 1979, 32). 이처럼 이중적으로 사용된 '초상(symbol)'이라는 단어로부터 다키는 칸토로비츠가 말하는 '국왕의 신체'가 지니는 이중성과 비슷한 생각을 이노우에가 지니고 있었다고 추측한다. 즉 살아있는 신체로서의 천황을 우선 '초상'이라고 말하고, 여기에 그 신체에 포함되어 있는 또 하나의 추상적인 신성함을 '심볼'이라고 말하면서 국가를 지탱하는 신체와 겹치도록 했을지도 모른다는 것이다(多木浩二 2007, 161).[19]

천황의 실재 신체와 사진, 그리고 이를 그린 그림, 그리고 이것이 복사되어 하사되는 과정은 정치적 신체의 복잡성을 보여준다. 자연적 신체와 그 재현(그림), 그리고 또 한 번의 재현(복사)을 통해 천황의 신체는, 벨라스케스의 〈시녀들〉의 분석에서 보이는 것처럼, 자연적 신체로서만 보여서는 안 되는 어떤 정치적 신체를 전달하고자 한다. 그것은 사그라드는 육체, 죽음에 노출되어 있는 육체가 아니라 그 안에 살아 숨 쉬지만 영원히 보존되는 그 어떤 신체성을 포착하여 영속시키려 한다. 또한 이 초상은 그 정치적 신체를 통해 일본이라는 국가적 신체가 살아있음을, 영구히 유지됨을, 그리고 과거와 미래를 이어줌을, 사진을 통해 현시하고 있다. 동시에 이는 사진을 바라보는 이들에게 국가라는 신체를 각인시키며, 기억할 것을 요구한다.

이러한 논의들은 왕의 두 신체 이론을 통해, 메이지 이데올로그들이 이 이론을 명확히 의식했는지는 단언할 수 없지만, 메이지 천황의 통치적 합리성이 구성되는 과정을 보여준다. 다키의 평가대로 "이렇게 보면 유신 이래 천황을 눈에 보이는 존재로 만들려던 정치의 기술이 근대화과정 속에서 우여곡절을 거치면서 사진에 도달하고, 이제 근대 국가 속에서 그 사진을 도상의 내용 그 자체보다도 천황제 국가를 지탱하는 상징적 신체로 느끼게 만드는 장치를 만들어내는 기술=정책으로 변용하기 시작"(多木浩二 2007, 185)했던 것이다.

하지만 칸토로비츠가 말하는 정치적 신체는 원래 유럽적 맥락에서 가령 왕관과 같은 특정한 상징으로 등장한다는 점에 주목할 필요가 있다. 천황의 사진이 이중의 재현 과정을 거친다고 하더라도, 일본

---

19 메이지 천황의 신성성이 만들어지는 과정에 대해서는 김태진(2021a) 참조.

에서 왕의 모습을 그대로 보여준다는 점에서 자연적 신체가 정치적 신체와 확연히 분리될 수 없었다. 다키가 서구의 왕들이 부르주아화되면서 일종의 픽션의 과정을 거친 것과 달리 일본에서 천황의 초상은 하사와 의례라는 장치로서 천황이라는 자연적 신체에서 분리되지 못한 점을 지적하고 있는 이유이다.[20]

III. 집합적 신체로서 천황

그러나 칸토로비츠의 왕의 두 신체론에서 자연적 신체와 다른 정치적 신체의 특징이 영원성이나 정치적 신체의 이양과 관련된 측면에 한정되는 것은 아니다. 또한 정치적 신체가 일종의 이중의 재현 과정을 통해서 만들어질 수밖에 없음을 강조하는 것으로 그칠 수도 없다. 칸토로비츠의 왕의 두 신체론을 이러한 측면들에 한정하여 서술하는 논의들이 많지만, 그의 논의가 영국적인 특수한 것임을 강조하는 지점을 놓쳐서는 안 된다. 오히려 그의 관심은 왕의 신체가 어떻게 재현되는가보다는 이것이 근대국가를 구성하는 논리를 예비하는 정치적 언어들과 어떻게 관련되는가에 보다 초점이 맞추어져 있다(Jussen 2009,

---

20 서구와 달리 일본에서 천황의 초상을 화폐에 그려 넣는 것에 반대한 것이나, 천황의 사진이 매매 금지된 사례들이 이를 보여준다.

104).[21]

이는 영국에서 정치적 신체가 갖는 의회와의 관련성 때문이다. 왕의 정치적 신체는 왕관으로 상징되는 국고(fisc)나 국체와 같은 실체와 연결되며, 이는 의회와 분리될 수 없던 것이었다. 그런 점에서 '왕(King)'을 보호하기 위해 '왕(king)'과 싸운다는 혁명기 퓨리탄들의 논의는 단순히 실재하는 자연적 신체로서 왕을 강화하기 위한 논의라기보다 오히려 이후의 근대적 인민 주권의 논의와 이어지는 측면이 강하다. 그렇기 때문에 이때 왕은 단순히 실재하는 왕이라기보다 정치적 담론 속에서 이상화된 대명사, 집합화된 대명사로서의 '왕'의 자리에 가깝다.[22]

칸토로비츠가 왕의 두 신체론을 이야기할 때 이것이 앞 시기 그리스도의 '신비체(mystical body)' 개념과 뒤 시기의 '법인(body corporate/corporation)'이라는 개념과 연결됨을 지적하는 것은 그 때문이다. 즉 그리스도에게도 두 신체라는 개념이 있는데, 하나가 자연적·개체적·개인적 신체(body natural, individual, and personal)라면 다른 하나는 초-개체적인 정치적·집합적 신체(super-individual body politic and collective)인 신비체이다. 그리고 이러한 신비체로서의 집합적 신체는 세속적 세계의 정치체

---

21 그런 점에서 칸토로비츠는 자신의 작업을 '제헌적 의미론(constitutional semantics)'으로 설명한다.

22 왕권의 상징인 불사조(phoenix)가 죽음에 노출된 개체(individual)이자 동시에 죽지 않는 종(species)이기도 한 점은 왕의 이름 하에서 정치적 신체의 특징이 영속적이라는 점뿐만이 아니라, 집합적 성격을 띠는 것을 보여준다(Kantorowitz 1957, 273-313).

를 의미하는 개념으로 전화, 즉 세속화(secularization)한다(Kantorowitz 1957, 206). 이렇게 왕의 정치적 신체는 단순히 말의 상찬으로만 존재하는 게 아니라 법학에서 집단적인 것, 예컨대 민족이나 인민, 국민, 도시민 등을 표상하기 위한 하나의 허구적 인격(fictitious person)으로서의 법인격 개념의 등장과 맞물리게 된다(Kantorowitz 1957, 201). 그가 왕권을 그리스도 중심(Christ-centred), 법 중심(law-centred), 정체 중심(polity-centred)의 세 가지로 구별하며, 서양의 왕권이 이같은 순서대로 전개되어 왔다고 보는 이유이다. 그런 점에서 칸토로비츠의 논의의 방점은 왕의 정치적 신체가 영속된다는 발상보다 왕의 정치적 신체가 어떻게 의인화/인격화(personification)되는가에 찍혀야 할지 모른다.[23]

그렇다면 근대 일본에서 천황의 신체는 어떠했는가? 정치적 신체가 개인적 신체로서의 천황에 한정되는 이야기가 아니라 이를 통해 어떻게 집합적 신체(body politic)를 만들어 내는가와 관련된다면, 그것은 그전까지는 존재하지 않았던 집합체로서의 '국민'(nation)이 어떻게 만들어졌는가라는 질문으로 볼 필요가 있다. 하나의 신체로서 국-체(國體)를 만들어 내는 것은 천황이라는 매개를 통해 국민을 만드는 것이기도 했다.[24]

---

23 칸토로비츠는 정치적 신체의 구성요소로서 1. 왕조(Dynasty)의 연속성 2. 왕관(Crown)의 법인적 성격 3. 왕위(Dignity)의 불사성을 들고 있다. 왕의 국가가 전체로서 일종의 '법인'으로서 개념화되는 때 그것은 왕관이라 불리게 된다.

24 오사와 마사치는 이를 천황의 신체를 통해 왕의 두 신체로서 국가를 재현하는 두 가지 과정으로 파악한다. 하나는 직접 왕의 순행을 통해 가시적인 것으로서 왕이 육화한 국가다. 그러나 왕은 가시적인 것에서 비가시적인 것으로 다시 한번

그렇게 보자면 국체(國体)라는 이 시기의 추상화된 일본이라는 자기규정 역시 천황의 정치적 신체의 다른 이름이었다고 볼 수 있다. 국체란 말은 물론 전통적 사유에서도 사용되던 말이었다.[25] 그러나 '나라의 모습' 등 정치적 양태를 의미하는 말이었던 '국체'를 천황과 결부시킨 것은 아이자와 세이시사이(会沢正志斎)의 『신론』(1825년)이라 할 수 있다. 그는 "나라의 체는 무엇인가. 무릇 사체(四體)를 불구하면 사람일 수 없다. 나라도 체가 없으면 나라일 수 없다"라고 말해 사람에게 사지('사체')가 있는 것처럼 나라에도 '체'가 필요하다고 말한다.[26]

국체라는 말이 보다 본격적으로 일본 자신의 아이덴티티를 설명하는 데 자주 쓰이게 된 것은 메이지 전기부터라고 할 수 있다. 국체는 존황양이적인 내셔널리즘을 표현하는 말로, 원래는 미토학에서 출발하지만, 페리 내항 이후 정치과정에서 널리 보급된 유행어였다. 그러나 이 단계에서도 이 말의 의미는 다의적으로 국가의 체면, 국가의 독

변화해야 한다. 이는 어진을 통해, 추상성을 가진 신체로서 표상된다. 이러한 비가시성 속에서 신민들이 공동체에 결합, 이 두 번의 신체화에 의해 네이션이 형성되는 과정으로 분석한다(大澤真幸 2014, 73-75).

25 『관자(管子)』「군신하(君臣下)」편에서 "사지육도(四肢六道)는 몸의 체이다. 사정오관(四正五官)은 국가의 체[國之體]이다. 사지가 통하지 않고 육도가 달하지 않으면 몸을 잃게 되고, 사정이 바르지 않고 오관이 관리가 안 되면 국가는 어지러워진다"는 말에서 국가의 체[國之體]라는 발상이 등장한다. 이외에도 『한서(漢書)』에서도 "온고지신해서 국체에 통달한다"는 말이나 일본 고전에도 『엔기시키(延喜式)』에서도 오야시마(大八島国)의 국체라는 말이 등장한다. 국체라는 말의 용례에 대해서는 米原謙(2015; 2016) 참조.

26 国之為レ体其何如也、夫四体不レ具、不レ可二以為レ人、国而無レ体何以為レ国也

립, 일본의 독자성, 만세일계의 황통의 존재 등의 의미를 포함해 사용되었다(米原謙 2015, 39). 이른바 '국체론'으로서의 국체가 지금 우리가 이해하는 것처럼 만세일계의 황통을 이어 천황이 통치하는 고대로부터 불변한 국가원리를 의미하기 시작한 것은 일본제국헌법의 발표와 교육칙어의 발표가 결정적 계기가 되었다(米原謙 2016, 102).

이 만세일계의 황통을 이어받은 국체는 천황의 자연적 신체를 넘어 집합적 신체로서의 정치적 신체의 모습을 띤다. 이는 메이지 헌법의 발화 주체의 변화에서도 확인할 수 있다. 일본어로는 '짐(朕)'이라는 화자가 발화의 주체로 상정되어 있지만, 이것이 이토 미요지(伊東巳代治)에 의해 공식적으로 영어로 번역했을 때 '우리'(We/Our)라는 화자로 변하는데 여기서 의식 혹은 의식하지 못한 어떤 변화가 일어나고 있다. 그것은 새로이 만들어지는 국가가 시공간의 한계를 초월해 네이션을 형성하는 과정에서 벌어지는 것이기도 했지만, 천황의 신체(자리)라는 점에서 보자면 천황의 자연적 신체의 확장이었다. 이는 곧 정치적 신체가 만들어지는 순간이었다.[27]

---

27 메이지 헌법의 상유(上諭)는 다음과 같이 시작한다. "朕祖宗ノ遺烈ヲ承ケ萬世一系ノ帝位ヲ踐ミ朕カ親愛スル所ノ臣民ハ卽チ朕カ祖宗ノ惠撫慈養シタマヒシ所ノ臣民ナルヲ念ヒ其ノ康福ヲ增進シ其ノ懿德良能ヲ發達セシメムコトヲ願ヒ又其ノ翼贊ニ依リ與ニ俱ニ國家ノ進運ヲ扶持セムコトヲ望ミ乃チ明治十四年十月十二日ノ詔命ヲ履踐シ玆ニ大憲ヲ制定シ朕カ率由スル所ヲ示シ朕カ後嗣及臣民及臣民ノ子孫タル者ヲシテ永遠ニ循行スル所ヲ知ラシム" 이에 대한 공식 영문 번역은 "Having, by virtue of the glories of Our Ancestors, ascended the throne of a lineal succession unbroken for ages eternal"로 시작해 "We are guided in Our conduct, and to point out to what Our descendants and Our subjects and their descendants are forever to conform."

다키이 가즈히로(瀧井一博)는 왕의 두 신체론을 가지고 와서 이러한 집합적 성격의 신체성에 대해서 주목한다는 점에서 앞선 연구들과 다르다. 그는 메이지 헌법 1조에서 "만세일계의 천황이 이를 통치한다"라고 하여 천황의 절대적 주권성을 말하고 있는 듯하지만, 동시에 4조에서 "천황은 나라의 원수로서 통치권을 총람해 이 헌법의 조규에 의해 이를 행한다"고 규정하고 있는 점에 주목한다. 일견 모순되는 것처럼 보이는 이 두 조항은 메이지 헌법 자체가 내재하고 있는 입헌군주제적 성격을 통해 해결된다. 일반적으로 천황의 권력을 무제한적으로 강화하고자 한 인물로 인식되어온 이토 히로부미는 오히려 천황을 헌법의 조규에 따라 행할 수밖에 없는 존재로서 만들고자 했다는 것이다. 이는 천황을 행정부와 입법부의 조정자로서의 소극적 역할로 규정하고자 했던 구상으로, 다키이는 이 시기의 "헌법정치라는 것은 즉 군주권 제한의 의의가 있는 것이 분명"하다고 단언하고 있다(瀧井一博 2013, 237-239).

이때 천황은 자신의 뜻대로 통치하는 법 위에 있는 자가 아니라 의회의 뜻에 따르는 법 위에 있으면서 동시에 법 아래에 있는 자이다. 그것은 실제 내각의 구성원을 수상이 추천하여 천황이 자동적으로 임명하는 관행이 성립한 것으로부터 알 수 있다. 그런 점에서 다키이는 칸토로비츠가 왕의 조언자들이 군주의 입이 아니라 오히려 그 반대로 왕이야말로 조언자들의 입이었다는 논의를 가지고 온다. 즉 메이지 천

으로 끝난다.

황이라는 신체는 조언자들에 의해 구성된 것이고, 천황은 회의체의 입이었다는 것이다(瀧井一博 2013, 239-240).

그렇게 보자면 국체를 유기체적으로 파악한 메이지 헌법 4조 역시 다르게 볼 여지가 있다. 메이지 헌법 제4조에서 '천황은 나라의 원수로서 통치권을 총람해 이 헌법의 조규에 의거해 이를 행한다'고 규정한다. 이에 대한 정부의 공식 영어 번역문은 "The Emperor is the head of the Empire, combining in Himself the rights of sovereignty, and exercises them, according to the provisions of the present Constitution"로 천황이 제국의 원수(head=머리)로 주권(sovereignty)을 그 자신(Himself) 안에서 결합시키고 있음을 보여준다. 『헌법의해』에서는 이에 대해 다음과 같이 풀이하고 있다.

통치의 대권은 천황이 조종으로부터 받아 자손에게 전한다. 입법, 행정 백규(百揆)의 일은 무릇 국가가 임어해서 신민을 진무하는 것이고, 이는 하나로서 지존이 모두 그 강령을 쥐지 않음이 없다. 비유하자면 인신에 사지백해(四支百骸)가 있고 정신(精神)의 경락(經絡)은 모두 그 본원을 수뇌(首腦)로 돌아가는 것과 같다. 고로 대정(大政)이 통일되어야 함은 흡사 인심(人心)이 둘 셋이 되지 말아야 함과 같다(伊藤博文 1989, 26-27).[28]

---

28 이 부분 영역본은 "just as the brain, in the human body, is the primitive source of all mental activity manifested through the four limbs and the different parts of the body. For unity is just as necessary in the government of a State, as dou-

인신의 '사지백해(四支百骸)'는 '정신(精神)의 경락(經絡)'을 통해 통치권의 본원인 '수뇌(首腦)'로 돌아간다. 따라서 인심(人心)이 둘 셋일 수 없는 것과 대정(大正)이 통일되어야 하는 문제가 동일해진다. 천황을 수뇌로서 규정하며 주권이 한 곳, 『헌법의해』 영어 번역본에서는 '근원(primitive source)'으로 돌아가 통일되어야 함이 강조되는 것이다.[29]

하지만 천황의 절대적 권력을 강조하는 듯한 4조는 이어지는 5조와 겹쳐 읽었을 때 다르게 해석할 여지가 있다. 이때의 방점은 수뇌에 있는 것이기도 하지만 동시에 의회의 보조로 뒷받침되어야 한다. '제5조 천황은 제국의회의 협찬(協贊)으로서 입법권을 행사한다'는 설명에 "우리가 건국의 체에 있어 국권의 나오는 바를 하나로서 둘로 하지 않는 것은, 비유하자면 주일(主一)의 의사로서 능히 백해(百骸)를 부리는 것과 같다. 그리고 의회의 설치는 이로써 원수를 보조해 그 기능을 다하게 하고, 국가의 의사(意思)를 정련강건(精鍊強建)하게 하는 효용을 보는 것"이라 설명하는 것이 이를 보여준다. 즉 천황이 하나의 의사로서 온몸을 다스리는 것은 의회의 보조로서 가능하고, 이를 통해 국가는 건강해질 수 있다는 것이다.

이는 이토가 천황을 상징적 존재로 자리매김하려 했던 시도와 관련된다. 이토는 1899년 연설에서 다음과 같이 말하고 있다.

---

ble-mindedness would be ruinous in an individual."로 되어있다.

29 이러한 신체적 발상은 〈군인칙유〉나 〈칙어연의〉에서도 등장한다. 이에 대해서는 嘉戶一將(2010), 김태진(2017) 등 참조.

일국(一國)이라는 것은 그 국토와 인민을 합해 하나의 보자기 안에
싼 것 같은 것이다. 이를 대표, 소위 리프리젠트(レプレセント)라는 말
을 사용하고 있다. 이를 바로 대표라고 하는 경우가 많은데, 나는
일본의 군주는 국가를 대표한다고 말하지 않고, 일본국을 표창(表
彰)한다, 나타낸다[表はす]라는 글자를 사용하고 싶다. 결코 대표가
아니다(瀧井一博 2013, 240-242).[30]

   이것은 천황의 정치적 신체는 자연적 신체가 곧바로 '대표'되는 것
이 아니라 정치적 신체라는 '상징(표창)'을 통해서만 재현될 수 있음을
말하고 있는 것이다. 이렇게 해서 이토는 국가의 절대성을 내외에 '표
창'하면서, 구체적인 정치과정 속에서는 국가의 하나의 기관으로서 행
동하는 천황이라는 신체의 이중성을 구축하고자 했던 것이다.[31]

| [그림 3-7] 安達吟光, 新皇居於テ正殿 憲法發布式之圖(1889) | [그림 3-8] 安達吟光, 大日本頓智硏法發布式(1889) |

---

30   이에 대해서 다키이는 이토 히로부미가 슈타인에게서 이러한 왕의 두 신체론과
     대표 개념을 시사받은 것으로 추측하고 있다.

그렇게 보자면 헌법을 발포하는 순간의 [그림 3-기은 천황 자신을
보여주는 것이기도 하지만 이것이 황실을 포함해 여러 대신들의 신체
와 동시에 그려지지 않으면 안 되는 것임을 보여준다. 위의 도상들은
일반적으로 헌법을 하사하는 주체로서 천황을 그려내는 것으로 해석
되지만, 여기 나오는 인물들은 단순히 뒷배경으로서 존재하는 것이
아니다. 오히려 이러한 집합적 신체로서의 정치적 신체가 부재하는 순
간 천황의 정치적 신체는 의미를 가질 수 없음을 보여주는 것이기도
하다.

이는 오른쪽의 『돈치협회잡지(頓智協会雑誌)』에 헌법 발포의 순간
을 패러디한 아다치 긴코의 그림이 상징적으로 보여준다. 즉 이 그림
은 천황의 정치적 신체가 단순히 자연적 신체 그 이상임을 보여준다.
저널리스트 미야타케 가이코츠(宮武外骨)는 이 그림을 메이지 헌법 1
조의 "대일제국은 만세일계의 천황이 이를 통치한다"라는 조항을 비꼬
아 "제1조 대돈치협회는 사누키 평민 가이코츠(外骨)가 이를 통치한다"
라고 평한다. 즉 정치적 신체에서 분리된 자연적 신체로서만의 천황은
가이고츠(骸骨), 즉 해골에 불과하다는 것이다.

다키이가 메이지 천황을 "왕의 두 신체를 누구보다도 심득해, 때에
따라서는 스스로의 의사를 눌러가면서 메이지 헌법하에서 그 확립에
정혼(精魂)을 쏟아부었던"(瀧井一博 2013, 247), 입헌군주제의 전형으로
파악한 것은 칸토로비츠적 의미의 집합적 신체로서의 성격을 강조한

---

31 representation의 번역어로서 대의/대표/상징이 각축하는 장으로서 메이지 시기를
다루는 연구로서 김태진(2021b) 참조.

것이었다. 이처럼 다키이는 왕의 두 신체 논의를 통해 천황의 영속성에만 주목하던 기존의 논의와 달리 천황의 집합성을 강조한다. 그리고 이는 서양에서의 입헌군주제적 왕권과 메이지 천황이 실제로는 크게 다르지 않았음을 보여주고자 한 것이었다.

IV. 오키나적 신체로서 천황

마지막으로 우리는 왕의 두 신체론은 어떠한 시공간하에서도 동일한 형태로 등장하는 보편적 이론인가라는 질문을 던질 필요가 있다. 일본에서의 천황의 신체를 왕의 두 신체론으로 해석하는 이러한 경향들은 일본에서 천황의 신체 역시 서양에서의 왕권과 크게 다르지 않음을 보여주고자 하는 것이었다. 하지만 천황의 신체는 이러한 두 측면으로 한정될 수 있는가?

앞서 보았듯이 왕의 두 신체라는 논리는 그 자체로는 특별한 것이 아니며, 오히려 보편적으로 존재했던 왕권에 대한 이해방식일 수 있다. 오사와 마사치가 지적하듯이 근대 이전에도 이러한 왕의 두 신체론적 사유가 존재했다. 그는 민속학자 오리구치 시노부(折口信夫)의 논의를 빌려 천황의 권위의 원천은 '천황령'인 실체로서, 천황의 신체는 이 천황령을 받아들이는 용기와 같은 것으로 본다. 즉 새로운 천황이 즉위하는 때에는 그는 일단 상징적으로 죽었다가 부활하게 된다. 천황은 천황령과 '자는'(교접하는) 행위를 통해 천황령을 용기로서의 자신의 신

체 중에 받아들이는 때 진정한 천황이 된다(大澤真幸 2017, 191-192).[32]

하지만 그는 동시에 서구의 왕의 두 신체 논의와 기타 다른 지역에서의 논의의 차이점에 대해서도 언급한다. 서양의 왕권에서 정치적 신체야말로 신체라는 점을 강하게 집착하고 있다면, 천황령이나 프레이저가 설명하는 비서구권의 왕권에서는 탈신체화 경향이 나타난다는 것이다. 즉 유럽의 왕권에서 두 개의 신체를 다른 실체로 분리하는 것이 불가능한 반면, 비서구권의 경우 왕의 신체의 추상적인 성분은 왕의 구상적인 신체와는 독립한 하늘, 신과 같은 고유한 실체를 구성한다는 점에서 차이가 있다.[33]

그러나 문제는 왕의 두 신체의 논의가 보편적인 구조인가 아닌가가 중요한 것이 아니라, 이러한 신체성이 일본의 천황제를 분석하는 데, 그리고 정치적 신체의 재현을 논하는 데 충분한 것인가이다. 여기서 천황에게 또 다른 신체성을 부여할 수 있다는 논의를 참조해 볼 만하다. 인류학자 나카자와 신이치(中沢新一)는 왕의 두 신체 논의에 기반한 천황론이 근대적인 발상임을 비판한다. 그는 대담집에서 자신의 고모부이자 일본의 인류학자 아미노 요시히코(網野善彦)의 작업을 정리하면서 천황의 뿌리를 근대의 왕권보다 좀 더 깊은 곳에 있는 것으

---

32 오리구치 시노부의 논의에 대해서는 折口信夫(1966) 참조. 다카시(Takashi 2003, 202-203) 역시 오리구치의 천황령 논의에 주목한다.

33 반면에 유럽 왕권에서 정치적 신체는 공동체(국가)에 속한 모든 사람들의 의지의 집약인 공동의지를 체현하지 않으면 안 된다고 자각된다. 왜냐하면 왕의 신체의 추상적 성분은 어떤 의미에서는 '공동의지'의 전도된, 물상화된 표상이기 때문이다(大澤真幸 2017, 191-192).

로 파악한다. 천황론을 근대적인 방식으로 이해하는 양식이 앞에서 설명했던 칸토로비츠식의 왕의 두 신체로 설명하는 방식이라면, 일본의 천황에 관해서 또 하나의 신체성을 강조하는 것이다. 이 신체는 이른바 정치권력으로서의 왕과는 다른 것과 연결되어 있는데, 즉 왕이라는 존재가 탄생하기 이전의 공간과 연결된다. 왕권은 그것을 예능(藝能)이나 의례의 형태를 통해 편입시킨다. 이를 그는 '오키나(翁)로서의 신체(体)'라 표현할 수밖에 없는 예능적 구조로서 나타나는 신체성으로서 제시한다(中沢新一·赤坂憲雄 2004, 78-81).[34]

오키나란 현재의 노(能)에서도 상연목록 최초에 등장해, 공간 전체의 본질을 체현하는 가장 중요한 존재로서 특별시 되고 있다.[35] 이를 나카자와 신이치는 콘파루 젠치쿠(金春禅竹)의 『명숙집(明宿集)』을 통해 설명하고 있는데 여기서 오키나의 이미지는 발생학적 이미지, 더 정확히 말하자면 신생아, 근원에 있는 우주의 태아라는 이미지로 표현된다. 그것은 불교철학으로 표현하면 공(空)의 내부로부터, 물질적 세계를 형성하는 원소들이 아직 미분화된 상태다. 이는 눈에는 보이지 않는 미분 상태의 생명체를 만들어가는 모습을 신체의 동작으로 표현하고자 한 것으로 분석된다. 노인인지 아이인지, 인간인지 원숭인지 알 수 없는 이 이미지를 통해 예능자들은 자신들의 수호신의 본질을

---

34 오키나의 여러 기원에 대해서는 金賢旭(2005) 참조.

35 이는 원래 '재현'이라는 것이 연극에서의 배역, 연기와 밀접한 관련이 있는 것과 관련될지 모른다. 피트킨에게 대표, 인격과 연극의 관계에 대해서는 Pitkin(1967, 16) 참조. 또한 일본에서 노의 창작방식과 신의 재현과 관련해서는 김현욱(2014) 참조.

표현하고, 이것이 불교적인 세 신체 법신(法身), 보신(報身), 응신(應身)과 같이 존재 그 자체로서 여러 신들로 현시하게 된다(中沢新一 2003, 23-26).[36]

[그림 3-9] 오키나　　　　　　[그림 3-10] 오키나

　　나카자와는 이를 서일본과 동일본을 비교하며 왕권의 본질에 대해서 설명하는 것으로 나아간다. 천황제라는 왕권의 특징은 질서를 만들어내는 정치적 기능과는 별도로 왕권과 국가라는 것이 생겨나게

36　『明宿集』에서는 "원래 오키나라는 신비적인 존재[妙休]의 근원을 탐구하면 천지개벽의 시작에서부터 이미 출현하고 있던 것을 알 수 있다. 그리고 토지의 질서를 인간의 왕이 통치하게 된 지금의 시대에 이르기까지 한순간도 끊긴 적 없이 왕위를 지키고, 국토에 부를 가져오고, 인민의 삶을 도와주고 있다. 이 오키나의 본체(본지)를 탐구할 때 태장계와 금강계를 모두 초월한 법신의 대일여래이고, 혹은 무한의 비원을 품은 우리를 포섭하는 보신의 아미타여래이기도 하고, 또한 인간의 세계에서 교화를 베푸는 응신의 석가모니이다. 즉 법신, 보신, 응신이라는 진리의 세 가지 존재양태를 한 몸에 보이고 있는 것이다."(『明宿集』)로 설명된다.

되는 과정의 본질을 표현하고 있는 하나의 '구조'를 종교적인 영역에 보존시켰다. 앞서 오키나가 보여주는 연기는 자연의 것이었던 '초월적 주권'을 사회의 내부에 포섭시키는 트릭에 의해 국가가 발생하는 과정의 본질을 표현한다는 것이다.[37] 이 표현은 법률적·제도적인 말로는 불가능한, 모순을 논리 안에 삼켜가는 신화의 사고에 의해서만 표현 가능한 것이었다. 천황제가 신화적 사고를 필요로 하는 것은 그 때문이었다(中沢新一 2003, 210-211).

그러나 이를 서구의 왕은 앞서 칸토로비츠가 이야기하는 세속화 과정을 거치게 되는데, 일본의 천황은 세속화되지 못한 점을 지적하는 것으로 평가할 수는 없다. 세속화되지 못한 것이 아니라, 세속화 과정을 통해서도 남아있는 잔여로서의 신체성을 갖기 때문이다. 이 점에서 천황은 근대적인 왕의 신체라 할 수 있는 두 신체인 '자연적 신체'와 '정치적 신체' 외에 '숙신(宿神)=오키나[翁]적 신체'를 갖는다.

하지만 나카자와는 이를 서구의 '종교적 신체'와도 구분하여 설명한다. 단순히 '종교적 신체'라면 유럽의 왕들에게도 있지만, 이때 신체는 그리스도의 '초월적 주권'의 지상에서의 대리자의 자격 이상의 것이 아니며, 그것에는 왕권의 본질을 나타내는 원초의 신화 등이 기억되지 않는다. 하지만 그가 보기에 왕권은, 적어도 일본에서는, 천상적

---

37 문화인류학자 야마구치 마사오는 천황제를 정치나 경제 차원에서만 기능하는 제도가 아니라, 권력으로서 외재하는 것이 아닌 일본인의 정신 내측에 뿌리를 내리고 있는 정치의 상징론 차원에서 접근한다. 그 역시 천황제의 상징적 우주를 형성하는 모델이 연극의 구조 속에서 재현되는데 주목한다. 나카자와가 기대고 있는 아미노 요시히코 역시 야마구치의 연구에 많이 기대고 있다. 山口昌男(2000) 참조.

인 '초월자'로부터 지상에 내려온 것이 아니라, 이 세계의 원래의 '주권자'인 자연의 영역으로부터 탈취한, 인간의 사회 내부에 설치된 것에 의해 생겨난다는, 복잡한 과정이 된다(中沢新一 2003, 213-214).

나카자와는 그런 점에서 국체 역시 다르게 해석한다. 전전 전시 중에 일본의 국체는 신격화된 천황이 지배하는 국가의 존재방식과 같은 극히 국가주의적 정치개념이었지만, 자신의 할아버지이자 생물학자였던 나카자와 키이치(中沢毅一)가 1939년에 발표한 저작 『우리 국체의 생물학적 기초(我国体の生物学的基礎)』에 주목한다. 영어 번역 중에 보통은 Structure of a State로 번역되는 경우가 많은 '국체'는 이 책에서 Country's Being이라고 번역된다. 나카자와 키이치는 정신적 내지 영적 원리로서 국체를 파악해 천황을 단지 일본열도에 조몬시대부터 살았던 사람들의 존재 위에 올라탄 형태, 다시 말해 조몬시대 이래의 Country's Being이라는 두터운 토양 위에 뿌리 내린 식물에 지나지 않는다고 말한다. 이는 구미와 같은 경쟁원리에 의한 것이 아니라, 약자도 잘라버리지 않고 사람들이 서로 부조하는 공동체원리에 의해 만들어진 일본사회로서의 국체를 의미하는 것이었고, 천황제는 그러한 상부상조의 Country's Being의 위에 올라탄 형태로 지배를 행한 것이라 평가하는 것이다(中沢新一 2004, 127-137).[38]

---

38 물론 나카자와가 이를 메이지 천황에까지 연결시키고 있지 않다. 또한 나카자와 의 천황의 세 신체론을 어디까지 받아들일 수 있는지는 논의의 여지가 있음은 분 명하다. 하지만 본고에서 말하고자 하는 바는 천황이 실제로 이러한 오키나적 신 체의 모습을 체현하고 있었느냐 여부는 아니다. 또한 이를 통해 일본의 특수성이 나 우월성을 설명하고자 하는 것은 더더욱 아니다.

물론 이러한 '왕의 세 신체'(King's Three Bodies)적 속성은 단지 일본에만 한정된 것은 아닐 것이다.[39] 나카자와가 제시하는 오키나적 신체성은 천황제의 새로운 요소, 완전히 새롭다고는 말할 수는 없지만 근대적 왕권이 탄생하기 이전의 인류학적 왕권의 신체성의 모습을 제시한다.

그런 점에서 왕의 오키나적 신체성은 왕권의 본질을 설명해 주는 측면이 있다. 즉 신과 인간의 신체적 속성을 동시에 갖고 있는 왕이라는 존재다. 그리고 이때 신의 육화(personification)로서 왕의 신체는 신이 어떤 속성을 갖는가는 문화권마다의 차이 속에서 다르게 재현된다. 여기서 오키나적 신체로서의 천황은 일본식의 신도와 연결된다. 나카자와가 오키나를 존재와 동의어로 설명하며, 일본 본래의 신도의 사고에서는 '존재'라는 것은 단지 '자연에 있는 그대로'로서 이해되어 왔음을 이야기하는 대목이다(中沢新一 2003, 166). 이 때의 자연으로의 신은 시마자키 도손이 "대대로 천황의 정치는 곧 신(神)의 정치였다. 거기에는 저절로 신도(神道)가 있었다고 가르친다. 신도란 도(道)라는 말조차 없었던 '자연'(自然, 오노즈카라)"이라고 할 때의 자연에 가까운 것일 것이다(島崎藤村 1981, 339; 배관문 2018, 73 재인용).[40] 그런 점에서 일본에서 천황의 통치는 왕의 두 신체론으로만 한정될 수는 없다. 우주

---

39 '왕의 세 신체'(King's Three Bodies)라는 표현은 Schnepel이 아프리카, 인도, 프랑스에서의 왕의 초상(effigy)을 비교분석하면서 신비적 신체(body mystical)와 자연적 신체 사이의 관련성을 탐구할 때 사용하는 용어이다. 이에 대해서는 Schnepel(2021) 참조.

40 신도적 생명론에 관해서는 박규태(2010), 배관문(2014) 참조.

적 신체성이라는 외부는 계속하여 요청되며 이 속에서 천황은 개인적 신체, 정치적 신체를 넘어선다. 이는 일본에서 천황과 관련하여 '정치적인 것'이란 무엇인가를 좀 다르게 생각해 볼 필요를 요청하는 이유이기도 하다(遠山茂樹 1991, 91).

V. 맺음말

칸토로비츠의 왕의 두 신체론은 일본에서 천황을 설명하는 데도 이론적 틀로서 자주 사용되어 왔다. 본고는 왕의 두 신체론이 일본에서 천황의 재현을 설명하는데 어떻게 활용되어 왔는지를 살피고, 이에 대한 논의를 정리해 보고자 했다. 기존 논의들은 주로 천황의 신체가 개인의 신체와 다른 정치적 신체라는 점을 강조해왔다. 이를 통해 만세일계의 천황의 논리가 서구의 왕권의 논리와 크게 다르지 않음을 보여주었다. 다른 하나로 천황이 단순히 개인에 그치는 것이 아니라 하나의 집합적 차원으로 재현되기도 한다. 메이지 시기의 통치가 절대주의 국가로서가 아닌 방식으로 설명하고자 한 것이었다. 마지막으로 천황의 신체를 오키나적 신체로서 일종의 신비체로서의 성격을 강조하는 논의가 있다. 이는 서양에서의 근대적 왕의 두 신체와는 다른 동아시아적 특징으로서, 혹은 전근대적 신체의 특징으로서 우주를 재현/대표하는 일종의 인류학적 신체의 성격을 강조한다. 그렇게 보자면 일본의 천황은, 적어도 이를 재현해 내는 연구자들에게는, 일종의 자연적 신체/정치적 신체/우주적 신체라고 하는 세 신체를 가지고 있다고 이야기할 수 있지 않을까. 그런 점에서 천황의 신성함은 단순히 정치적 신체성으로부터만 유래하는 것이 아니라 또 하나의 신체성을 갖는다.[41]

마지막으로 다시 처음에 제기했던 왕의 재현/대표(representation)란 무엇인가라는 질문으로 돌아가자. 왕의 신체는 무엇을 재현/대표하는가? 이는 단순히 권력자로서의 모습만이 아니라 세계를 재현해낸다. 그리고 이러한 재현은 단순히 있는 그대로의 현실을 모사(replication)하는 것만이 아니라 바람직한 이상향을 재구축(reconstruction)하는 과정이라 할 수 있다.

[그림 3-11] 潮瀬茂一,
제국헌법발포칙어(1889)

[그림 3-12] 勝山繁太郎·夫島德三郎,
교육칙어사(1891)

---

41 구리하라 아키라가 '생물학자'였던 쇼와천황의 사례를 들며 자연을 사랑하는 천황, 모내기하는 천황, 자연 속에서 산책하는 천황 등의 영상은 와카와 함께 '일본의 자연'을 재생산하는 장치였음을 논한다(栗原彬 2014, 157).

그렇다면 메이지 황실의 초상 역시 달리 볼 여지가 있을지 모른
다. 메이지 시기 황실의 사진은 황실의 가족을 보여주며 가족국가적
이미지를 만들어내는 데 성공했다.[42] 하지만 천황과 황후 자체에만 주
목할 것이 아니라 그것이 전해지는 바깥 틀 역시 주의 깊게 볼 필요가
있다. 거기서 나타나는 국화 문양은 물론 황실을 재현하는 것이다. 그
러나 이를 소우주적 자연이 그 재현 안에 들어와 있다고 볼 수 있지
않을까? 그것은 어떤 배경으로서 간접적으로 나타날 수밖에 없는 것
이지만 소우주로서의 세계가 천황의 신체와 함께 하는 장면을 포착한
다. 제국헌법 발포에도, 교육칙어를 내리는 순간에도. 그렇게 보자면
천황의 순행에서 등장하는 풍경으로서의 자연이나 메이지 천황의 초
상에서 의자의 무늬로서 등장하는 국화 문양 역시 이를 보여주고 있
는 것일지 모른다. '레이와(令和)'라는 연호가 보여주는 정치성이란 그
런 의미에서 좀 더 연구될 필요가 있다.

---

42 이에 대해서는 若桑みどり(2007) 5장 참조.

참고문헌

권숙인. 2013. "전후 천황제와 젠더: 황태자비 마사코의 시련과 황실의 위기를 중심으로." 『일본비평』 9호, 18-55.

김태진. 2017. "근대 일본의 통치라는 신체성: 메이지 헌법의 구성과 바디폴리틱(Body Politic)." 『한국동양정치사상사연구』 16권 1호, 255-285.

김태진. 2021a. "메이지 천황의 '신성'함의 기원들: 메이지헌법 신성불가침 조항의 의미에 대하여." 『일본학보』 129집, 259-286.

김태진. 2021b. "대의제를 둘러싼 번역과 정치: representation의 번역어로서 대의/대표/상징." 『정치사상연구』 27집 2호, 44-74.

김현욱. 2014. "노(能)의 창작과 신(神)의 영역." 『민족무용』 18권, 109-131.

김후련. 2012. 『일본 신화와 천황제 이데올로기: 신화와 역사의 사이에서』. 서울: 책세상.

박규태. 2010. "일본인의 생명관: 계보적 일고찰." 『원불교 사상과 종교문화』 45집, 77-118.

박상희. 2019a. "얼굴의 권력론: 북한 김일성 초상화의 시각정치적 언어." 『한국정치학회보』 53집 2호, 105-127.

박상희. 2019b. "인민의 두 신체: 북한 인민의 환영적 신체 도상을 중심으로." 『문화와 정치』 6권 1호, 123-152.

배관문. 2014. "일본적 영성론과 국학의 생명관." 『동아시아 고대학』 33집, 149-185.

배관문. 2018. "국학의 메이지 유신: 복고의 착종으로부터 신도를 창출하기까지." 『일본비평』 19호, 70-95.

송석윤. 2000. "대표제 개념의 헌법사적 연구." 『헌법학연구』 6권 1호, 277-301.

이관후. 2016. "왜 대의민주주의가 되었는가: 용례의 기원과 함의." 『한국정치연구』 25집 2호, 1-26.

이동수. 2021. 『지배에서 통치로: 근대적 통치성의 탄생』. 일산: 인간사랑.

조선미. 2012. 『왕의 얼굴: 한중일 군주 초상화를 말하다』. 서울: 사회평론.

주은우. 2014. "사진과 천황의 시각화-메이지 천황과 전전,전중기 쇼와 천황의 사진 재현." 『사회와 역사』 104권, 147-205.

홍철기. 2014. "『대표의 개념』과 『선거는 민주적인가』: 정치적 대표와 대의 민주주의의 미래." 『진보평론』 61호, 266-290.

홍철기. 2018. "대표민주주의의 역사와 이론: 직접 정치의 차선책에서 민주 정치의 최선책으로." 『시민과 세계』 32호, 31-66.

홍철기. 2021. "정치적 개념으로서의 '대의민주주의'의 역사: '대표', '민주주의', '토의에 의한 정부'의 개념사 및 지성사 연구에 대한 비판적 검토." 『한국정치연구』 30집 3호, 59-88.

Alpers, Svetlana. 1983. "Interpretation without Representation, or, The Viewing of Las Meninas." *Representations* 1: 31-42.

Ankersmit, Franklin R. 2001. *Historical Representation*. Stanford: Stanford University Press.

Foucault, Michel 저·오생근 역. 2003. 『감시와 처벌: 감옥의 탄생』. 파주: 나남.

Foucault, Michel 저·이규현 역. 2012. 『말과 사물: 현대사상의 모험 27』. 서울:

민음사.

Gordon, Colin, Graham Burchell, and Peter Miller 저·심성보·유진·이규원·이승철·전의령·최영찬 역. 2014. 『푸코 효과: 통치성에 관한 연구』. 서울: 난장.

Greenblatt, Stephen. 2009. "Introduction: Fifty Years of The King's Two Bodies." *Representation* 106(1): 63-66.

Jussen, Bernhard. 2009. "The King's Two Bodies Today." *Representations* 106(1): 102-117.

Kantorowicz, Ernst H. 1957. *The King's Two Bodies: A Study in Mediaeval Political Theology*. 1957, "A New Preface." William Chester Jordan. Princeton: Princeton UP. 1997.

Kim, Kyu Hyun. 2011. "The Mikado's August Body: 'Divinity' and 'Corporeality' of the Meiji Emperor and the Ideological Construction of Imperial Rule." In *Politics and Religion in Modern Japan: Red Sun, White Lotus*, edited by Roy Starrs, 54-83. New York: Palgrave Macmillan.

Pitkin, Hanna F. 1967. *The Concept of Representation*. Berkeley: University of California Press.

Schmitter, Amy M. 1996. "Picturing Power: Representation and Las Menias." *The Journal of Aesthetics and Art Criticism* 54(3): 255-268.

Schnepel, Burkhard. 2021. *The King's Three Bodie: Essays on Kingship and Ritual*. London: Routledge.

Takashi Fujitani 저·한석정 역. 2003. 『화려한 군주』. 서울: 이산.

嘉戸一将(가도 가즈마사). 2010. "身体としての国家-明治憲法体制と国家有機体説."『相愛大学人文科学研究所研究年報』4.

栗原彬(구리하라 아키라). 2014. "쇼와의 종언-천황제의 변용."島薗進(시마조노스스무) 저·남효진 역.『역사와 주체를 묻다』. 서울: 소명출판.

國學院大學日本文化研究所 編(국학원대학 일본문화연구소편). 1979.『近代日本法制史料集』第一 ロエスレル答議一. 國學院大學.

宮内庁 編(궁내청 편). 1971.『明治天皇紀 第5』. 吉川弘文館.

金賢旭(김현욱). 2005. "金春禪竹の翁論と住吉明神"『日本文化學報』24.

中沢新一(나카자와 신이치). 2003.『精霊の王』. 講談社.

中沢新一(나카자와 신이치). 2004.『僕の叔父さん網野善彦』. 集英社.

中沢新一(나카자와 신이치)·赤坂憲雄(아카사카 노리오). 2004.『網野善彦を継ぐ』. 講談社.

多木浩二(다키 고지) 저·박삼헌 역. 2007.『천황의 초상』. 서울: 소명출판.

瀧井一博(다키이 가즈히로). 2013. "象徴として天皇-明治憲法下での議論." 鈴木貞美·劉建輝 編.『東アジアにおける知的交流: キイ·コンセプトの再検討』. 国際日本文化研究センター.

遠山茂樹(도야마 시게키). 1991.『明治維新と天皇』. 岩波書店·セミナーブックス.

末松謙澄(스에마쓰 겐초). 1881.〈英國帝室諸禮觀察報告〉no. 1. 宮内廳書陵部.

島崎藤村(시마자키 도손). 1981.『島崎藤村全集』8卷. 筑摩書房.

山口昌男(야마구치 마사오). 2000.『天皇制の文化人類学』. 岩波現代文庫.

折口信夫(오리구치 시노부). 1966. "大嘗祭の本義."『折口信夫全集』卷3. 中

央公論新社.

大澤真幸(오사와 마사치) 저·김선화 역. 2014.『내셔널리즘의 역설: 상상의 공
　　동체에서 오타쿠까지』. 서울: 어문학사.

大澤真幸(오사와 마사치). 2017.『〈世界史〉の哲学 近世篇』. 講談社.

大久保利通(오쿠보 도시미치). 1988. "大坂遷都建白書." 遠山茂樹(도야마 시
　　게키) 校注.『日本近代思想大界 券2 天皇と華族』. 岩波書店.

若桑みどり(와카쿠와 미도리) 저·건국대학교 대학원 일본문화·언어학과 역.
　　2007.『황후의 초상-쇼켄황태후의 표상과 여성의 국민화』. 서울: 소명출
　　판.

米原謙(요네하라 겐). 2015.『国体論はなぜ生まれたか──明治国家の知の地形
　　図』. ミネルヴァ書房.

米原謙(요네하라 겐). 2016. "国体." 米原謙 編.『政治概念の歴史的展開 第
　　九巻──「天皇」から「民主主義」まで』. 晃洋書房.

井上哲次郎(이노우에 데츠지로). 1918.『国民道徳概論』. 三省堂.

伊藤博文(이토 히로부미). 1989.『憲法義解』. 岩波書店.

4장 **'메이지 부시도(明治 武士道)', 혹은 일본적 '신시도(紳士道)'***

유불란

I. '문약'과 '상무'라는 문제의식

1907년 박은식은, 「문약지폐(文弱之弊)는 필상기국(必喪其國)」이라는 글을 통해 조선에서의 '문약'의 폐해에 대해 탄식하면서, 이에 비해 일본의 경우 '상무'적 기풍을 유지해 온 덕분에 오늘날 얼마만큼 승승장구하고 있는지 못내 부러움을 감추지 못했다.

---

* 이 글은 2017년 『한국정치학회보』 51집 4호에 게재된 "'메이지 부시도(明治 武士道)'론을 통한 동아시아의 자기정체성 형성과정 재고"라는 논문의 내용을 수정·보완한 글입니다.

그간의 일본 역사를 보건대, 약 700여 년 전 가마쿠라 막부시대부터 일본 무사도라 칭하는 상무적 국풍(國風)이 본래 있어, 국민의 용감한 성질이 특별한지라. 덕분에 최근 30년간 교육정도가 저토록 발달하여, 애국정신과 단체력이 다른 나라를 뛰어넘는구나. 그 결과 청나라를 패퇴시키고 러시아를 쫓아냈으며, 크게 국위를 떨쳤으니 구미 열강과 더불어서 함께 내달리누나. 장하도다! 상무의 효력이여(박은식 1907).

상무와 문약의 대비, 그리고 이 같은 도식에 따른 무사도적 일본관은 비단 박은식만의 독창적인 견해가 아니었다. 일례로 이미 10년도 더 전에 윤치호 같은 이는, 청일전쟁을 향한 당시의 문명론적인 시각에 입각해 이렇게 발언했던 것이다.

한 나라로서 조선에는 미래가 없다. 왜냐하면 그들에게는 구해줄 만한 단 하나의 요소도 갖추지 못했기 때문이다. … 그들은 일본처럼 기사도 정신이나 국가적 명예심에 의해 생동하나? 아니다! … 요컨대, 조선인은 야만인으로서의 좋은 덕목들, 즉 두려움 없는 용기나 호전적인 정신을 갖추지 못한 그런 야만인인 것이다(윤치호일기 1894, 11/01).

윤치호에 따르면 이는 이즈음만의 일시적인 현상이 아니라는 데 문제의 심각성이 있었다. 즉, 조선은 '문(文)'을 군사적인 덕목 위에 놓는 유학의 나쁜 영향 하에 다섯 세기 동안이나 놓여 있던 탓에, 이로 인해 발생하는 비겁함과 거짓, 유약함과 같은 정신적인 부패를 막아 줄 유일한 방부제였을 터인 半야만 특유의 상무정신이 분쇄되어 버렸다는 것이었다. 이에 비해 일본은 어떤가? 저들이 그간 30년도 못 되는 짧은 시간 만에 이토록 놀라운 변화를 완수해 낸 것은, 강한 애국심과 더불어 그 기사도적인 명예심, 그리고 일본인들의 무분별하리만치 넘치는 용기 덕분이었다고 지적한다. 이러한 덕목들은 인위적인 명령에 의해 갑작스레 만들어질 수 있는 그런 것이 아니었다. 이는 역사적 과정을 통해, 긴 세월에 걸친 봉건제를 통해서만 형성되고 길러질 수 있다고 윤치호는 주장한다(윤치호일기 1894, 09/24).

봉건시대와 그 주역으로서의 사무라이, 그리고 그들의 무사도는 오늘날에도 여전히 전형적인 일본상(像)을 구성하는 으뜸가는 요소처럼 일컬어지곤 한다. 하지만 과연 실제로도 그러했던 것일까? 예를 들어 40여 년간 현지에서의 봉직생활을 통해 지근거리에서 일본을 관찰해 온 당대의 일본학 학자였던 챔벌레인은, 1912년의 시점에서 이와는 전혀 상반된 결론을 내린 바 있다.

무사도에 대해서는, 캠퍼(E. Kaempfer)나 시볼트(P.F.B. von Sie-bold), 사토우(E.M. Satow)나 레인(J.J. Rein) 등 진정 일본을 제대로 이해했던 이들 중 어느 누구도 입에 담거나 그들의 저 방대한 저작 속에서 언급한 적이 없다. 이들이 언급하지 않은 원인은 단순하다. 무사도가 최근 10, 20년 전까지만 해도 전혀 알려지지 않았던 것이기 때문이다. 이는 1900년 전까지만 해도 일본어 사전에든 외국어

사전에든 전혀 등장한 적이 없다(Chamberlain 1912, 9).

이는 물론 그간 일본에 기사도적인, 무사다운 인물들이 없었다는 그런 의미가 아니다. 어느 나라, 어느 시대에도 그러하듯, 그러한 개개인은 일본에도 물론 존재했다. 문제는 이 같은 '기사도'가 하나의 '제도'로서, 혹은 어떤 '정식화된 규범'으로서 존재했는지 여부이다. 오늘날 일본정부는 학교교육을 통해 세계 어디서도 유례가 없는 무사도라고 하는 것이 실재했다고 주장하면서, 바로 그 덕분에 일본에서는 다른 나라에서와 같은 불복종이나 반란행위가 일체 뿌리내릴 수 없었다고 선전하고 있다. 하지만 이는 역사책을 조금 들춰보기만 해도 실제 사실과 얼마나 어긋나는지 금세 확인할 수 있지 않은가.

이상에서 단적으로 드러나듯 메이지 시대 중반 이래 개념이 막 형성되어 사회적으로 자리를 잡아가던 바로 그 발흥기 때부터, '무사도'에는 역사적인 실체가 결여되어 있다는 지적이 제기되고 있었다. 대개의 역사가들이 지적한 대로 해당 용어는 중세 이래의 제반 사료에서는 거의 등장하지 않을뿐더러, 설혹 등장한다 해도 사무라이들의 사고방식이나 행동 일반을 지칭하는 애매한 표현에 불과했지 어떤 "통일된 윤리적 전통" 같은 것을 의미하진 않았다. 베네쉬에 따르면, 게다가 그나마도 실은 "부도(武道)"나 "시도(士道)", 혹은 "호코닌노 미치(奉公人の道, 종자의 도리)"나 "오토코노 미치(男の道, 사내의 길)", "헤이도(兵道)" 같은 원문 상의 다양한 표현들을 현대어로 옮겨오는 과정에서 일괄적으로 "부시도(武士道)"로 통일시켜 표기해 버린 경우가 적지 않다고 지적한다(Benesch 2014, 4). 그러나 이러한 문제 제기는 대중적인 담론에는

물론, 심지어 해당 분야 바깥의 여타 학문 분과에조차 제대로 닿지 못한 채, 대개의 경우 무사도는 "사무라이 자신에 의해 수련되고 정식화된 전통적 윤리"인 양 다뤄지고 있는 형편이다.

이런 측면에서 새로이 실체화된 '메이지 부시도(明治 武士道)'는 "근대적 발명품"의 한 전형에 해당한다고 할 수 있다. 하지만 여기서 주목하고 싶은 것은 이것이 '만들어진 전통'이라는 사실 그 자체보다도, 그 당시 이것이 여하한 문제의식에 입각해 무얼 겨냥해 창출되었는지 쪽에 있다. 사실 "전통으로서의 에도"는 메이지 시대 이래 끊임없이 재해석되어 왔을뿐더러, 그런 와중에서 상이한 목적과 해석에 입각한 서로 모순되는 이미지들이 경합을 벌여왔다(Gluck 1998, 283). 이는 무사像의 경우에서도 예외가 아니었다. 실제로 러일전쟁(1904) 이후부터 소위 "황도(皇道)적 무사도" 쪽으로 공식화되기까지, 1890년대 전후의 일본 내에는 무인 특유의 강인한 기질에 착안한 "화혼(和魂)적 무사도"나, 보편적인 윤리성이 부각된 "기독교적 무사도"처럼 제각기 다른 문제의식에 입각한 상이한 흐름들이 병존하고 있었던 것이다.

'일본정신' 내지는 일본 특유의 '국혼(國魂)' 그 자체로까지 여겨지곤 하는 대중적인 이해와는 달리, 흥미롭게도 무사도에 대한 논의의 시작은 오히려 서양을 강하게 의식한 보편주의적인 접근 쪽에서였다. 새로운 시대의 도래와 함께 서구사회에 대한 직접적인 체험이 가능해지면서, 이제 일본의 지식인들은 그간 책을 통해 간접적으로 접하던 "신시도(紳士道, gentlemanship)"로 대표되는 서구 문명의 정신적, 윤리적 바탕이란 문제와 정면으로 마주하게 되었다. 이에, 마침 그즈음에 이르자 바쿠마츠(幕末)의 舊무사계급이 노정했던 치태에 대한 기억과 그로부터 비롯되었던 부정적인 세론이 어느 정도 풍화되어 감에 따라, 오히려 그런 사무라이들을 "이상화"시킴으로써 일본적인 대응물을 구축해보려 시도하게 되었던 것이다(船津明生 2003, 29).

나아가, 이 같은 근대 무사도의 창출은 당시 '사내다운 기력(氣力)'론의 세계적 유행과 맞물리면서, 이제 일본 국내 차원을 넘어서 대외적으로도 커다란 관심의 대상이 되었다. 외관이야 다소 문명화된 듯 보인다지만 실상은 그저 "문명의 겉치장"이나 둘러쓴 것쯤으로 치부돼 온 저들이, 어떻게 해서 두 차례의 거대한 문명의 전쟁에서 모두 승리를 거둘 수 있었던 것일까(Volpicelli 2009, 18)? 대체 무엇 덕분에 허다한 半개화 국가들 중 유독 저들만이 이처럼 문명화를 성취해 내고 있는 것일까. 이 같은 의문에 대한 문화적인 측면에서의 설명이 필요해진 바로 그때, 소위 'Bushido'론은 대중적인 차원에서 만족스런 답변처럼 여겨졌다. 이는 앞서 살펴본 박은식이나 윤치호의 경우에서도 마찬가지였으니, 상기 역사-사회적 관점은 개화기 조선사회에도 또한 적지 않은 영향을 미치게 된다.[1]

이에 이하에서는, 근대 무사도가 모습을 드러내기 시작한 1890년

---

1 이와 관련해, 예를 들어 윤소영은 구한말 조선에서 일본에서의 논의를 모델로 삼아 조선 나름의 '국혼'의 논리를 구축해 나가는 과정을 분석하면서 다음과 같이 지적한 바 있다. "[조선의 개화적 지식인들은] … '일본혼'의 논리가 일본의 국내적, 대외적 발전의 토대가 되었음을 인식하고, 조선 민족에게도 '국혼'을 고취시킴으로써 근대화의 동력으로 삼고자 했다. 1905년 이후 《대한자강회월보》 등에서는 '일본혼'의 내용이 애국심과 상무정신임을 소개하는 한편, 조선의 경우도 조선 왕조 이전에는 상무정신이 왕성했음을 주장[하려 했다]"(윤소영 2004, 169).

대부터 황도적 무사도의 공식화 쪽으로 가닥이 잡혀가기 직전의 러일전쟁 즈음까지의 시기를 중심으로, 무사도'論'의 형성과정에 주목한다. 이를 통해 본래부터 서구적인 기준을 염두에 두고 있던 보편주의적인 접근이, 향후 일본 안팎에 걸쳐 어떠한 사상적 영향을 미치게 되었는지에 대해 살펴보고자 한다.

II. 신사도와 기사도, 그리고 무사도

1. 태평세 하에서의 "사풍(士風)의 폐퇴(廢頹)"라는 문제의식

일찍이 그리피스는 일종의 일본 통사에 해당하는 그의 저작에서, 도쿠가와 정권 하에서의 각 계층들에 대해 살펴보던 중 특히 사무라이 계층의 상황을 다음과 같이 묘사하였다.

할 일이라곤 경비를 서고, 주군을 호위하며, 예복을 입고 치르는 의례뿐이었다. 그들의 일생은 참으로 한가하고 단순한 것이었다. 그리고 쉬이 상상할 수 있듯, 오랜 평화는 이들 무장한 게으름뱅이 계층의 다수에게 좋지 못한 성향을 불러일으켰을 따름이었다. 물론 개중에는 학문에 열심이었고, 무술연마에 대한 열정을 불태우거나, 선생이 되기도 했다. 하지만 대개의 사무라이들은 일생을 먹고, 담배 피우고, 그리고 유곽이나 찻집에서 빈둥거리는데 허비했다. 혹은 대도시 어딘가에서 범죄를 저지르며 거친 삶을 살았다(Griffis 1903, 278).

물론 도쿠가와 정권이 바쿠후(幕府), 즉 근본적으로 군사정권으로서의 성격을 띠고 있었을뿐더러, 사회 전반에도 중국이나 조선과 같은 주변 세계에 대해 "무의 나라(武国)"로서의 자의식이 보편화돼 있던 상황에서, 무예의 진흥을 강조한 쿄호(享保)의 개혁을 비롯해 이 같은 '무사적 기풍'의 쇠퇴를 바로잡으려 한 시도가 없었던 것은 아니었다(前田勉 2006, 103). 하지만 명분상으로야 제아무리 당연하다 한들, '태평세' 하에서의 상무의 고취란 본질적으로 그 한계점이 명확할 수밖에 없었다. 이로 인해 고양된 이들이 혹여 그로부터 실력행사라도 벌인다면 이는 곧바로 사회적인 불안정으로 이어질 수밖에 없었기 때문이다. 따라서 "전국적인 상무의 기상을 치열하게 하고자 하면서도 태평의 다스림을 희망한다는 것은 모순"에 다름 아니었다(津田左右吉 1990a, 24).

명분상으로는 무사지만 싸움을 통해 공명을 구할 수도 없고, 따라서 당연하게도 무공을 세워 입신할 수도 없는 사회. 태평세 하에서 거개의 사무라이들은 '법제상의 신분'은 무사일지언정, "실제로는 그저 문관이자 속리"로서 일평생 그와는 무관한 삶을 영위하고 있었다. 요컨대 앞서 그리피스가 그려낸 무위도식이란, 실은 태평세 하 군사정권이 다다르게 될 하나의 "필연적인 귀결"이었다고 할 수 있다, 이에 따라 도쿠가와 정권이 전래의 정책적 기조를 유지하는 한, 그리하여 어디까지나 현존하는 질서를 유지하고자 여하한 방면에서든 인심의 억제 진압에 우선순위를 두는 한, 이는 본질적으로 해소될 수 없는 구조적인 문제였던 셈이다.

이런 측면에서, 예를 들어 도쿠토미 소호(德富蘇峰) 같은 이는 바로 이 구조적 측면에 주목해, 1880년대 중반 시점에서 근세 일본사회의 양상을 다음과 같이 정식화 시켰다.

> 그 세계에는 두 종류의 계급이 있어, 한 쪽은 그저 소비만 하고 또 한 쪽은 그저 생산만 했던 것이다. … 저 무사 혹은 고등 무사는 무한한 권위를 가진 무책임한 황제라. … 저 무비 사회는 반드시 그 무사를, 그 주인을 교만하게 하고, 사치스럽게 인도한다. 文弱으로 인도한다. 왜냐하면 그들은 스스로의 노력으로 생활하는 게 아니기 때문이다(德富蘇峰 1930, 107-108).

요컨대, 이 같은 폐해가 어느 특정한 개인이나 일부 계층에서 비롯된 우발적인 문제가 아니라, "무한한 권리자"와 "무한한 의무자"로 구성된 소위 "군사적 체제(武備社會)" 특유의 사회적인 요인에서 초래되었다는 지적이었다.

이와 같은 상황 하에서 지배계층으로서 그들의 위엄은 날로 옅어졌고, 그와 비례해 평민들로부터는 멸시의 대상으로 전락해 갔다. 관련해서, 후일 츠다(津田左右吉) 같은 연구자는 메이지 시대로의 전환기 무렵의 무사들에 대한 사회적 인식에 대해 이렇게 총괄한다.

> … 메이지 초년, 무사가 그 권력을 잃었을 때 평민들로부터 어찌 취급되었는지를 기억하는 이라면, 비록 표면상으로야 뚜렷이 드러난 것은 아니더라도 실제로는 무사계급을 멸시하는 기분이 훨씬 전부

터 일반민중 사이에 존재했음을 부정하기 어려우리라. … 실제로 무사는 무리한 일을 요구받더라도 위로부터의 명령이라면 뜻을 굽히거나 아부해 따르지만, 백성은 그와 달리 권력에 마음을 굽히지 않는다고 한 기록이 있다. … 관의 녹봉에 생활을 의지하지 않는 평민 쪽에 비교적 의기가 있었던 것은 당연한 일로, 이는 조만간 무사 계급에 대한 멸시로 나타났다(津田左右吉 1990b, 165-166).

나아가 이런 폄하는 평화로운 치세 하에서 무사의 가치가 떨어지면 떨어질수록 더더욱 심해졌다는 것이다.

이러한 메이지 연간의, 후대의 회고적 평가들은 얼마만큼 실제 사실과 부합할까? 한 가지 분명한 것은 "열 사람 중 여덟, 아홉은 무사라 부르기에도 부끄럽고, 무도(武道)를 받들기에 족하지 못하다. 국초 무렵에는 충만했던 무도도 지금은 2, 3할이나 남았을까. 안타깝구나! 국가의 근본이 참으로 옅어졌으니. 문무(文武)의 도(道)가 크게 쇠미해졌네" 같은 19세기 초 한 낭인의 자조적 탄식에서 단적으로 드러나듯, 무사계층이 엄연히 유지되고 있던 구체제 하에서조차 이미 "무사와 고지식함은 오늘날 꺼리는 바"라 일컬어질 지경이었다는 점이다(武陽隱士 1994, 77).

2. 일본적 대응물의 탐색, 혹은 구축

유신 이래 수년간에 걸친 일련의 정치적 처분을 통해, 舊무사계층은 단계적인 정리과정을 거치면서 마침내 역사 속으로 퇴장하기에 이르렀다.[2] 하지만 그로부터 10여 년이나 지나서도, "소위 무사도라 알려진 정신 상태를 이해하고자 한다면, 이 무사도란 쵸닝(町人) 및 백성들에 대해 지독하게 허세(虛威)를 부리는 것이었다. 또한 무사들 사이에서는 예의를 지극히 엄히 지켜 피차 사내로서의 면목을 더럽히지 않으려 끊임없이 헛 위세를 떠는 것"이라 묘사한 어느 신문 기사가 방증하듯, 사무라이 및 그들의 가치관에 대한 대중적인 이미지는 여전히 그리 개선되지 않았음을 읽어낼 수 있다(富春漁父 1885, 12/13).

무인, 혹은 '武'의 가치에 대한 인식의 전환은 전통의 계승 쪽에서가 아니라, 오히려 대외적인 위기의식 하에서 예의 기풍의 폐퇴 쪽을 극복하려던 데서부터 시작됐다. 예를 들어 명치 무사도 담론이 형성되는 데 그 단초를 제공한 이로서 평가받는 오자키 유키오(尾崎行雄)는 1891년 「武士道」라는 글을 통해 서구와의 상업 경쟁에서 승리하기 위해서는 "무사기질(武士氣質)"이 필수적임을 역설했다. 연전에 외국여행으로부터 돌아온 그는, 서구세력이 횡행하는 가운데서도 특히 그 선두에 선 영국의 상업적인 패권에 주목했다. 오자키가 보기에 이는 다른 무엇보다도 저들의 "신사기질(紳士氣質)"이 뒷받침됐기에 가능한

2 1869년의 판적봉환(版籍奉還)과 1871년의 폐번치현(廃藩置県)을 통해 우선 武家 그 자체가 소멸했고, 곧이어 동년 봉록의 지급이 정리, 폐지되면서 재정적인 측면에서의 처분(秩祿處分)이 이루어졌다. 이후 1870년의 징병령에 의해 군사적 계급으로서의 독점적 지위가 폐지되었고, 나아가 1876년의 폐도령에 의해 의례적인 측면에 대한 조치가 취해졌으며, 궁극적으로 이듬해 벌어진 서남전쟁(1877)을 통해 불평사족들이 정리되면서 舊무사계층에 대한 처리가 일단락되기에 이른다.

일이라는 것이었다.

> 영국에서는 신사라 부르고 우리는 무사라 일컫는다. 표현은 다르지
> 만 그 실질에선 동일하다. 영국 상인이 이르는 데마다 천하에 대적
> 할 자 없는 까닭은, 그 상인의 대부분이 신사의 기상을 갖추어 비겁
> 하고 졸렬한 거동을 하지 않기 때문이라. … 영국 상업의 번성함은
> 영국 상인의 두터운 신용 덕분이라. 이는 결백한 절개와 의협심(廉
> 節義俠)의 기질이 풍부하기 때문이다. … 이는 곧 우리나라 사람들
> 의 이른바 무사기질이 아니랴!(尾崎行雄 1893, 26).

따라서 무사도를 모르는 자는 능히 큰 상인(豪商)이 될 수도, 상업
상의 현저한 성과도 거둘 수 없다고 결론짓는다.

두말할 나위 없이 이처럼 상업과 전통적인 사무라이를 연결 짓는
데는 무리가 따를 수밖에 없었다. 실제 역사 속에서 도쿠가와 시대의
무사계층은 갈수록 심화되는 경제적인 몰락으로 인해 어떤 식으로든
상업 활동에 관여하기는 했지만, 적어도 공식적으로는 천박하게 이익
을 다투는 상인들의 행태에 대해 천시하는 입장을 취했기 때문이다.
사실 오자키 역시 이를 잘 알고 있던바, 그는 이익을 소홀히 하는 것
이 무사도의 "본색(本色)"이 아니라 "여폐(餘弊)"에 불과하다는 식으로
문제를 우회하고자 꾀했다. 이에, 앞서 영국 상인의 신용에 대한 부각
에서 잘 드러나듯 그는 영리 그 자체보다도 그런 성공을 가능케 한 배
후의 정신적인 덕목 쪽을 강조하려 했다. 그에 따라 영국 상인은 재리
에 밝은 장사꾼이라기보다는 오히려 의협심에 넘치는 태연자약한 신

사이자, 다른 무엇보다도 비겁함을 혐오해 만사에 위세 등등하게 돌진해 나가는 호걸처럼 미화되고 있다. 그러면서 이리 되묻는 식이었다. 이것이 곧 사무라이의 본색이자 무사다운 기질이 아니면 무어란 말인가? 나아가 이런 측면에서 볼 때, 오늘날 세상의 부박한 무리들이 걸핏하면 무사도를 없애야 상업을 흥성케 할 수 있고 이득을 얻을 수 있다 운운함은 크나큰 오류라는 것이었다.

이상에서 알 수 있듯, 여기에서 오자키의 소위 '무사도'란 실제 사실과는 거리가 있는 이상화된 가치에 가까웠다. 물론 역사적인 측면을 전혀 고려하지 않았던 것은 아니었다. 문제는 그에게서 과거, 그중에서도 특히 바쿠마츠 무렵의 도쿠가와 시대는 그런 무의 이상이 땅에 떨어진 시기로서 위치 지워졌다는 데 있다. 유신을 전후한 혼란이 아직 채 가시지 않았던 1880년의 시점에서, 지난날의 상황을 다음과 같이 묘사하고 있다.

> 태평이 오래되니 끝내 천하에 다시 전장에서의 실용의 무를 아는 자가 없기에 이르렀다. 때문에 소위 무술이라는 것은 무부의 직무상 어쩔 수 없이 강습하는데 그칠 따름이라. … 그런지라 바쿠후 시절(幕世)에 무를 강습하는 자는 그저 교묘하게 죽도 희롱하는 것만 알 뿐, 철검으로 한 순간에 사생이 갈리는 싸움을 모르니, 주야로 강습하는 바 무술은 점점 더 실용과는 멀어진지라. 종국에는 … 전쟁터의 겁쟁이가 되기 이르렀다(尾崎行雄 1926, 371).

이런 와중에서 사무라이들은 그 외관이나 꾸미고, 시문에나 탐닉

해 무부의 본색일 "강개하고 격렬한 절개(慷慨激烈の氣節)"를 잃은 채 주색과 사치로, 그저 '인순고식'하며 하루하루를 보내는 데만 급급하게 되었다는 것이었다.

이토록 유약해진 사무라이들, 나아가 그 정점에 선 도쿠가와 정권이 바쿠마츠 즈음의 격렬한 승부에서 힘없이 무너진 건 어쩌면 당연한 일이었다. 때문에 이를 무너뜨려 이뤄낸 왕정복고란, 따라서 오자키에게는 단순한 정치적 변혁 그 이상을 의미했다. 마침내 "수백 년간 순치되어 온 유약함과 사치 부림(柔弱驕奢)의 폐습이 소탕되고, 문무 모두 실용을 위주로 한 기풍이 생겨나니 원기를 다시금 떨치고 국세가 치열해질 맹아"가 이제 여기서 싹트게 되었기 때문이다.

그런데 이 같은 근본적인 일신을 통해 전대미문의 발전이 이제 막 성취돼 나아가고 있는 와중에서, 그가 볼 때 지난날의 기풍의 폐퇴 같은 현상이 다시금 재연되고 있다는 것이었다. 오자키는 이를 선동하는 무리로서 당시의 이른바 천박한 "양학자 무리(洋學者流)"를 지목하고 나선다.

> … 양학서생들은 우리의 정치풍속이 어떤 것인지 제대로 알지 못한 채 그저 외국 정치제도와 풍속에만 심취해, 그 장단과 선악을 묻지 않고 모방하려고만 했다. … [서양인의 악습을] 견강부회해, 자기에게 편리할 악풍을 선동한다. 이에 세상이 널리 감염되어 양학자류 소행을 배우고 익히니, 막부 말기의 세태를 메이지의 성스런 시대에 재연해, 한번 맹아를 틔운 강직함(剛毅)과 수수함(朴訥), 의협심(俠義)과 용맹스러움(武勇)의 기풍은 자취를 감추고, 교만하고 사치스

러움(驕奢)과 유약함, 경박함의 악폐가 다시금 무성해지기에 이르렀다(尾崎行雄 1926, 373-374).

그는 경고한다. 유신의 경장으로 천하 대란에서 벗어난 지 이제 겨우 10여 년, 게다가 천하 여러 강국들이 호시탐탐 이 땅을 도모하려 기회만 엿보고 있는 이 때, 이처럼 아무 일도 없다는 듯 다시금 '문약의 폐풍'으로 빠져 들어선 안 될 터이다. 따라서 지금이라도 이런 나쁜 조짐을 다스릴 방법을 강구하지 않으면 그 해가 어디까지 미칠지 장차 측량할 수 없으리라. 결국 앞서 일체의 폐단이 곧 "문약의 폐단(文弊)"이고 보면, 양학자들의 "문을 귀히 여기고 무를 천히 여겨야 한다"는 식 주장을 배격하고, "무를 숭상해 활발함과 진취성, 감위함을 발휘하는 것이 오늘날의 최급선무"이다. "우리의 유약하고 부끄러움을 알지 못하는 인민을 이끌고 강폭하기 짝이 없는 저 외방과 맞서는 것은, 오히려 양을 내몰아 호랑이 무리로 집어넣는 것과 마찬가지"이기 때문이다(尾崎行雄 1926, 382).

3. '武士道', 그리고 'Bushido'

이처럼 시대적 필요로부터 앞선 시대에 대한 재해석의 움직임이 본격화되던 가운데, 일반적으로 무사도가 현재처럼 일본인의 정신세계를 대표하는 전통으로서 자리매김 된 데에는 니토베 이나조(新渡戶稻造)가 1899년 미국에서 영문으로 저술한 *Bushido, The Soul of Japan*

의 공헌이 결정적이었던 것으로 알려져 있다. 분명 "유럽과 일본의 봉건제도 및 기사도의 비교사"적 관점에 입각해, 일본에도 보편적인 도덕적 기반에 해당하는 것이 존재한다고 주장한 해당 저작이 서구세계에 미친 영향은 부정하기 어렵다. 하지만 흥미로운 것은 이런 일본 바깥에서의 인기에도 불구하고, 근 10여 년 뒤 역으로 자국어로 번역된 이 책이 국내에 소개되었을 때, 정작 일본 내 학계의 반응은 지극히 냉담했다는 점이다. 그도 그럴 것이 오랜 외국 생활 및 지방에서 교편을 잡고 있던 덕분에 주류 학문세계의 동향에 어두울 수밖에 없었던 그의 접근방식은, 이미 청일전쟁 무렵부터 급격히 국가주의적 방향으로 기울어 가던 새로운 무사도 논의의 흐름에서 보자면 시류에 맞지 않을뿐더러, 나아가 배격해야 할 대상으로까지 여겨졌기 때문이다 (Benesch 2014, 92).

니토베는 자신의 '무사도'를 '기사도적 규율', 무사계급의 '높은 신분에 수반되는 의무'라고 정의한다. 그리고 이때 그 주역으로서의 "사무라이란 말은 고대 영어의 크니히트(cniht)처럼 호위 또는 종자라는 의미이다. 그 성격은 … 타키투스가 말한 당시 게르만 수장들을 따라다니던 코미타티(comitati)에 해당하며, 가까운 역사 속에서 찾아보면 중세 유럽의 역사에 등장하는 밀리테스 메디이(milites medii)와 비슷하다. '부케(武家)' 또는 '부시(武士)'라는 한자어 역시 자주 사용"되었다는 식으로 설명한다. 요컨대, 무사도란 "유럽과 마찬가지로 일본에서도 봉건제가 주류가 되면서" 그 직업계급으로서의 전사계층이 갖는 규범의 일본적인 유형이라는 것이었다(Nitobe 1908, 6).

그런 무사도를 길러낸 사회적인 조건 그 자체는 물론 이미 사라진지 오래이다. 그렇지만 본래 소수 무사계급 구성원들의 정신이었던 이 같은 무사도는, 사무라이가 민족 전체의 '아름다운 이상'이 되면서 이제 일본의 모든 사회적 신분 속으로 침투해, 정신적 효모로서 일본인들 모두에게 '도덕적 기준'을 제공해 주고 있다(Nitobe 1908, 150). 이로부터 무사도는 오늘날에도 "야마토 다마시(大和魂)"로서 여전히 살아 숨 쉰다는 것이 그의 기본 논지라 할 수 있다.

이와 같은 그의 주장이 실제의 역사적 측면과 얼마나 부합하는지 여부는, 일본어판 역서가 등장한 바로 그때부터 줄곧 제기되어 온 "역사인식에서 엿보이는 엉성함, 무사도의 역사적 특수성에 대한 무지, 여타 무사도 관련 자료들을 전혀 참조하지 않은 참고문헌 및 주석 상의 결여" 등과 같은 일본학계의 지적에서 대개 짐작할 수 있을 터이다(船津明生 2003, 27). 그러나 여기서 주목해 볼 부분은, 니토베의 이 같은 비교사적 접근이 실제 사실과 합치하는지 여부와는 별도로, 청일전쟁 및 특히 곧 이은 러일전쟁으로 인해 촉발될 서구에서의 일대 일본붐과 맞물리면서 저들의 시각에 궁극적으로 어떤 영향을 미쳤는가에 있다.

이와 관련해, 30여 년이 흐른 뒤 그는 다음과 같이 회고한 바 있다.

제가 처음 일본의 도덕률에 대한 에세이를 썼을 때 이것을 'Bushi-do'라 명명했습니다. 그랬더니 일본에서도 해외에서도, 그러한 용어의 정당성에 대한 의문이 제기되었습니다. 그들은 '士道'나 '武道'에 대해서는 들어봤지만, '武士道'에 대해서는 들어보지 못했다는 것이었지요. 심지어 몇몇은, 그런 도덕률의 존재 그 자체에 대해서조차 의심스러워했어요(Nitobe 1936, 124).

그럼에도 불구하고, 해당 저작이 거둔 당시 유례를 찾기 힘들 만큼의 세계적인 대성공은 서구에서 'Bushido'라고 하는 것[3]을 하나의 실체로서 기정사실화 시키는 데 결정적인 역할을 하게 되었다(Lehmann 1984, 767). 이에 따라 이제 새로운 일본은 근대적인, 그러면서도 지극히 이상화된 옛 기사도적인 미덕들로 충만한 '사무라이'의 나라로서 자리매김하게 되었던 것이다.

Ⅲ. '지나친 문명화'라는 문제

1. Bushido, 혹은 현존하는 기사도적 이상

1905년도 이제 저물어가던 무렵에 당시 일본으로부터 막 귀국한 한 영국인은 고국에서의 어마어마한 Bushido 열풍에 놀라움을 감추지 못했다.

영국에선 일본에 대해, 우리들을 모델로 삼아 모방한다고 여기는

---

3   이하에서는 일본 측의 '부시도(武士道)'론과 그에 대한 당시 서양 측의 논의를 구분해, 후자를 지칭할 때는 'Bushido'로 표기함.

경향이 있다. 그리고 우리들에게 결핍된 것을 갖춘 이들이라고 일본
인들을 칭찬하고 있다. 나로서는 타임지의 '무사도'가 하도 온 나라
에 퍼져서, 심지어 성직자들조차 영국에서 기독교를 숭앙하는 것보
다도 더 한층 이를 높이리라곤 전혀 기대하지 못했다. 그런 생각은
미묘하게 틀렸을 뿐 아니라, 해로우리만치 잘못된 것이다(Nish 1997,
363).

영국인들은 대체 무엇에 이토록 열광적으로 반응한 것일까? 타임
지의 종군통신원이었던 래핑턴(C.Repington)의 다음과 같은 발언은, 그
러한 반응의 저변에 깔려 있던 당시 서구 문명세계의 시대적 문제의식
을 단적으로 드러내 보여준다(Hashimoto 2007, 388). 그는, 어느 특정 계
층만이 아니라 가장 낮은 데서 높은 데까지 모두가 제 나라를 역사상
가장 뛰어난 반열에 올려놓으려 합심하게끔 만든 일본의 저 "도덕적인
힘"에 주목해야 한다고 지적한다. 그리고 이 힘은 다름 아닌 Bushido
로부터 비롯되었다는 것이었다.

그렇다면, 대체 이 'Bushido'란 무엇인가.

Bushido는 낭비 대신 청빈의 이상을, 과시에 대해서는 겸허함을 …
이기심에는 자기희생을, 사욕 대신 국가적 이익을 돌보려는 이상을
마련해 준다. … 이는 권위에 복종하도록, 공공의 복리를 위해 제
한 일족이나 일개인의 사적인 이해관계를 희생토록 가르친다.
Bushido는 일반인이든 전사든, 남자든 여자든, 평시든 전시든, 엄
격한 정신적, 육체적 수양을 요구하고 있다. 이를 통해 상무정신을

길러내고, 용기와 안정감, 불굴의 정신과 신실함, 감위와 자기절제를 북돋아 고양된 도덕적인 원칙을 제공하는 것이다(Evening Post 04/12/17).

러시아에 대한 승리는 이렇게 도덕적으로 고양된 정신적인 힘에 의해 가능했다는 것이었다.

러일전쟁 후부터는 저 영국에서조차 자신들과 "거의" 맞먹는다고 인정하지 않을 수 없을 만큼 일본의 존재감은 확고해져 갔다. 하지만 문제는, 그럴수록 이런 일본의 성취를 통상적인 문명론적 시각으로는, 그것도 서구와 非서구의 근본적인 차이를 강조하는 기왕의 틀로써는 설명해 내기 어려워진다는 데 있었다(Alston 1907, 8; Holmes and Ion 1980, 312). 이에 의화단 전쟁 당시 한 서양인 종군기자는, 현지에서 체험한 서구 문명세계의 군대가 벌인 야만적인 만행과 일본군의 인도주의적 대처 간의 적나라한 대비 앞에서 이리 물었던 것이다. 우리 서구 쪽이 스스로 내건 문명의 원칙을 위반하고 있을 때, 저들은 우리의 모든 것을 남김없이 배우고 또 온전히 거기에 맞춰나갔다. 그리하여 이제는 남들마저 가르칠 만큼 우뚝 서게 된 저 "작은 일본 녀석들"의 문명화를 어찌 해명하면 좋을까(Lynch 1901, 302)? 바로 이 곤란한 순간 Bushi-do는, 이 같은 난점들을 해결해 줄 수 있는 적절한 설명처럼 여겨졌다(박지향 2004, 142).

그런데 래핑턴은 여기에서 그치지 않았다. 오늘날, 이 Bushido야말로 '진정한 기사도' 및 '스파르타적인 간결함'의 이상을 체현하고 있는바, 요컨대 여느 위대한 종교들의 철학적이고도 윤리적인 가르침이 여기에 모두 집약되어 있다고 주장한다. 따라서 "충성심과 용기, 정직함과 간결성, 자기절제와 순결성 및 관용을 갖춰 낸 이"라면 그가 누구든 이제 다름 아닌 '사무라이(bushi)'라는 것이었다. 그렇다면, 이번에는 이 새로이 보편화된 기준에서 오늘날 서구사회 일반을 평가해 보면 어떨까. 그는 단언한다. 서구에서는 Bushido적 가치들이 일본과는 정반대로 뒤집혀 있다고. 이제 '기율'이라는 측면에선 오히려 非서구의 일본 측이 서구보다도 우위에 놓이게 되는 순간이었다.

2. "사내다운 기력"의 시대

이러한 역전이 다름 아닌 서구 쪽에서 제기되었다는 것, 그리고 대중적으로도 널리 받아들여질 수 있었다는 것은 당시까지의 문명론적 상식을 고려한다면 놀라운 일이었다. 단적인 사례로, 비슷한 시기 중 타운젠드 같은 영국 출신의 언론인은 이리 주장하고 있던 차였기 때문이다.

> 여타의 적극적인 미덕들을 결여하고 있듯, 아시아인들은 유럽인들
> 에 비해 바로 그 미덕(나라에 대한 사랑) 역시 좀 더 결여한 듯하다.
> 그들의 전반적인 천성은 박약한 바, 말하자면 보다 여성적이다
> (Townsend 1903, 310).

즉, 그간 유럽과 아시아는 각각 남성과 여성으로 비유되어 온바,

이러한 구도 하에서는 당시의 젠더적인 통념에 따라 "일반 도덕적 품성"상의 "의지력(意力)"의 강약이 한데 결부되곤 했다(タウンセンド 1905, 276). 그런데 앞서와 같은 Bushido 해석은 이 도식을 근본에서부터 뒤흔드는 셈이었다.

사실 이는 19세기 후반부터 20세기 전반에 걸쳐, 특히 영미권 전반에 충만해 있던 "남성성의 스파르타적 新이상주의"의 유행 및 그와 한데 묶여 있던 대중적인 두려움과 밀접하게 연관된 문제였다고 할 수 있다(Mangan and Walvin 1987, 2). 그 무렵 격화되던 제국주의나 사회적 다위니즘의 유행과 서로 맞물리면서, 이러한 발상은 서구사회에서 날로 그 영향력을 더해가고 있었다.[4] 예를 들어 서구제국 중에서도 Bushido熱이 유독 현저했던 영국에서의 경우, 독일을 비롯한 후발 세력에 따라잡히지는 않을까 하는 우려는, 국제정치 차원의 통상적인 '위기의식'을 넘어서 사회적 다위니즘의 틀 속에서 열등한 존재로 "전락"해 버릴지 모른다는 '공포'로서 자리 잡아가던 중이었다(The Gentleman's Magazine 1907, 668). 이에 따라 제국의 영광, 그 '패권'과 일체화된 남성적인 힘과 활력은 자연스레 점점 더 강조될 수밖에 없었으니, "과단성 있는 행동, 자기통제 및 특히 의지력을 약화시킬지 모르는 감정

---

4   예를 들어, 토쉬 같은 연구자는 이러한 상호작용을 다음과 같이 정리한 바 있다. "국가적 삶의 어떤 영역보다도, 제국이란 남성성의 완성으로 비춰졌다. 그루트가 지적했듯 '남자다움과 제국은 … [모든 영역에 걸쳐] 서로가 서로를 확인시켜주고 또 보증해 주면서 함께 강화되어 나갔다.' … 제국의 용어와 남자다움의 용어 사이에는 놀랄만한 일치가 엿보이는데, 공히 투쟁과 의무, 행동 및 의지, 그리고 '품성'과 같은 표현들을 남발하고 있었다"(Tosh 2005, 193).

이나 기호 같은 것들을 억누르는 데서 드러나는 기력"이 중요한 미덕으로서 떠오르기에 이르렀다(Tosh 2005, 197).

　남성 고유의 미덕으로서의 "사내다운 활기", 그리고 "기독교적인 기사도"로 이상화된 남성다움의 부각. 그 영향은 이제 "(사내다운)씩씩한 기독교 신앙" 및 "남성다운 기독교"처럼, 전통적으로 사회적인 교화의 원천으로 여겨지던 윤리 및 종교적 영역에까지 미칠 지경이었다. 그리하여 마침내는 시대정신으로서의 '문명'의 당위성까지도 뒤흔들기에 이르렀다. 관련해서, 예를 들어 한 연구자는 19세기의 미국 중간 계층의 전형적인 남성상 분석을 통해, "씩씩한 성취자", "기독교적인 신사", 그리고 "거친 사내"의 세 가지 유형을 제시한 바 있다(Rotundo 1987, 37). 그에 따르면 앞의 두 유형은 당시 격화되고 있던 경쟁사회에서의 성취를 떠받치는 적극성과 그런 시대적 풍조를 성찰하는 반성적인 미덕으로서, 기본적으로 서로 대립하지만 동시에 사회적으로는 보완하는 측면 또한 가졌다고 지적한다. 그런데, 이에 비해 세 번째 유형은 명백히 이질적이다. 더 이상 이성적인 판단 같은 것이 전혀 통용되지 않는 극한의 순간, 오직 원시적인 충동에 몸을 내맡긴 채 이런 위기와 맞서 싸우는 "야수" 같은 일개인을 상정하고 있기 때문이다.

　특히 이 마지막 유형에게 인생이란, 약육강식의 정글에서의 끝없는 투쟁에 다름 아니었다. 이에 여기서 살아남기 위해 필수적일 거친 호전성은 높게 평가되다 못해, 심지어 지나치게 세련된 나머지 유약함에 빠져든 '문명' 보다 오히려 '힘'으로 표상되는 '야만' 쪽에 호감을 내비치는 경향마저 나타날 정도였다. 그리고 여기 이끌린 문명세계의 일부 백인들은, 이제 스스로를 기꺼이 '야만인'이라고까지 자처하고 나섰던 것이다.

　물론, 그렇다고 해서 이런 남성형을 주장하는 사람들이 서구사회의 야만화 같은 것을 꾀하거나 하지는 않았다. 그저 지나치게 '여성화(feminized)'하고 있던 당시의 서구 문명에 대해, 그리하여 날이 갈수록 두드러지던 소극성 내지는 무기력함을 비판하고 싶었던 것이리라. 왜냐하면 사회적 다위니즘의 영향 하에서 그들에게 문명이라는 것은 이성이나 복잡한 제도, 혹은 세련된 관습으로서뿐 아니라, 사람과 사람 사이의 원초적 투쟁에서 싸워 쟁취해 낸 승리이기도 했기 때문이다. 즉, 현재로서는 문명의 정점에 서서 '이성'과 '자제'로써 야만인들 위에 군림하고 있는 것이 사실이다. 하지만 이것도 싸울 '힘'과 '용기'가 있고서야 비로소 가능한 일이라는 발상이었다. 이에 따라 한편으로는 세련된 문명화의 레토릭이 유행하면서도, 다른 한편에서는 "과도한 문명화"에의 경계가 제기되는 아이러니한 상황이 전개되기에 이른다.

　이에 당대의 이 같은 발상을 가장 명징하게 드러내 보였다고 일컬어지는 *The Strenuous Life*에서, T.루즈벨트는 "오직 문명화된 사람들의 호전적인 힘이야말로 세계에 평화를 가져다줄 수 있다"며 사내다운 기력과 제국, 그리고 문명화의 사명을 결부시킨다(Roosevelt 1903a, 37). 그가 보기에 개인에게 있어서도 국가에 있어서도, 세상이란 생존 그 자체를 걸고 경쟁하는 극한상황에 다름 아니었다. 게다가 여기에선 끝이란 존재하지 않는다. 지금이야 패권을 쥐고 있더라도 한순간만 방심하면 필연적으로 "중국 사례에서 이미 알 수 있듯, 이 세상에서 어떤 나라라도 전쟁을 멀리하거나 고립된 채 편안함만을 추구하다 보면, 아직 사내다움과 대담성을 잃지 않은 여타 나라들 앞에 무릎을 꿇게 될 수밖에 없다." 생각해 보라, 러시아 제국이 만약 톨스토이 유의 사상대로 행동했다면, 이미 그 신민들은 작금의 아르메니아 사태에서 알 수 있듯 타타르 야만인들에게 말살되었으리라. 따라서 이론의 여지없이 그런 종류의 소위 '평화주의적인 가르침'은 도덕에 반한다는 주장이었다. 물론 불의한 전쟁은 옳지 못하다. 그러나 건전하지 않은 "평화신비주의"의 폐해는 도리어 이보다 더한 법이다.

> 평화를 이뤄내는 문명의 모든 확장, 달리 말하면, 문명화된 위대한 열강의 모든 확장은 법과 질서, 그리고 정의의 승리를 의미한다. … 매 순간마다 이런 확장은 득이 되나니, 비단 열강 자신에게뿐만 아니라 온 세상에 그러하다. 매 순간마다 확장 중인 열강은, 멈춰서버린 나라들이 할 수 있었던 것에 비해 훨씬 위대하고 중요한, 문명에 대한 의무를 다하고 있음이 결과로서 여실히 나타나고 있다(Roosevelt 1903a, 32).

그리고 이런 문명에 대한 의무, 그 국가적인 과업을 사내답게 다해내지 못한다면 보다 대담하고 보다 강한 이들이 그런 우리를 능가해, 세계의 패권을 대신 쥐게 되리라는 논지였다.

그렇다면 모든 것이 연약해지고 있는 오늘날, 이 어려운 과제를 성취해 내는 데는 무엇이 필요할까. 싸우는 용기? 얼마 전 미서전쟁(Spanish-American War, 1898년)의 교훈을 돌이켜볼 때 그저 용맹만으로는 충분하지 않다고 지적한다. 오히려 중요한 것은 다른 무엇보다도 정신적인 "활기(氣力, energy)"라는 것이었다(Roosevelt 1903b, 196; ルーズベ

バト 1904, 97). 이에 더해 물론 '도덕적 결의'나 '도덕심' 또한 성공을 향한 남자다운 투쟁에, 그 진정한 사내다움을 위한 "강철과 같은 덕목"에서 빼놓을 수 없다고 강조한다.

당시 유행하던 "장부다운 원기"를 중핵으로 하는 이 같은 "품성(character)"론적 관점에서 보자면, 루즈벨트를 비롯해 그즈음 서구사회의 수많은 이들이 내비친 소위 Bushido 및 그 가치관에 대한 깊은 공감은 오히려 자연스러운 일이었던 것이다(Dennett 1925, 35).

Ⅳ. 나가며: '계보 쌓기'와 '족보 찾기'의 사이에서

이런 메이지 시대에 접어들면서부터의 무사도(론)의 전변에 대해, 당시 한 외국인은 다음과 같이 기술한 바 있다. 한때 막말 낭인들의 폭거와 테러가 어찌나 심각했던지, 외국인들은 "일본 기사도"에 대해 소요와 무례함, 그리고 살상의 상징처럼 여기던 시절이 있었다. 그러나 후쿠자와 유키치(福沢諭吉)와의 면담을 통해, 비로소 이것이 지나친 과장이었음을 깨닫게 되었다는 것이다. 오히려 실상을 알고 보면 이만큼 경이로운 경우도 다시 없다며 그는 이렇게 발언한다.

그런 유례없는 [봉건적] 권리들과 면책특권들을 누려왔음에도, 수세기의 평화 동안 운명 지워졌던 게으른 삶에도 불구하고, 그들이 기사도를 이토록 온전히 지켜냈다는 것은 그저 경탄스러울 따름이다. … 오늘날 일본에서 사무라이라는 이름은 흠 없는 그런 것이다. 온 나라 사람들에게, 우리가 중세 무훈담의 진정한 기사와 연관시키는 고상한 덕목과 영웅적인 헌신의 동의어로서 여겨지고 있다 (Knapp 1897, 50).

나아가 덧붙인다. "오늘날까지 내려온 저 영광을 보라! … 서구세계에서는 이미 기사도가 몰락해 결투와 '명예심' 정도를 제외하면 남은 게 없지만, 일본에서는 국가적인 삶 속에서 사무라이의 혼이 온전히 충만해 있다"(Knapp 1897, 50)는 것이었다.

이런 식의 견해들이 실제 상황과 얼마나 어긋나는지에 대해서는, 굳이 본고 첫머리에서의 챔벌레인의 지적을 언급하지 않더라도 당시부터 이미 제기되던 바였다. 기실 당대 서구의 관련 사료들을 검토하다 보면, 해당 시기 중 일본을 향해 쏟아지던 찬사들 사이사이에서 "유럽인과 미국인으로부터 받는 과도한 칭찬과 이로 인한 정신적인 응석받이"化에 대한 우려들, 혹은 기사도-Bushido적 '착각'에 대한 위구심 역시 적지 않이 발견된다(Brandt 2008, 330). 그러나 이런 지적들은, 밖으로부터는 이상에서처럼 이미 서구에서는 상실된 핵심적인 미덕의 체현에 대한 칭송에, 국내적으로는 향후 일본 우월성론에까지 이르게 될 국가적인 자신감의 강렬한 고양에 가리어진 채 전반적으로 별다른 반향을 이끌어내지 못했다. 구미에서든 일본에서든 이런 '실상'은 당시 필요로 하던 사회적인 '요구'에 제대로 부응할 수 없었기 때문이다.

하물며 일본적인 성공 방정식을 서둘러 추출해내고 싶어 하던 여타 半개화 국가들, 요컨대 청나라나 조선의 경우는 말할 것도 없었다.

시험 삼아 보자. 동서고금을 물론하고, 소위 국가단체를 조성, 유지하는 민족은 그 국가 특유의 국혼(國魂)을 가졌도다. 그 실례를 거론컨대, 무사도(武士道)를 숭상하여 국가를 위해 자기 생명을 초개처럼 보는 것이 일본의 대화혼(大和魂)[이라.] … 만일 일본인이 되어서 대화혼을 갖지 않았다면 어찌 동아의 작은 나라로서 금일의 저런 지위를 얻었으[리오.] … 그 혼을 발휘하여 그 나라를 발전시키지 못한 자 없노라(최석하 1906).

저들의 성공이 '무사도' 덕분이라면, 우리에게도 그런 것이 있어야 하리라. 따라서 "무릇 어떤 민족, 어떤 국가를 말할 것 없이 무사도가 없는 자가 없다."는 주장이 급작스레 마치 자명한 전제라도 되는 것처럼 내세워졌다(안확 1994, 161). 이로부터 '양만춘'이나 '이충무' 같은 모범적인 영웅들이 발굴되었고, 곧이어 단군 이래 이 땅에서의 무사도적 전통을 구축해 보려는 노력들이 이어졌다.

일견 이는 일본에서 추진되었던 계보 구축의 시도와 별반 다르지 않아 보일 수 있다. 그러나 앞서 살펴본 오자키를 비롯해, 명치 무사도에 대한 논의가 막 일어나기 시작했던 초기 시점에서의 상황을 돌이켜 본다면 한 가지 중요한 차이점을 발견할 수 있다. 애초에 명치 무사도는 '무사도' 그 자체를 발굴해 내려 했던 데서 비롯된 것이 아니라, 일본의 몇몇 지식인들이 당대 일본 사회의 문젯거리라 판단한 추락해 버린 사회적 기풍을 일신하기 위해 구축하려 한 것이었다. 따라서 실상 핵심은, "무사기질" 중 '무사'들의 역사적 실체 쪽이 아니라 충성심, 그리고 가

열 찬 경쟁이나 역경에도 굴하지 않을 강인한 '기질' 쪽이었던 것이다.

이런 관점에서 본다면, 상기 조선(에서의) 무사도의 족보를 찾아내려는 쪽으로 치우쳐진 양상이란, 말하자면 '문제의식의 일본화'는 물론, '조선화'마저 제대로 이루어지지 못한 경우에 해당하는 셈이다. 물론 오자키가 굳이 '무사'라 언급했듯, 혹은 후쿠자와가 '미카와 부시(三河武士)'를 거론했듯 스스로에게 친숙한 역사적 사례를 이끌어내는 것 그 자체는 당연한 일이다. 하지만 그렇다고 해도 "중국이나 조선에서의 경우 무관들이 문관들보다 못한 지위에 놓여 있었을 뿐만 아니라, 군대의 주요 자리들은 그간 항시 무예와 관련된 탁월성이 아니라 문관들과의 친밀한 관계를 통해 채워져 왔다."는 식의 인식이 사회적으로 팽배해 있던 와중에서, 조선의 개화 지식인들은 왜 하필 조선 무사도를 동원하고자 했던 것일까(The Independence, 96/07/11)?

요컨대 상식적인 문제탐구 과정에서 보자면, 이렇게 주어진 틀에 따라 무사도의 유무를 따져보기에 앞서 해당 요소의 부재가 당시 조선 사회에서 정말로 문젯거리였던지부터 물었어야 할 터였다. 이런 측면에서 조선적인 "무기력함"이라고 하는 바깥 서구 문명세계로부터의 문제의식에서 출발했을뿐더러, 방법론적인 측면에서도 외력에 의한 사내다운 호전성("Japanization")이나 정신적인 각성("Christianization")의 배양을 통해 풀고자 사유하던 윤치호의 경우에서 단적으로 드러나듯, 이토록 손쉽게 차용되어 버린 '식민화된 문제의식'이야말로 당시 조선의 진정한 문제였던 것이 아닐까(유불란 2013, 91-92; 강정인 2013, 75)? 그리고 이 점에서, 조선에서의 무사도론에 대한 열광과 그를 둘러싼 논의 또한 예외가 아니었던 것이다.

참고문헌

강정인. 2013. 『넘나듦通涉의 정치사상』. 서울: 후마니타스.

박은식. 1907. "文弱之弊는 必喪其國." 『서우』 10호, 1-6.

박지향. 2004. 『일그러진 근대』. 서울: 푸른역사.

안확. 1994. "朝鮮武士英雄傳." 권오성·이태진·최원식 편. 『自山安廓國學論著集』 (1). 서울: 여강출판사.

유불란. 2013. "'우연한 독립'의 부정에서 문명화의 모순된 긍정으로." 『정치사상연구』 19집 1호, 85-108.

윤소영. 2004. "한말기 조선의 일본 근대화 논리의 수용-'和魂'論과 '国魂'論의 비교를 통하여." 『한국근현대사연구』 29집, 138-173.

윤치호. 1973-6. 『尹致昊日記』 (1)~(6). 서울: 국사편찬위원회.

최석하. 1906. "朝鮮魂." 『太極學報』 5호.

Alston, Leonard. 1907. *The White Man's Work in Asia and Africa: A Discussion of the Main Difficulties of the Color Question*. London: Longmans Green and co.

Benesch, Oleg. 2014. *Inventing the Way of the Samurai: Nationalism, Internationalism, and Bushidō in Modern Japan*. Oxford: Oxford Univ. Press.

Brandt, Max V. 저·김종수 역. 2008. 『격동의 동아시아를 걷다: 독일 외교관의 눈에 비친 19세기 조선, 중국, 일본』. 파주: 살림출판사.

Chamberlain, Basil H. 1912. *The Invention of a New Religion*. London: Rationalist Press.

Dennett, Tyler. 1925. *Roosevelt and the Russo-Japanese War: A Critical Study of American Policy in Eastern Asia in 1902-5, Based Primarily upon the Private Papers of Theodore Roosevelt.* Garden City, New York: Doubleday, Page & company.

Evening Post. 1904. "The Soul of a Nation." (December 17).

Gluck, Carol. 1998. "The Invention of Edo." In *Mirror of Modernity: Invented Traditions of Modern Japan,* edited by Stephen Vlastos, 262-284. Berkeley: Univ. of California Press.

Griffis, William E. 1903. *The Mikado's Empire.* New York and London: Harper & Brothers.

Hashimoto, Yorimitsu. 2007. "White Hope or Yellow Peril?." In *The Russo-Japanese War in Global Perspective Volume II,* edited by David Wolf et al., 379-402. Leiden: Brill.

Holmes, Colin and A. H. Ion. 1980. "Bushido and the Samurai: Images in British Public Opinion." *Modern Asian Studies* 14(2): 309-329.

Knapp, Arthur M. 1897. *Feudal and Modern Japan.* Boston: Joseph Knight Company.

Lehmann, Jean P. 1984. "Old and New Japonisme: The Tokugawa Legacy and Modern European Images of Japan." *Modern Asian Studies* 18(4): 757-768.

Lynch, George. 1901. *The War of the Civilizations: Being the Record of a Foreign Devil's Experiences with the Allies in China.* London: Longmans Green and Co.

Mangan, J. A. and James Walvin. 1987. "Introduction." In *Manliness and Morality: Middle-Class Masculinity in Britain and America 1800-1940*, edited by J. A. Mangan and James Walvin, 1-6. Manchester: Manchester Univ. Press.

Nish, Ian. 1997. *Britain & Japan: Biographical Portraits Vol II*. Folkestone: Japan Library.

Nitobe, Inazo. 1396. "Japanese Code of Honor." *Lectures on Japan*. Tokyo: Kenkyusha.

Nitobe, Inazo. 1908. *Bushido, The Soul of Japan*. Tokyo: Teibi Publishing Company.

Roosevelt, Theodore. 1903a. "Expansion and Peace." In *The Strenuous Life Essays and Addresses*, edited by Theodore Roosevelt, 23-38. London: Grant Richards.

Roosevelt, Theodore. 1903b. "Admiral Dewey." In *The Strenuous Life Essays and Addresses*, edited by Theodore Roosevelt, 179-196. London: Grant Richards.

Rotundo, E. A. 1987. "Learning about Manhood: Gender Ideals and the Middle-Class Family in Nineteenth-Century America." In *Manliness and Morality: Middle-Class Masculinity in Britain and America 1800-1940*, edited by J. A. Mangan and James Walvin, 35-51. Manchester: Manchester Univ. Press.

The Gentleman's Magazine Vol.CCCII. 1907. "Notices of Publications."

(January to June).

The Independence. 1996. "Editorial." (July 11).

Tosh, John. 2005. *Manliness and Masculinities in Nineteenth-Century Britain*. Edinburgh Gate: Pearson Longman.

Townsend, Meredith. 1903. *Asia & Europe*. Westminster: Archibald Constable & Co. Ltd.

Volpicelli, Zenone 저·유영분 역. 2009. 『구한말 러시아 외교관의 눈으로 본 청일전쟁』. 파주: 살림출판사.

德富蘇峰(도쿠토미 소호). 1930. "将来の日本." 『德富蘇峰集(現代日本文学全集第四編)』. 東京: 改造社.

前田勉(마에다 쓰토무). 2006. 『兵学と朱子学·蘭学·国学』. 東京: 平凡社.

武陽隠士(부요인시). 1994. 『世間見聞録』. 東京: 岩波書店.

富春漁父(후슌교후). 1885. "人情変遷論." 『読売新聞』(12月 13日).

津田左右吉(쓰다 소키치). 1990a. 『文学に現はれたる我が国民思想の研究』 (七). 東京: 岩波書店.

津田左右吉(쓰다 소키치). 1990b. 『文学に現はれたる我が国民思想の研究』 (八). 東京: 岩波書店.

尾崎行雄(오자키 유키오). 1893. 『内地外交』. 東京: 博文堂.

尾崎行雄(오자키 유키오). 1926. "尚武論." 『尾崎行雄全集 第一巻』. 東京: 平凡社.

船津明生(후나츠 아키오). 2003. "明治期の武士道についての一考察." 『言語と文化』 4集, 17-32.

タウンセンド(타운센드). 高橋亨 訳. 1905. 『亜細亜ノ将来』. 東京: 金港堂

書籍株式会社.

ルーズベルト(루즈벨트). 成功雑誌社 訳. 1904.『奮闘的生活』. 東京: 成功雑
誌社.

중국 민본주의의 부활과
포퓰리즘의 형성*

김현주

I. 서론

이 글은 오늘날 중국에서의 민본주의의 담론의 부활 속에서 출현한 중국식 포퓰리즘의 정치적 의미가 무엇인지 파악하기 위한 글이다. 즉 전통적 '민(民)'의 역할이 근대 중국과 당대 중국에서 어떤 의미로

* 이 논문은 2017년 대한민국 교육부와 한국연구재단의 지원을 받아 수행된 연구 (NRF-2017S1A6A3A02079082)이며, 경기연구원 과제 『더 좋은 민주주의를 향하여』 중 '현대중국에서의 포퓰리즘과 민본주의의 동거'를 수정 보완하여 『정치정보연구』에 실은 글(2021. "민본주의의 부활과 중국식 포퓰리즘의 형성." 『정치정보연구』 24권 1호)을 수정하고 보완한 글임

전환되었으며, 그것이 오늘날의 민본주의 담론에서는 어떤 의미로 사용되고 있는지, 그리고 그것과 중국의 포퓰리즘은 어떤 관계가 있고, 중국의 포퓰리즘은 또 서구의 포퓰리즘과는 어떤 차이를 갖는지 등을 알아보기 위한 것이다.

고대 중국에서 "人"과 "民"은 각기 다른 의미로 사용되었다. 금문에 의하면 전자는 구부린 사람의 형태를 띠고 있어 예를 아는 사람, 즉 신분이 있는 사람으로 추정할 수 있지만, 후자는 눈이 찔려 피를 흘리고 있는 모습으로 정복당한 사람들, 즉 노예로 추정된다(장현근 2009). 이를 통해 고대 중국에서 후자의 지위는 상당히 낮았다는 점을 알 수 있다. 그런데 후자는 주대(周代)에 이르면 천명(天命)을 대변하는("以情視天命") 존재로서, 집체로서의 정치적 존재를 의미하는 개념으로 사용되면서 그 의미가 승격된다.

민이 비로소 정치적 존재로 인정받게 되었다고 하더라도 태어나면서 당연히 시민으로서의 정치적 권리를 누릴 수 있는 것은 아니었다. 또한 현대의 시민의 경우처럼 정치적 참여를 보편적으로 인정받는 것도 아니었다. 그러나 그 중요성만큼은 현대의 시민과 비교하여 과소평가 되어서는 안 된다. 그 이유는 바로 그들이 정치적 정당성의 토대로서 중요한 의미를 갖는 존재였기 때문이다.

그러나 정치적 '주체'로서 실천할 수 있는 적극적 역할은 역대 왕조의 정치적 실패에 대항하여 간헐적으로 일어난 농민 반란 등을 통해서 일시적으로 이루어지거나, 과거시험을 거쳐 통치체제 속으로 편입됨으로써 드물게 발휘할 수 있었던 만큼 근대 이전 민이 그 중요성에 맞는 정치적 역할을 행사하기란 무척 제한적일 수밖에 없었다.

그런데 근대에 이르러 소극적으로만 발휘되었던 민의 역할이 주체성과 적극성을 부여받게 되었다. 태평천국운동, 신해혁명, 오사운동, 항일 투쟁 등 거치면서 민은 정치와는 무관한 존재로 남아 있을 수 없게 되었고, 실패한 정치와 외세의 침략이라는 대내외적인 조건들로 인해 자신의 역할을 제고할 수밖에 없었다. 이러한 시대적 요구에 의해 근대중국의 민은 인민으로 거듭났고, 결국 새로운 중국을 건설하는 데 주체적 역할을 하게 되었다.

　당대 중국에서 인민은 이제 "사회주의 혁명을 완성시킨 주체"라는 역사적 평가를 받고 있기 때문에 인민은 물론이고 당과 정부 모두 "인민이 주인"이라는 의식을 보편적 진리로 받아들이고 있고, 그것을 자신들의 프로파간다로 사용하여 당과 정부가 인민의 것이며, 인민을 위한 것이라고 선전하고 있지만, '인민'은 아직도 완전한 주체성을 얻지 못하고 있다. 지금의 중국의 인민들은 자신의 지역에서 인민대표를 선출하는 선거권을 행하게 되었지만, 그렇다고 해서 '민'의 전통적 의미에서 완전히 벗어난 것은 아니다. 여전히 그들은 여러 가지 조건적 제약 속에서 자유롭게 정치에 참여할 수 없기 때문이다. 중국에서 인민이 정치에서 영향력을 행사하는 방법은 간접적으로 인터넷이나 언론 등을 통해 자신의 의견을 피력하는 방법이 있지만, 직접적 참여를 하기 위해서는 공산당원이라는 자격을 부여받아야 한다. 공산당원이 된다는 것은 가입을 하고 당비를 내는 것만으로 쉽게 이루어지는 것이 아니다. 공산당 장정에 의하면, 공산당이 되기 위해서는 "공산주의에 대한 각오가 있는 선봉전사"로서 당 조직을 위해 열심히 일을 할 수 있는 사람으로 입증 받아야 한다. 그 정치적 역량뿐만 아니라 세계관,

인생관, 가치관 모두 당원으로서 적합한가를 1년 동안의 기간 동안 심사받고 검증받아야 한다. 중국공산당은 공산당에 의한 지배를 "엘리트에 의한 '영도'"라고 강조하고 있는 만큼 정치적 자격을 부여받는 것은 쉬운 일이 아니다.

게다가 오늘날의 인민에게는 과거 혁명기와는 다른 정치적 역할이 요구되고 있다. 중국공산당은 과거의 혁명당으로부터 집정당으로 스스로의 성격을 전환하였고, 그에 따라 인민의 성격도 '혁명적' 주체로부터 '참여적' 주체로 전환되었다. 하지만 그것이 정치적 역할의 확대를 의미하는 것은 아니었다. 인민은 그와 동시에 정치적 영역보다는 사회적 영역에서의 주체로 인식되게 되었다. 지금은 새로운 정체나 정부를 구성해야 하는 시기도 아니고, 전복시켜야 할 대상이 있는 것도 아니기 때문이다. 그래도 여전히 '인민이 주인'이라는 점은 부정될 수 없었다. 주체성보다는 정체성(identity)으로서 존재가 부각된 것이다. 아직도 인민은 정치적 정당성의 주요한 토대이기 때문에, 그들의 인정을 받는 방법을 '민생', 즉 인민의 행복한 삶을 실현하는 것에 두게 되었다. 공산당과 인민의 정치적 성격의 전환과 더불어 당대 중국에서 다시 민본주의가 부활하고 있다. 그리고 그것은 중국식 포퓰리즘과 결합하여 중국 정치의 이중성을 형성하고 있다. 이 글은 바로 이런 배경하에서 근대 이후부터 지금에 이르기까지 중국의 '민'의 정치적 함의와 성격이 어떻게 변화하였는가와 근대 이후 성장한 중국식 포퓰리즘의 성격에 대해 알아보고자 한다.

II. 근대 중국 혁명기 '민'과 '인'의 만남

근대 중국에서 '민'이라는 개념은 '인'과 결합하면서 개인이 아니라 집합체로서의 개념이 되었다. 고대 중국에서 '민'과는 달리 '민'은 이제 정치·경제·사회·문화 모든 방면에서의 주체가 되었다.[1] 그러나 '민'의 소극적 역할이 '인'과 결합함으로써 적극적 역할로 확장된 것이 아니라, 단순히 '민'과 '인'이 결합하게 된 결과, '민'의 전통적 의미를 고스란히 지닌 채 그 한계를 벗어나지 못한 결과를 낳았다. 그것은 민주주의를 받아들이고 해석하는 과정에도 그대로 적용되었다. 근대 중국인들은 사상적으로 민주주의를 원하면서도 그것을 민본주의와 동일시함으로써 민주주의를 제대로 이해할 수 있는 기회를 놓치게 된 것이다.

시인이며, 작가이고, 역사가였던 궈모뤄(郭沫若)는 "인민대중이 모든 것의 주체"라고 찬양하면서도, 인민이 주체로서 인정받는 민주주의를 고대 황제인 요순의 선양으로 이해했다.

> 우리의 전통적 정치사상은 본래 인민을 근본으로 한다는 것을 알
> 수 있지만, 박애(博愛)와 박리(博利)를 기준으로 하며, 요와 순의 선
> 양이 없어도, 이미 그것을 일종의 민주주의(Democracy)라고 볼 수 있

---

[1] "인민대중은 모든 것의 주체이다. 모든 것이 인민에게서 향유되어야 하며, 인민에 속하고, 인민에게 이루어져야 한다"(郭沫若 1961, 216).

다. 요와 순이 능력 있는 자에게 자리를 주는 제도를 정착시켜, 우리나라의 철인 정치가 성립한 것은 영원한 역사적 영광이다(郭沫若 1921).

유학을 공부하고, 중국의 전통사상에 대해 연구하여 그에 대한 이해가 깊은 사람들은 궈모뤄(郭沫若)가 말한 것과 같은 경향이 더 심할 수밖에 없었다. 궈모뤄의 역사관은 "인민본위(人民本位)" 사관(史觀)이라고 일컬어지는데, 그가 인민을 은주(殷周)시대 사회 발전의 추동력으로 보았기 때문이다. 그런데 그는 과거의 '민'을 '인민'으로 이해함으로써 양자의 차이를 간과하는 우를 범했다. "대체로, 공맹의 무리는 인민을 본위로 여기며, 묵자의 무리는 제왕을 본위로 여기며, 노장의 무리는 개인을 본위로 여긴다"(郭沫若 1982a, 615)는 그의 생각은 공자와 맹자와 같은 유가사상이 인민본위적 색채를 띠고 있다(郭沫若 1982b, 482)고 긍정함으로써 유가사상에서 인식하고 있는 전통적 '민'을 현대적 의미의 '인민'과 동일시해버렸다.

궈모뤄는 공자사상의 핵심인 "인(仁)"에 대해서도, 그것이 본질에 있어서 인민을 본위로 삼는 것이라고 보았는데, 그 이유를 다음과 같이 설명하였다.

인(仁)의 의미는 극기(克己)로써 다른 사람을 위한 일종의 이타적 행위이다. 간단히 말해서, '인(仁)이란 사람을 사랑하는 것이다.' … '인(人)'은 인민대중을 의미하고, '사람을 사랑한다'는 것이 인(仁)이다. 즉 '친친이인민(親親而仁民)'에서의 '인민(仁民)'의 뜻이다. … 그의 '인도(仁道)'는 실재 대중의 행위이다(郭沫若 1982b, 88-89).

귀모뤄 이외에 많은 지식인들이 이렇게 '민'을 '인민'으로 단순히 환원시켰고, 그 과정에서 민본과 민주도 Democracy의 번역어로써 서로 대체할 수 있는 동일개념으로 이해되었다.

오늘날 가장 큰 흐름은 무엇인가? 조금이라도 아는 사람은 그것이 "데모크라시"라는 것을 모르지 않는다. "데모크라시"는 영어로는 Democracy이고, 프랑스어로는 Democratie이며, 이것은 영어를 음역한 것이다. 오늘날 사람들의 의역에는 일본이 민주정치라고 번역한 것이나 민본정치라고 한 것이 있고, 민주주의 또는 민본주의로 번역한 것 등이 있다(譚平山 1919).

후에 신문화운동을 이끌었고, 중국공산당 창시자로 알려져 있는 천두슈(陳獨秀)와 리따자오(李大釗)는 그래도 민본과 민주가 다르다는 것을 확실히 인지하고 있었다. 민본과 민주가 왜 혼용되게 되었는지를 1919년 천두슈와 리따자오[2]는 다음과 같이 설명하였다.

---

2 허우체안(侯且岸)의 연구에 의하면, 리따자오(李大釗)는 "일본 다이쇼 시기의 민본주의의 영향을 직접 받았다. 그의 스승은 민본주의 사상의 창시자인 요시노 사쿠조오로 그에게 적극적인 영향을 미쳤다"(侯且岸 1999, 84). 리따자오는 「민이와 정치(民彝與政治)」라는 글에서, "민이(民彝)"와 "종이(宗彝)"를 대비시키고 다음과 같이 말했다: "제사 그릇(宗彝)은 훔칠 수 있지만, 민의 그릇(民彝)은 훔칠 수 없다; 제사 그릇은 옮길 수 있지만, 민의 그릇은 옮길 수 없다"(李大釗 2013,

민본주의는 일본인이 민주주의를 표현한 말이다. 그것은 영어의 Democracy를 번역한 것이지만, 대놓고 민주라고 말하지 못한 것은 정부의 간섭을 피하기 위한 것이다(陳獨秀 1919).

'민본주의'는 일본인의 번역어이다. 그들의 국체는 군주제였기 때문에, '민본'으로 번역한 것이다(李大釗 1984, 589).

민본과 민주의 혼용은 곧 구체제와 신체제의 혼용을 의미하는 것으로 여긴 천두슈는 전통을 들어 민주주의를 이해하는 것에 반대하였다. 그로 인해 민주주의와 민본주의를 관계를 어떻게 볼 것인가의 문제를 둘러싸고 천두슈와 두야취안(杜亞泉) 사이에서 논쟁이 일어났다. 이 논쟁은 그 유명한 "동서문화논쟁(東西文化論戰)"이라고 불리며, 1918년 말부터 1919년 초까지 짧은 기간 동안 이루어졌지만, 양 진영의 사상을 대표한 논쟁이었던 만큼 그 의의가 크다. 논쟁은 각각 『신청년(新靑年)』과 『동방잡지(東方雜志)』를 중심으로 이루어졌다. 그들의 입장은 각각 동방문화파와 서방문화파, 혹은 동서절충파와 전반서화파

---

269). "民彝"가 무엇인가에 대해서 학계에서의 해석은 저마다 다르다. 미국 학자인 메이스너(Maurice Jerome Meisner)는 "소위 민이는 '인민의 법칙'이다"(莫裏斯·邁斯納 1989, 34)라고 보았지만, 리룽무(李龍牧)는 "인민의 의지, 바람 등"(李龍牧 1990, 34)이라고 보았다. 주청쟈(朱成甲)는 '민이'를 "민이 이(彝)를 고수하는 것", "민의 상규(民常)", "민의 성격(民性)" 등 철학적이며 추상적 개념으로 이해했는데, 실질적으로 그것은 '인성'을 의미하는 것으로 보았다(朱成甲 1989, 304).

라고 대별된다. 다음의 글에 그들의 생각이 자세하게 드러나 있다.

『신청년(新靑年)』기자는 다음과 같이 말했다: 공화정체 하에서, 임금
의 도리와 신하의 절개(君道臣節), 삼강오륜의 가르침(名敎綱常)은 어
떻게 해석해야하는가? 반역이다. 공화민국에 대해 반역을 꾀한 것
이다. 국헌에 대한 반역죄이다. 기자는 공화정체가 고유한 문화와
결코 화합할 수 없다고 보았다. 민이 보는 대로 보고, 민이 듣는 대
로 듣는다는 것(民視民聽), 민이 귀하고 군주는 가볍다는 것(民貴君
輕)은 예부터의 정치원리로, 본래 민주주의의 기초이다. 정체는 바
뀌어도, 정치원리는 변하지 않는 법이다. 그러므로 임금과 신하의
도리와 삼강오륜의 가르침을 기초로 하는 고유한 문명은 현재의 국
체와 융합하고 회통할 수 있고, 그것이 바로 모든 문명의 일을 종합
하는 것이다(杜亞泉 1918).

오호! 이것은 무슨 말인가? 무릇 서양의 민주주의(Democracy)는 인
민을 주체로 하고, 링컨이 말한 소위 "민으로 말미암는다(by people)
는 것은 민을 위한다(for people)가 아니다"라는 것은 맞는 말이다. 모
든 민이 보는 대로 보고, 민이 듣는 대로 듣는다는 것, 민은 귀하고
군주는 가볍다는 소위 민위방본(民爲邦本)은 모두 군주의 사직, 즉
군주의 조상이 남긴 집안의 재산을 본위로 삼는 것이다. 이러한 인
민(仁民), 애민(愛民), 위민(爲民)의 민본주의(민본주의는 일본이 민주주의
를 번역하기 위해 사용한 것이다. 그것은 영어의 Democracy를 번역한 것으로, 감
히 대놓고 민주라고 말하지 못한 것은 그 정부의 간섭을 피하기 위한 것이다)는

모두 근본적으로 국민의 인격을 취소한 것이고, 인민을 주체로 하고, 민주주의로 말미암는 민주정치와 절대 같은 것이 아니다. 만약 『동방』기자의 말처럼, 정체는 비록 바뀌어도 정치원리는 변하지 않는다면, 옛날의 민본주의가 현대의 민주주의가 된다는 것은 말에 호랑이 가죽을 씌우고, 탕만 바꾸고 약은 바꾸지 않은 것일 뿐이다. 오늘날의 중국이 이름은 공화이지만, 실제로는 그렇지 않은 것도 이상하지 않다. 즉 오늘날 이름만 공화이지 실제로는 아닌 국체로 말하자면, 군주와 신하의 도리와 삼강오륜은 절대 융합과 회통의 여지가 없다(陳獨秀 1919).

민주는 민본과는 인민이 주체인지 아닌지에 있어서 분명하게 구별되는 것이기 때문에, 절대 혼동해서는 안 된다는 천두슈의 호소에도 불구하고, 근대 중국의 지식인들은 일반적으로 민주와 민본을 여전히 같은 의미로 사용하였다. 대표적인 예로, 천두슈와 마찬가지로 공산주의자였던 마오쩌둥이 편집장으로 활동했던 『상강평론(湘江評論)』에서도 민주와 민본은 모두 데모크라시의 번역어로 열거되었다.

각종 개혁을 한마디로 말하자면, "강권으로 자유를 얻는 것"일 뿐이다. 각종 강권에 대항하는 근본주의는 "평민주의"이다(데모크라시라고 한다. 또 민본주의, 민주주의, 서민주의라고 한다.). 종교적 강권, 문학적 강권, 정치적 강권, 사회적 강권, 교육적 강권, 경제적 강권, 사상적 강권, 국제적 강권은 조금도 존재할 여지가 없다(毛澤東 1919).

이것은 마오쩌둥이 전통적 교육을 받았기 때문이 아니라, 민주와 민본에 대한 당시 일반적 견해를 반영한 것이었다. 그것은 1929년 가오시셩(高希聖) 등이 편집한 『사회과학대사전』에서의 정의를 보면 확실해진다. 사전에 의하면, "민본주의는 즉 데모크라시주의이고, 민주주의이다"(高希聖 1929, 140), "민주주의는 민주정치를 주장하는 주의이며, 또한 민본주의라고 부른다"(高希聖 1929, 139)라고 해석되었기 때문이다. 1933년 순쯔정(孫志曾)이 책임 편집한 『신주의사전(新主義辭典)』도 마찬가지였다. "민주주의는 또한 민본주의라고 하며, '데모크라시'를 번역한 것이다"(孫志曾 1933, 50-51)라고 사회적 통념을 그대로 반영하였다.

신문화운동의 두 가지 표어는 "과학"과 "민주"였다. 과학과 민주라는 캐치프레이즈는 새로운 시대를 의미하는 긍정적 개념으로 유행하였다. 그런 만큼 민주주의는 분명 좋은 것으로 이해되었다. 그리고 중국인들에게 민본주의도 전통적으로 좋은 것으로 이해되었기 때문에, 양자를 결합하는 것은 동서절충의 바람직한 예라고 생각된 것은 어쩌면 당연한 일이다. 게다가 그것은 '민'의 주체성과 적극성을 이끌어내어 혁명이나 개혁을 위한 역량으로 활용하고자 했던 사상가나 정치가들에게는 전통적 민본사상은 하나의 사상적 자원인 셈이었다. 그 가장 대표적인 예가 량치차오(梁啟超)이다.

하늘은 우리 민이 보는 대로 보고, 우리 민이 듣는 대로 듣는다.[3]

---

3   天視自我民視, 天聽自我民聽(『尙書·泰誓』).

… 민이 바라는 것은 하늘이 반드시 따른다.[4] … 즉 사람들이 천자
가 된 것이고, 이러한 종류의 인류 평등의 대정신이 결국 후세의 민
본주의의 모든 근원이며 … 하늘에 움직임이 있으면, 반드시 의지가
생긴다. 하늘의 의지를 어떻게 알 수 있는가 하면, 민의로 알 수 있
다. 이것이 곧 천치주의(天治主義)와 민본주의의 결합이다(梁啓超
2014, 35-36).

량치차오는 중국이 서구열강에 진 이유는 서양국가들의 국민들이
국가를 자신의 것을 여기는 의식이 없었기 때문이라고 생각했고, 그런
점에서 중국에서 전통적인 '민'은 권리를 갖고 있는 "신민(新民)"으로 거
듭나야 한다고 보았다. 그렇게 '민'이 자신이 사실은 국가의 주인이고
그에 대한 권리와 책임을 갖고 있는 존재가 되어야만 국가를 위해 싸
울 것이라고 생각했기 때문이다. 역대 왕조들 모두 '민'의 존재를 정당
성의 근거로 삼았던 만큼 그 역사적 중요성을 부정할 수는 없지만, 지
금까지 중국의 '민'들은 자신의 것이 아닌 국가를 지키기 위해 희생할
필요를 느끼지 못했다. 그러나 근대 중국의 국가적 어려움을 극복하
기 위해서는 모두가 일어서야 한다고 생각했던 량치차오는 모두가 영
웅이 되어야 한다고 피력했고, 그것은 한두 명의 영웅적 희생만으로는
힘들다고 보았다. 그러므로 량치차오는 중국인 모두 무명의 영웅이 되
어 싸워야 한다고 중국인들을 설득하고자 했다. 그러나 당시 중국인

---

4   民之所欲, 天必從之(『尚書·泰誓』).

들은 문맹률이 높았고, 서구사상이나 개념에 대해서는 더 무지했다. 그는 자유나 민주와 같은 중국인에게 낯선 개념을 이해시키기 위해 익숙한 개념인 민본을 들어 설명하였다. 그리고 역사적으로 중국 정치에서도 민의를 중시했다는 점을 강조했다. 시작은 민주주의를 이해시키기 위한 것이었지만, 오히려 그것이 민본주의에 대한 긍정을 가져왔고 민주와 민본은 지금의 중국에서까지 떼려야 뗄 수 없는 사이가 되어버리도록 한 계기를 마련했다.

량치차오에 의하면, "민본사상은 『서경』, 『국어』, 『좌전』에서 볼 수 있다"(梁啓超 2014, 43-44). 공자나 맹자는 중국 정치사상사에서 민본주의 사상가라고 알려져 있고, 특히 맹자의 "민귀군경(民貴君輕)"은 그를 가장 대표적인 민본주의 사상가로 알려지게 했다. 그런데 량치차오의 의도와 달리 근대 지식인들은 여기서 한 발짝 더 나아가 맹자의 민본주의 정치사상을 민주주의로 승화시켰다.

> 맹자의 정치사상에는 우리 중화 고대 정치사상에서, 민의의 의미가 가장 풍부하다고 할 수 있다. … 국가의 행정과 사법에서 사람을 쓸 때에도 모두 반드시 전민(全民)의 동의를 얻어야 했다. 이러한 정치사상은 근세 서방의 민본정치와 매우 유사하다. 그 민생 정책에서의 정전제에 이르면, 평균지권을 주장하였다; 행정조직상 임현제(任賢制)는 정치가 커다란 집을 짓는 것처럼, 주인이 전문가를 신뢰하는 것이다. 이것은 중산선생의 사상에 또한 매우 근접한다(胡毓寶 1936).

맹자에게 있어서 폭군은 더 이상 군주가 아니라 보통 사람(匹夫)일 뿐이다. 그렇기 때문에 혁명을 통해 왕조를 전복시키는 것은 불충(不忠)이 아니라 정당한 일이다. 그런 맹자는 치도(治道)에 있어서 민생(民生)을 가장 중시했다. 맹자는 민생을 보장하기 위해 정전제를 주장하였고, 민에게 일정한 소득원(恒産)을 마련해줌으로써 민생안정을 도모할 수 있다고 보았다. 민생을 강조한 맹자를 계승한 것처럼 중국 민주주의의 대부라고 불리는 중화민국의 초대 대통령 쑨원도 민생주의를 강조했다.[5]

근대 중국에서 민주이든, 민본이든, 민권이든 '민'을 중심으로 한 논의가 폭발적으로 증가했다. 이것은 국가적 위기를 극복하기 위해서 '민'의 역할이 그 어느 때보다 중요해졌기 때문이다. 그것은 그들이 지지하는 이데올로기의 차이를 넘어선 것이었다. 자유주의자인지, 보수주의자인지, 사회주의자인지 관계없이 모두 너나없이 '민'의 주체성을

---

5 쑨원이 맹자의 민본주의를 계승했다는 것에 대해서는 민국시기 학자인 양다잉(楊大膺)의 글에 잘 나타나 있다: "맹자에 대한 민본은 나누어 분리해보면, 딱 세 가지로 되어 있다. 바로 보민(保民), 양민(養民), 교민(敎民)이다. 보민은 민족의 생존을 보장하는 것이다. 양민은 민족의 생활을 충실히 하는 것이다. 교민은 민족의 생계를 지도하는 것이다. 이 세 가지의 관계는 다음과 같다: 양민과 교민이 기초이고, 보민은 목적이다. … 맹자의 이러한 민본주의 사상은 중산선생의 삼민주의의 근원이다. 다시 말하자면, 중산선생의 삼민주의는 맹자의 민본주의 사상에서 태어난 것이다. 맹자는 보민을 주장하여, 민족의 생존을 보장하고자 했는데, 중산선생은 민족주의를 제창했다. 맹자는 양민을 주장하여 민족의 생활을 충족시키고자 했는데, 중산선생도 민생주의를 제창했다. 맹자는 교민을 주장하여, 민족의 생계를 지도하고자 했는데, 중산선생도 민권주의를 제창했다"(楊大膺 1935).

강조한 것에 있어서는 다르지 않았다. 그것은 그들 모두 공감하고 있는 새로운 사회와 국가의 건설을 위해, 그 구체적 내용에 대해서는 분명 생각이 다름에도 불구하고, 그것을 실현할 수 있는 주체는 인민이라는 공통적 인식에 근거한 것이었고, 그러한 인민의 주체성을 중국 인민들에게 각인시켜 그들을 실천적 역량으로 키우기 위한 것이었다.

그러나 새로운 서양의 민주주의적 권리 의식을 곧바로 인식시키는 것이 쉽게 이루어지지 못했다. 그리하여 전통적 '민(民)'의 정체성을 그대로 간직한 채로, 그것을 '인(人)'과 결합시켜 '인민'이 탄생했지만, 그것은 새로운 개념인 것을 가장했지만 실질적 내용이 확실히 바뀐 것은 아니었다. '민'은 '인민'으로 적극적인 정치적 주체로 동원되었지만, 과거의 역사적 민의 정치적 역할과 지위를 그대로 계승하게 된 것이다.

그렇게 민본주의와 민주주의가 같은 의미로 사용되었다. 그것의 구체적이고 실질적인 정치적 의미가 무엇인지보다는 '민'의 정치적 중요성을 강조하기 위한 목적이 보다 강했다. 혁명의 목적은 민의 정치적 지위의 획득이라기보다는 민의 생존권 확보에 있었다. 민은 살기 위해서는 혁명에 참가해야 한다고 부추겨졌다.

Ⅲ. 당대 중국에서의 민본주의의 부활

오늘날 중국에서 민본주의가 부활했다. 물론 이것이 새삼스럽다고 할 수는 없다. 이미 언급했듯이 마오쩌둥도 민본주의자라고 할 수 있기 때문이다.[6] 동시에 그는 스스로를 민주주의자라고 여겼다. 「논연합정부(論聯合政府)」에서 마오쩌둥은 다음과 같이 말했다. 그는 "인민, 인민만이 세계 역사 창조의 동력이다"(毛澤東 1991b, 1031), "공산당을 감독할 사람은 주로 노동인민과 당원 군중이다"(毛澤東 1999, 235)라고 주장했다. 그는 「청년운동의 방향(靑年運動的方向)」, 「신민주주의론(新民主主義論)」, 「논연합정부(論聯合政府)」 등의 글에서 인민민주주의제도를 설립할 것을 주장했지만, 그는 근본적으로는 민본주의자였다. 그것은 그의 군중 노선에서 잘 드러난다. 그것은 전통적인 민본주의적 성격을 반영하는 것이었다. 그런 점에서 이후 인민의 지위가 통치의 주체가 아니라 객체가 되리라는 것을 의미하는 것이었다. 그러나 인민에게 계속해서 주체라고 인식시킨 선전과 사실은 인민이 객체로 남아있는 현실 사이의 괴리로 인해 인민의 불만이 극좌적 포퓰리즘으로 폭발할 수 있는 잠재적 위험성을 갖고 있었다.

---

6   가오뤄퉁(高偌桐)과 류리쥐엔(劉麗娟)은 마오쩌둥 민본사상이 공헌한 점을 주로 6가지라고 보았다. 첫째, 역사발전에서 인민 군중의 지위와 작용의 중요성을 밝힌 것이다. 둘째, 전심전력으로 인민을 위해 봉사해야 한다는 뜻을 내세우고 정확한 군중의 시각을 수립했다는 것이다. 셋째, "군중으로부터 나와, 군중 속으로(從群衆中來, 到群衆中去)"라는 당의 근본노선을 확립했다는 것이다. 넷째, "민본" 구현을 유일한 기준으로 확립했다는 점이다. 다섯째, 중국사회의 상황을 분석하여, 적과 친구를 분명히 하고, 엄격하게 두 가지 모순을 구분하고 정확하게 처리했다는 것이다. 여섯째, 인민민주전정이라는 정치제도를 수립했다는 것이다(高偌桐·劉麗娟 2019, 19). 가오뤄퉁과 류리쥐엔의 논문과 마찬가지로 과거에는 봉건주의적으로 치부되었던 민본주의가 마오쩌둥사상의 성격으로 당연시되고 있는 경향이 생겨나고 있다.

공산당원은 "전심전력으로 인민을 위해 서비스해야 하며, 한시도 군중을 떠나서는 안 된다; 모든 것은 인민의 이익에서 출발해야 한다"(毛澤東 1991b, 1094)라는 마오쩌둥의 주장으로 표현되는 그의 "군중 노선"은 네 가지로 정리될 수 있다. 첫째, 인민 군중이 스스로 해방될 수 있다고 굳게 믿는 것이다. 둘째, 전심전력으로 인민을 위해 일하는 것이다. 셋째, 모든 것을 인민에 대해 책임지는 것이다. 넷째, 마음을 비우고 군중에게 배우는 것이다(畢國明 2008). 이것을 통해 알 수 있는 것은, 마오쩌둥의 군중 노선에는 인민의 적극적 참여성에 대한 인정과 독려가 결여되어 있다는 점이다. 여기서 인민은 정치의 주체라고 여기기에는 힘들다. 인민을 소중한 존재라고 여기는 것은 분명하지만, 인민은 여전히 정치적 객체에 불과한 것이다.

그러나 공산당이 성립한 이래 한 번도 인민의 중요성을 부정한 적은 없었다. 그러한 경향은 개혁개방의 기수, 덩샤오핑(鄧小平)도 마찬가지이다. 일찍이 덩샤오핑은 "군중은 우리 힘의 원천, 군중 노선과 군중 의견은 우리의 가보이다"(鄧小平 1994, 368)라고 강조하였다. 그는 언제나 인민 군중의 역할을 높이 평가했다. 그에 의하면, "인민 군중은 개혁의 주체이며 결정적 힘이다. 인민 군중은 역사의 주인이며, 인민 군중이 사회발전을 결정한다"(藺福軍·郭曉光 2005, 304-306). 그리고 개혁개방도 그러한 군중을 먹여 살리기 위한 것이었다.

중국이 인민을 내세우며 선진국이 되고자 시도했던 대약진운동과 인민공사가 실패로 끝나고, 그 여파는 문화대혁명으로 이어졌다. 과거 정치의 실패와 문화대혁명으로 인한 잃어버린 10년은 중국 인민의 삶을 크게 악화시켰다. 결국 중국 지도부는 특단의 조치를 내릴 수밖에 없었다. 그것이 바로 개혁개방이었다. 개혁개방은 과거의 좌파 사회주의 노선과는 전혀 다른 방향이었기 때문에, 사회주의에 대한 수정주의라고 비난받았다. 그렇기 때문에 덩샤오핑은 당은 물론이고 인민 또한 설득해야 했다. 그는 "개혁개방을 평가하는 기준의 하나는 인민의 생활수준 향상에 유리한가에 있다"고 하면서, 개혁개방이 일부를 위한 것이 아니라 전체 인민을 위한 것, 그리고 그들의 민생을 개선시키기 위한 것이라는 점을 거듭 강조했다.

덩샤오핑의 기본적 입장은 후임인 장쩌민(江澤民)의 "삼개대표(三個代表)" 사상에도 그대로 계승되었다. 장쩌민에 의하면, "온 마음과 뜻을 다해 인민을 위해 봉사하고, 공으로써 당을 세우고, 인민을 위해 집정하는 것이야말로, 우리 당이 모든 착취계급 정당과의 근본적 차이다"(江澤民 2006, 279-282). 장쩌민은 중국공산당은 인민을 위한 당이고, 인민을 착취하기 위한 것이 아니라 인민을 위해 봉사하기 위한 것이라는 점을 강조한 것이다. 그렇지만 그는 2001년 "이덕치국(以德治國)" 이념을 내세워 자신의 거버넌스 방략을 제시하였다. "이덕치국" 이념은 "의법치국(依法治國)"과 함께 제시되었고, "마르크스주의, 마오쩌둥사상, 덩샤오핑 이론을 지도로 하고, 인민을 위한 봉사를 핵심으로 하며, 집체주의를 원칙으로 한다"(江澤民 2009)라고 하여 사회주의 도덕을 통한 거버넌스를 주장한 것이지만, 어쩐지 전통적 색채, 특히 유가적 뉘앙스를 느낄 수 있는 표현이었다.

장쩌민의 뒤를 이은 후진타오(胡錦濤)는 장쩌민의 계승자로 알려져 있었고, 그런 점에서 그 또한 공산당 창당 85주년 대회에서 다음과 같이 민본사상을 제기했다.

중국공산당은 공익을 위해 이바지하고(立黨爲公), 인민을 위해 집정을 한다(執政爲民)는 본질적 요구를 견지한다. … 군중이 관심을 갖는 이슈와 문제를 업무의 중점으로 삼고, 진지하게 민정(民情)을 살피고, 성실하게 민의(民意)를 반영하고, 제대로 민부(民富)를 이루고, 굳건하게 민안(民安)을 지키고, 인민을 위해 봉사한다는 본령을 키우려고 노력해야 한다. 실제, 기층, 군중에 기반하여, 군중의 소리를 귀 기울여 듣고, 군중의 염원을 이해하고, 군중의 지혜를 집중시켜, 정책 결정, 해당 조치, 수행 업무가 객관적 실제와 규율에 보다 더 적합해지도록 하고, 광대한 인민의 요구와 이익에 보다 더 부합하도록 해야 한다. 군중에 가까이 다가가 광대한 인민의 근본적 이익을 제대로 실현하고, 제대로 수호하고, 제대로 발전시키는 장기적으로 효율적인 기제를 수립하고, 인민 군중과 당의 혈육과 같은 관계를 이어나가는 믿을 수 있는 제도적 보장으로 삼는다(胡錦濤 2006).

민정(民情), 민의(民意), 민부(民富), 민안(民安)이라는 표현들은 민본주의에서 빠질 수 없는 개념들이었다. 중국공산당도 후진타오의 연설이 민본사상을 부각시켰다고 인정했다(鄭華淦 2006).

시진핑(習近平)은 집권 이후에도 그러한 기조를 변함없이 고수했다. 시진핑은 2016년 "인민을 중심으로 하고, 인민의 근본 이익을 기준과 척도로 삼는다"(習近平 2016)라고 주장하고, "아름다운 생활에 대한 인민의 동경은 우리의 투쟁 목표이다. 그러므로 인민을 우리 마음속에서 최고의 위치에 놓아야 한다"(西藏軍區政治部 2015)라고 강조했다. 그의 연임이 결정된 후 2019년의 공산당 19대 보고에서도 그것은 변함없이 강조되었다.

> 인민은 역사의 창조자이고, 당과 국가의 미래와 운명을 결정짓는 근본적 힘이다. 반드시 인민의 주체적 지위를 견지하고, 공익을 위해 이바지하고, 인민을 위해 집정할 것을 견지하고, 전심전력으로 인민을 위해 봉사한다는 근본적 뜻을 실천하고, 당의 군중 노선을 치국이정의 모든 활동에 관철시키고, 아름다운 삶에 대한 인민의 동경을 투쟁 목표로 삼고, 인민의 창조적 위업에 의존한다(習近平 2017).

공산당 19대 보고의 주요 내용은 첫째, 인민이 중요하다는 것, 둘째, 인민이 국가의 주인이라는 것, 셋째, 인민의 이익이 매우 중요하다는 것으로 요약할 수 있다(魯志美·楊凱樂 2019). "인민을 중심으로 한다는 것을 견지(堅持以人民爲中心)"하는 것은 시진핑 신시대 중국특색사회주의 사상의 방략의 하나이며, 그것은 민본사상을 거울로 삼아, 신시대 역사 방위 하에서 민본사상을 계승한 것이다. 시진핑 정권의 신시대 민본사상과 전통적 민본사상의 공통점은 첫째, 인민을 중시한다는 점, 둘째, 민심의 작용을 중시한다는 점, 셋째, 민생의 개선을 중시한다는 점(魯志美·楊凱樂 2019, 2)에 있다고 한다. "신시대"라는 수식 어구는 시대성을 표현한 것 이외에 전통적 민본주의와 어떤 차별성을 갖는 것일까. 그것은 물론 중국특색사회주의를 기본적 정치제도로 한 것이라는 점에서 차별성을 갖는다. 중공은 2017년 당의 19대 보고에서 "중국특색사회주의가 신시대에 진입했다"(王子暉 2017)고 선포함으로써 전방위적이고, 선도적이며, 변혁적이고, 근본적인 변화가 있을 것이라고 강조한 것이다.

전통적 민본주의의 의의는 첫째, 민생(民生)에 대한 강조이고, 둘째, "인민을 중심으로 한"(吳海江·徐偉軒 2018, 41) 사상이라는 전통적 민본주의에 대한 긍정적 인식을 바탕으로, 현대의 신시대 민본주의는 '이인위본(以人爲本)'이라는 캐치프레이즈로 거듭 태어났다는 점에서 외견상 다르지 않다. 그러므로 후진타오 이래 시진핑에 이르기까지 내세우고 있는 이인위본사상에서 중요하게 생각하는 분야는 민생이다. 그 중에서도 취업, 주거, 양로, 교육, 의료 등이 특히 중점적으로 다루어지고 있다. 이것은 "세상에서 가장 큰 문제는 무엇인가? 밥 먹는 문제가 가장 큰 문제이다"(毛澤東 1990, 292)라고 한 마오쩌둥의 기본적 인식을 계승한 것이다. 마오쩌둥은, "군중의 의식주 문제, 생필품 문제, 건강과 위생 문제, 혼인 문제를 해결하라. 결국 모든 군중의 실생활 문제는 모두 우리가 주의를 기울여야 하는 문제이다"(毛澤東 1991a, 136-137)라고 강조한 바 있다.

후웨이시(胡偉希)에 의하면, "중국공산당은 한 번도 포퓰리즘과 철저하고 진정으로 결별한 적이 없었다. 잠재의식과 무의식적으로 … 그러나 그들은 당의 동맹군으로서 농민동원을 통한 혁명에서 역할을 하였고, 전혀 부정적 요소가 아니다"(胡偉希 1994). 이렇듯 공산당은 전통적 민본주의를 포퓰리즘의 자원으로 활용했다. 그리고 이제는 '민'과 '인'을 구분하려고 하지도 않는다. 그리하여 '이인위본'은 당당하게 '이민위본'으로 불리고 양자 모두 보편적 가치를 인정받게 되었다.[7] 이제 민본은 중국공산당 군중 노선의 사상적 근원이라고 말해진다.

그러나 "민본주의가 현대적 전환을 해야 한다면, '민주'를 떠나서는 성공할 수 없다"(栗暉 2019). 중국공산당이 줄곧 내세워 왔던 '민주'는 '인민민주'이다. 인민민주는 "인민이 주인이 되는 것(讓人民當家作主)"으로, 마오쩌둥이 제기한 인민민주전정(人民民主專政)이론의 핵심 내용이다.

그렇다면, 마오쩌둥의 인민민주나 시진핑의 "인민 중심 사상(以人民爲中心)"과 전통적 민본사상의 차이점은 무엇일까? 첫째, 출발점이 다르다. 후자는 봉건시대 통치 집단의 이익을 보호하기 위해 제기되었던 반면, 전자는 인민의 이익, 즉 피통치 집단의 이익을 위해 제기된 것이다. 둘째, 주체가 다르다. 민본사상에서의 '민'은 통치 집단에 상대적인 피통치 집단을 가리킨다. 그러나 인민민주의 '민'은 국가의 주인으로서의 인민대중을 의미한다. 셋째, 종지(宗旨)가 다르다. 민본사상에서는 '민'의 역할과 지위에 대해 중요하게 생각하는 것은 맞지만, 억압의 대상이며 경계의 대상일 뿐이다. 인민민주는 인민의 근본 이익의 실현을 목적으로 한다는 점에서 다르다(魯志美·楊凱樂 2019, 2)고 말해

---

7   장펀텐(張分田 2005)에 의하면, "어떠한 사회역사적 상황에서, 국가만 존재하면, 정치현상만 있으면, 국가권력을 장악하거나 적극적으로 정치에 참여하는 사람들은 모두 비교적 확실하게 광대한 민중이 국가에서 중요한 지위를 차지하고 있고 정치에서 중요한 역할을 한다는 것을 느낄 수 있다. 그러므로 일정 정도 '이민위본(以民爲本)' 이념을 제기하고 관철하고자 한다. 전제 제도에서의 통치자도 예외는 아니다. 최소한 똑똑한 통치자는 이것을 해낼 수 있다. 이것이 바로 '이민위본'의 정치이념이 시대를 초월하는 보편적 의미를 갖는다는 것을 보여주는 것이다".

진다. 전통적 민본사상이 말로는 민을 위한다고 했지만, 착취와 억압의 대상이었다는 점을 강조하고, 그것과 대비하여 현대의 민본주의는 민이 국가의 진정한 주인이며 억압과 착취의 대상이 아니라는 점을 강조한다.

그런 인식을 바탕으로 인민의 주체로서의 의식과 역할을 강조해온 중국에서는 "공민사회"와 "인민사회"를 구별한다. 간혹 인민과 공민을 혼용하여 사용하지만, 공민은 중국 국적을 갖고 있는 모든 자연인을 의미하는 법률상 개념이고, 인민은 정치적 개념이다. 중국의 인민은 서구사회에서 말하는 people과 달리 계급투쟁이론의 시각에서 사회주의국가와 공산당을 지지하는 계급을 의미한다. 그렇기 때문에 후자가 전자보다 우수하다고 말한다. 그러므로 리따자오가 1922년 『신청년』에서 인민이라는 말을 모호하게 사용하는 것에 반대한 것(人民網 2019)은 이런 의미에서였다고 할 수 있다. 그것은 곧 혁명 초기 인민의 의미라고 할 수 있다. 부르주아계급의 착취와 억압에 저항하는 프롤레타리아계급을 의미하는 인민은 국가와 별개로, 국가에 대항하는 존재였다. 그러나 오늘날의 인민은 국가 속에서 상징적인 존재로만 존재하게 되었지만, 그 중요성이 희석될 수는 없었다. 그리하여 그들이 말하는 인민은 최근 들어 주장하는 국가 거버넌스 체계와 거버넌스 능력의 현대화의 주체를 말하며, 사회는 국가 거버넌스 체계와 거버넌스 능력의 현대화의 토대이다(黃建鋼 2016). 즉 법적 존재로서의 '공민'보다 정치적 존재로서의 '인민'이 더 중시된다.

그럼에도 불구하고, "좋은 정치(善治)란 통치자가 피통치자의 입장에서 피통치자를 위해 일하는 것 … 중국에서 통치자의 좋은 정치의 사상적 기초는 민본사상"(李軍峰·王恩明 2018, 41)이다. 민본은 "중화민족의 소박한 민주이념(樸素的民主理念)"(傅廷真·韓晶 2020)이라고 말해진다. 민본과 민주가 같다고 생각하는 것은 아니지만, 양자의 유사점을 강조한다. 그들에 의해 강조되는 유사점은 첫째, 민본사상과 민주사상 모두 인민의 역할을 충분히 인식하고 있다는 점이다. 민본이든 민주이든 국가의 근본은 인민이기 때문이다. 둘째, 민본사상과 민주사상 모두 민생에 관심이 많다는 점이다. "민심의 향배는 국가의 흥망을 결정하고, 민생이 민심의 향배를 결정한다"(栗暉 2019)는 점은 변함이 없다. 그것을 강조해야만 민의 지지와 신임을 얻을 수 있기 때문이다. 셋째, 민본사상과 민주사상 모두 정부 관리의 도덕적 소양과 집정 능력을 중시한다는 점이다. 중국 고대에도 "똑똑하고 능력 있는 사람을 쓰고, 공이 있는 사람이 자리를 얻는 것(尊賢使能, 俊傑在位)"(『孟子·公孫醜章句上』)을 주장했으며, 현대의 민주주의 사회에서도, 인민이 관리를 뽑기는 하지만, 선출된 관리에 대해 과거와 같은 도덕성과 집정 능력을 요구한다. 전통적 민본사상을 반영한 현대중국의 거버넌스 또한 공산당원과 정부 관리의 도덕성을 중시한다. 이런 경향은 중국특색사회주의에도 반영되었다. 그리고 그것은 포퓰리즘과 결합하여 중국식 포퓰리즘으로 태어났다.

특히 공산당원은 당성(黨性)을 중심으로 도덕적 자율성이 반드시 요구된다. 당원은 인민의 일을 제일 우선으로 여겨야 하며, 스스로 자신의 도덕성을 엄격하게 요구해야 한다(林建華·楊文革 2002). 그런 만큼 당원이나 간부의 도덕적 일탈은 종종 중국 인민의 분노의 대상이 된다. 당원이나 간부 개인의 실패는 곧 당 전체의 승패와 연관 지어지기

일쑤이고, 그것이 과도하고 과격한 포퓰리즘과 만날 경우 당과 정부를 위협하는 존재로 전락하기도 한다. 공산당 간부의 일탈이 여론의 이슈가 되는 경우에는 사라진 것만 같았던 포퓰리즘이 살아나고, 그 폐해가 가장 심했던 것이 바로 문화대혁명이었다. 그럼에도 불구하고 군중 노선과 인민 중심을 외쳐왔던 만큼 포퓰리즘을 완전히 부정할 수는 없었고, 포퓰리즘을 통해 나타난 인민의 불만을 민본주의 담론을 통해 누그러뜨리고자 한 것이라 볼 수 있다.

IV. 중국식 포퓰리즘과 중국특색사회주의

우쟈샹(吳稼祥)은 『남방주말』에 발표한 글에서 다음과 같이 말했다.

> 1세기 이전에, 포퓰리즘은 무정부주의적 경향을 띠고 중국에 전파되었는데, 후에 중국 마르크스주의 정당 내부에 기거하여, 극좌 사조로 변형되어, 두 차례의 대혁명의 실패를 초래하였으며, 또한 건설 시기의 성급함과 무모함을 초래하였으며, 인민공사로부터 바로 공산주의로 진입하고자 했는데, 러시아 포퓰리스트보다 더 도약하고자 했다가, 코는 시퍼렇게 되고 얼굴은 부어올랐으며, 뼈는 부러지는 결과를 맞게 되었다(吳稼祥 2008).

1958년 대약진운동, 공산풍(公産風), 1966년 문화대혁명 등은 포풀리즘이 반영된 대표적 사건들이다. 중국공산당은 전체적으로 포퓰리즘의 적극적 요인을 활용했지만, '좌'파 혁명파에 의해 포퓰리즘적 혁명의 길이라는 위험에 빠져버렸다. 대혁명 기간 동안, 대중의 반항운동의 통제 불능과 교정 작용(矯枉過正)은 포퓰리즘의 방향을 제어할 수 없을 정도로 너무 멀리 가도록 했다.

아직도 중국은 사회적 전환기이기 때문에 발전에서 소외된 인민들의 불만이 계속해서 터져 나올 수밖에 없다. "발전불균형, 분배불공정, 착취, 부패, 정체, 급변 등 현상이 초래한 욕망의 범람, 도덕의 상실, 심리적 무기력 등이 모두 포퓰리즘의 온상"(陶文昭 2010)이 되고 있다. 점점 팽창해가며 빠른 속도로 발전해가고 있는 도시와 점점 축소되며 느리게 발전하고 있는 농촌의 발전불균형, 인구 및 산업이 밀집되어 있는 동부와 그렇지 않은 서부 간의 개발 불균형, 중국 전체에서 심화되고 있는 빈자와 부자 간의 부의 불균형 등은 더 많은 불만을 고조시키고 있다. 사회구조로 보면, 급격히 이루어지는 사회적 전환과 이익의 분화로 인해 중국에 점차 "국가-엘리트-대중"의 계층구조가 형성되었고, 엘리트 계층과 대중은 분리되고 심지어 대립하게 되었다(賴垕 2013, 19). 이런 모든 문제들이 개혁개방 이후 쌓이고 쌓여 언제 터질지 모르는 화약고가 되고 있다. 그리고 그것은 포퓰리즘이라는 화산으로 분출될 것이 분명했다.

포퓰리즘 현상은 한 마디로 사람들의 삶에 쉽게 고칠 수 없는 커다란 문제가 생겼다는 것을 보여준다. 즉 사회모순과 위기가 범위와 정도 모두에 있어서 극도로 심화되었다는 것이다. 그 문제를 찾아내어 그것을 정치적 쟁점화하는 것이 바로 포퓰리스트이다. 많은 이들이 포풀리즘이나 그에 선동당한 사람들을 비난하는데, 근본적인 잘못은 이들에게 있지 않다. 이들이 정치의 장으로 나서게 만든, 아프다고 소리치게 만든 이들이나 체제에 있다.

당대 중국에서 포퓰리즘이 다시 출현한 이유, '쉽게 고칠 수 없는 커다란 문제'는 바로 당대 중국사회계층의 형성 및 고착화, 중국 발전 전환 과정에서의 사회문제의 심화이고, 거기에 국제사회 포퓰리즘 사조의 영향과 인터넷 신미디어 기술로 민중이 모일 수 있는 플랫폼 제공(賴星 2013)이 한몫을 한 셈이다. 중국은 세계에서 인터넷 사용자가 가장 많은 나라이고, 2020년 중국국가통계국의 보고에 의하면 인터넷 사용자의 수가 9억 명을 넘는다. 이 숫자는 계속해서 늘어나고 있는 추세이다. 그것은 곧 정보의 엄청난 파급효과를 의미하는 것이기도 하다. 중국정부가 인터넷을 통제하고 있다(유지연 2002; 김진용 2013; 이민자 2013)는 것은 누구나 다 알고 있지만, 인터넷의 특성을 감안한다면 그것이 그리 쉽지만은 않다는 것은 부정할 수 없다.

그렇기 때문에 중국정부는 요즘 빅데이터를 기반으로 인터넷 여론을 예의 주시하면서 통제하고자 하지만, 주류 미디어인 『중국청년보(中國靑年報)』에서 필명 우쟈상(吳稼祥)이 발표한 글의 제목처럼 "포퓰리즘 기침 한 번이면 대중은 열이 난다(民粹-咳嗽大眾就發燒)"(吳稼祥 08/04/03)는 현상을 막기는 어렵다. 그리고 그렇게 출현하는 포퓰리즘은 다양한 형태로 다양한 이데올로기를 기반으로 형성된다는 특징을 갖는다. 그러므로 우쟈상은 자신의 글에서 새로운 포퓰리즘 연맹이 수면으로 부상했다고 지적하였다. 구체제를 그리워하는 당내의 전통 좌파 포퓰리스트, 전통적 향촌을 그리워하는 향촌 건설파 포퓰리스트, 환경오염, 생태파괴, 사회범죄, 도덕적 쇠퇴 등에 반감을 갖고 있는 반현대적 포퓰리스트, 높은 학력, 높은 관직, 높은 소득을 혐오하는 반지성적 포퓰리스트, 서양을 미워하는 민족적 포퓰리스트 등 중국 내에는 다양한 포퓰리스트들이 존재한다. 종합하자면, 당대 중국사회에서 포퓰리즘은 좌파사상, 민족주의, 신자유주의 등 세 가지 사조가 결합되어 있어(賴토 2013, 25) 결합한 사조에 따라 그 성격과 외현을 달리한다.

중국사회에서 포퓰리즘이 왜 이토록 범람하는 것일까? 우선 역사적으로, 전체주의(全能主義)체제에서 전환된 권위주의 사회(威權社會)는 일반적으로 사회 자치조직의 정도가 가장 낮고, 민중의 자치능력도 가장 박약하며, 공민의 타협적 문화습관도 가장 결핍된 사회이기 때문이다. 다른 한편으로, 개혁 30년 이래 "강한 정부-약한 사회"의 체제하에서, 공민사회와 자치조직이 아직 충분히 발전하지 않았기 때문에, 원자화된 사회 대중에 대한 조직적 통합을 하고, 질서 있는 정치적 참여를 할 수 없었기 때문이다. 한 마디로, 이러한 사회는 현대화 과정에서 다원주의적 요소는 물론 시민적 전통이 결여되어 있기 때문에, 국가 밖에서 미시적이며 다원적인 통합 기능이 발휘될 수밖에 없다.

사회학적 측면에서, 이것은 높은 곳에 있는 권위적 관료와 무조직적이며, 원자화된 개인으로 이루어진 사회로서, 사회성원을 통합하기 위한 중간조직이 결여된 사회이기 때문이다. 무수한 동질화된 개체가 유리된 상태여서, 사회성원의 행위와 방향을 구속하고 규범화할 수 있는 중간적 사회조직 네트워크가 결여되어 있다. 일단 국가가 해체되거나 응집력을 상실하면, 사회성원은 파편화된 한 줌의 모래 상태가 된다. 역사상의 프랑스, 독일, 러시아, 무엇보다도 중국은 모두 이와 유사한 특징을 가지고 있다.

대중사회의 대중은 동질적이며 유리된 상태의 개체이다. 동질성이라는 것은 그들이 가치와 사상 관념에 있어서의 다원화를 결여하고 있으며, 같은 환경에서 생활하면서 같은 스트레스와 자극을 느끼고, 같은 가치와 사유방식을 갖고 있지만, 상호 다원적 견제와 균형은 결여되어 있음을 의미한다. 다른 한편으로, 그들은 전통적 단위와 조직의 사회구조로부터 벗어나 있으며, 현대 시민사회와 중간 조직에도 속하지 않는다. 이러한 개체는 매우 쉽게 포퓰리즘에 의해 선동되고, 모종의 특수한 운동을 형성한다. 물론 우쟈상은 그것이 곧 혁명이나 폭력으로 전환될 것이라는 데에는 동의하지 않았지만, 대중이 느끼기에는 민주주의가 충분히 실현되지 않고 있고, 그렇다고 중국정부의 프로파간다처럼 공정하게 정치적 권리와 경제적 이익이 배분된 것 같지도 않다는 인식이 반영된 것이기 때문에 무시할 수 있는 것은 절대 아니라는 점이다.

그러므로 신권위주의자[8]로 알려진 역사학자 샤오공친(蕭功秦)은 이것이 파시즘이나 전체주의 사회의 토대라고 여기고 경계하였다. 그

---

8 신권위주의는 1980년대 후반에 제기된 주장으로, 개혁개방 이후 발생된 여러 문제들을 해결하기 위해 당 중앙이 권력집중을 통해 그런 문제들을 해결하고, 사회경제질서를 안정시켜야 한다고 보았다. 샤오공친은 그 대표적인 인물이며, 신권위주의의 반대파는 "민주파"라고 불린다.

에 의하면, 상황에 따라 세 가지 다른 유형의 위기가 출현할 수 있다. 첫째는 우익 자유주의 "색깔혁명"이다. 둘째는 좌파 근본주의적 "평균주의"혁명이다. 셋째는 강한 국가 쇼비니즘(沙文主義) 이데올로기로 응집력을 가진 신전체주의(新極權主義)이다. 어떤 유형이라도 전환기 중국을 전대미문의 위기로 빠뜨릴 수 있다(蕭功秦 2012, 44). 지금은 유리되어 있고 분절되어 있으며, 인터넷상에서만 불만을 토로할 뿐 실제적 행동으로 표현하고 있지는 않지만, 최근 미중 무역 갈등을 기점으로 반일이나 반미적 행위를 함께 하고 외국의 정부 사이트들을 공격하는 등 실제적 행동으로 표출되고 있는 점은 경계할 만한 일이다. 이렇듯 중국에서 포퓰리즘은 일반적으로 부정적인 개념이다. 게다가 "중국식" 민수주의를 주장하는 중국의 입장으로는 직접 민주주의적 성향이 강한 포퓰리즘은 경계의 대상일 수밖에 없다.[9]

그런데 중국은 정부차원에서 국내의 문제에 대한 관심을 국제 분쟁으로 돌리기 위한 전략으로 포퓰리즘을 적극 활용해왔기 때문에 전적으로 중국 내의 포퓰리즘을 완전히 부정하지 못해왔다. 그리고 그렇기 때문에 중국 포퓰리즘의 주된 성격은 민족주의적인 색채가 강하다. 신중국 초기 공산당은 반혁명 세력, 국민당 스파이들, 제국주의자들, 등등 인민의 적을 일소하기 위해 포퓰리즘 이용한 적이 있다. 그 일환으로 토지개혁을 시행하면서, 지주세력을 일소했다. 한국전쟁 당

---

9 타이완 청년들을 중심으로 일어났던 해바라기운동이나 홍콩의 우산혁명 등이 그 대표적인 예라고 보고 있다(顧旭光·田豐 2016). 또한 인터넷은 그 익명성, 평등성, 정보전달의 신속성 등의 속성으로 포퓰리즘을 양산하고 있다고 본다.

시에는 "항미원조, 보가위국(Against the America and Support the North Korea, Protect the Home and the Nation, 抗美援朝, 保家爲國)"운동을 전개하여 항미전쟁을 전개했다. 한국전쟁 이후 제2의 대만해협 위기(Taiwan Strait Crisis), 중러 국경 분쟁 등을 이용해 '대약진' 운동을 추진하기도 했다. 1969년 러시아 국경 아무르강의 전바오(珍寶)섬의 러시아 국경수비대의 공격을 받았을 때, 400백만의 중국인이 '소비에트의 침략'을 규탄하기도 했다. 이 모든 사건들이 포퓰리즘의 대외적 활용의 예이다.

그렇다고 해서 포퓰리즘이 중국에게 있어 마냥 반가운 친구는 아니다. 야오슈광(姚曙光)에 의하면, 고조된 국민혁명은 중국 최대이며 처음으로 농민을 주체로 하는 사회동원을 초래했고, 중국의 포퓰리즘이 당시에 무한하게 팽창하도록 했지만, 공산당은 당시의 조직 역량으로 영도와 조직을 할 수 없었다(姚曙光 2003). 단지 그 변화를 따라서, "향토 사회동원에서의 포퓰리즘이 농민운동과 국민혁명 실패의 주관적 원인 중 하나가 되도록 했다"(姚曙光 2003). 이것은 바로 지금의 중국 포퓰리즘에도 적용될 수 있다. 민족주의적 성격의 중국 포퓰리즘이 과도하게 작용하게 되면, 결국은 통제할 수 없는 수준에 이르게 되고, 그것은 체제의 정당화라는 순기능을 넘어서 체제 붕괴라는 역기능으로 작용할 가능성이 크다. 그런 점에서 중국에 있어서 포퓰리즘은 양날의 검이다. 외부의 적을 베는 칼로써 잘 사용해왔지만, 가끔은 스스로를 공격하기도 하기 때문이다.

V. 결론

9천만에 육박하는 당원을 가진 세계 최대 규모의 정당인 중국의 공산당은 공산당원을 제외한 13억 인구의 인민에 대해 다시금 '민본'을 외치고 있다. 과거에 중국정부는 자신들만의 민주주의는 서구의 민주주의와는 다르다고 하면서, 그 상대성을 강조해왔는데, 그 이후 '중국식 민주'라는 개념으로 중국의 민주주의의 특수성을 표현해왔다. 그러나 공산당 영도라는 특징을 제외하고 중국식 민주주의를 정확히 규정하기에는 힘들었다. 그러나 최근의 주장들을 근거로 보면, 그들이 주장하는 '중국식 민주주의'의 실질은 민본주의였다고 볼 수 있다. 그것은 인민의 생존권 보장, 즉 전면적 소강사회의 실현이라는 중국몽의 내용으로 크게 선전되고 있다.

중국정부는 "인민은 역사의 창조자이며, 군중이야말로 진정한 영웅이다. 인민 군중은 우리들 힘의 근원이다"(中央文獻研究室 2014, 70). "인민을 중심으로 하는 발전사상은 경제사회발전의 모든 단계에서 구현되어야 한다. 서민들이 관심이 있는 것, 원하는 것을 해야 하며, 그들이 개혁으로 바로잡기를 바라는 것과 추진하기를 원하는 것을 개혁함으로써 인민 군중에게 더 많은 성취감을 주어야 한다"(中央文獻研究室 2014, 103)라고 말한다. 그러나 현대 신유학자인 쉬푸관(徐復觀)이 과거에 말한 민본주의에서 볼 수 있는 정치적 이상과 정치적 현실 사이의 모순을 아직까지도 극복하지 못한 것이 분명하다. 쉬푸관이 얘기한 중국 전통사회의 "이중적 주체성"은 유가사상의 모순을 지적한 것으로, 이상적으로는 정치권력의 근원은 인민에게 있다고 말하지만, 현실적으로는 정치제도는 군주전제 정치로써 군주야말로 권력의 근원이라고 할 수 있는 이중성(徐復觀 2014, 88)을 지니고 있음을 말한 것이다.

중국식 포퓰리즘으로 치환될 수 있는 당대 중국의 민본주의는 그것이 서구의 절차적 민주주의와는 구별되며, 한편으로 천명이나 천자와 직결되어 생각되던 전통적 민본주의의 계승이라고 볼 수 있다. 다른 한편으로, 중국공산당이 자신들의 체제를 지키기 위해서 인민의 체제에 대한 인정, 즉 정치적 정당성의 확보가 그만큼 중요하다는 것을 인식하고 있다는 반증이기도 하다. 결국 중국식 포퓰리즘은 중국 인민들이 무엇을 원하고 있는가에서 출발하여 그것을 만족시켜주고자 하는 방향으로 전개되고 있는 것이다. 그리고 그 해답은 "민생"에 있다고 본 것이다. 물론 그 한계는 부정할 수 없다. 그러나 민주주의를 자처하는 국가들이 되돌아보는 계기를 마련해주기도 한다. 절차적 민주주의라는 형식적 마지노선을 충족시키는 것에만 연연하면서, 실제 국민이 무엇을 원하고 있는가에 대해서는 침묵하거나 간과하는 현실 민주주의에 대해서도 시사점이 있다. 우리의 민주주의는 민중을 '패싱'하고 지나치게 엘리트주의적으로 변질된 것은 아닌가 하는 반성을 갖게 해준다.

언급한 것처럼, 중국 내에서 포퓰리즘에 대해 누구나 긍정하는 것은 절대 아니다. 오히려 학계나 사회에서는 반대 여론이 많은 편이다. 그러나 중국정부는 포퓰리즘을 공식적으로는 아니지만 전략적으로 이용하면서, 군중주의의 일환으로 옹호해왔다. 그러한 중국의 상황과 달리, 2016년 영국의 브렉시트와 트럼프 당선 이후 서구사회에서는 포풀리즘이 자유민주주의의 적으로 거론되며 비판받고 있다.

물론 이러한 비판은 현상을 원인으로 착각한 잘못된 비판이다. 비판받아야 할 대상은 포퓰리즘과 결합한 그 무엇인가에 있다는 것은 중국의 포퓰리즘이 우리에게 확실히 보여준다. 민족주의, 분리주의, 인종주의, 차별주의 등등과 결합한 포퓰리즘은 공격의 대상이 각기 다르게 나타난다. 자유민주주의 사회에서도 포퓰리즘을 비판하면서도 그들의 주장을 마냥 무시할 수만은 없다. 그리고 그것이 성행하는 것은 그것을 이용하여 선거에서 표를 얻고자 하는 세력을 낳는다. 포퓰리즘을 발판으로 성장한 정치세력은 자기나름대로의 정치적 주장이나 원칙이 결여되어 있기 때문에 대중의 반응에 따라 정책의 반향이 선회하므로, 사회불안을 야기하기 쉽다. 그러므로 포퓰리즘 자체가 공격의 대상이 되기 마련이다. 사실 포퓰리즘에 대한 공격은 포퓰리즘이 기존의 정치체제, 기득권 세력 등에 대한 반감과 그에 대한 개혁을 요구하기 때문이다. 그것은 한 마디로, 사람들의 외침을 묵살하겠다는 선언과 같다.

그런데 서구사회에서 포퓰리즘이 대중의 호응을 얻어 승리한 경우, 어떤 경우에는 좌파 포퓰리즘이, 또 다른 경우에는 우파 포퓰리즘이 선거에서 승리했다. 그러므로 그것이 좌파나 우파가 옳았기 때문이라고 판단할 수는 없다. 오히려 반대파, 당시의 여당이나 정부의 정책과 방안이 틀렸기 때문이라고 할 수 있다. 포퓰리즘을 등에 업고 정권을 잡은 이들도 기득권에 진입하여 만족할만한 개혁안을 내놓지 못한다면 버림받을 수 있다.

반포퓰리스트들은 포퓰리즘을 지지하는 사람들이 사법 경시나,

미디어에 대한 무차별 공격 등 민주주의와는 역행되는 주장이나 행동을 한다고 비판을 한다. 그러나 그것은 다시 생각해봐야 한다. 현존 사법이나 미디어, 혹은 엘리트나 관료들이 현실이나 국민들의 요구와는 유리된 법과 관행을 고수하고 있는 것은 아닌지 말이다. 잘못된 법이나 체제에 대해 거부권을 행사하는 것, 그것이야말로 민주주의이다.

참고문헌

김진용. 2013. "중국의 인터넷 통제 메커니즘." 『정보화정책』 20권 1호, 61-84.

유지연. 2002. "중국의 인터넷 통제 정책 현황." 『방송통신정책』 14권 23호, 53-56.

이민자. 2013. "중국정부의 인터넷 통제: 새장 속의 자유." 『중소연구』 37권 3호, 199-231.

장현근. 2009. "민(民)의 어원과 의미에 대한 고찰." 『정치사상연구』 15집 1호, 131-157.

高偌桐(가오뤄통)·劉麗娟(류리쥐안). 2019. "民本思想與當代服務型政府的建設." 『政策法規』 1期, 19-21.

高希聖(가오시셩)等編輯. 1929. 『社會科學大詞典』. 上海: 上海世界書局.

顧旭光(구쉬광)·田豐(톈펑). 2016. ""太陽花學運"以來港台的民粹青年運動: 特點與對策." 『中國青年研究』 6期, 33-40.

郭沫若(궈모뤄). 1921. "我國思想史上之澎湃城." 『學藝』 3卷 1期.

郭沫若(궈모뤄). 1961. 『沫若文集』(第13卷). 北京: 人民文學出版社.

郭沫若(궈모뤄). 1982a. 『郭沫若全集』(歷史編)(第1卷). 北京: 人民出版社.

郭沫若(궈모뤄). 1982b. 『郭沫若全集』(歷史編)(第2卷). 北京: 人民出版社.

寧鎮疆(닝전쟝). 2019. "中國早期"民本"思想與商周的有限王權." 『人文雜志』 1期, 25-33.

鄧小平(덩샤오핑). 1994. 『鄧小平文選』(第2卷). 北京: 人民出版社.

杜亞泉(두야취안). 1918. "答〈新青年雜志〉記者之質問." 『東方雜志』 15卷

12號.

杜預(두예)注·孔穎達(공영달) 正義. 1999. 『春秋左傳正義』. 北京: 北京大學出版社.

賴星(라이싱). 2013. "當代中國民粹主義思潮的復起." 復旦大學碩士論文.

蘭福軍(란푸쥔)·郭曉光(궈샤오광). 2005. "毛澤東與鄧小平民本思想之比較."『社會科學戰線』4期, 304-306.

梁啟超(량치차오). 2014. 『先秦政治思想史』. 北京: 東方出版社.

魯志美(루즈메이)·楊凱樂(양카이러). 2019. "堅持以人民爲中心"的民本思想探析."『綏化學院學報』39卷 3期, 1-3.

李大釗(리따자오). 1984. "庶民的勝利."『李大釗文集』. 北京: 人民出版社.

李大釗(리따자오). 1984. "平民主義."『李大釗文集』(下冊). 北京: 人民出版社.

李大釗(리따자오). 2013. 『李大釗全集』(第一卷). 北京: 人民出版社.

李龍牧(리룽마이). 1990. 『五四時期思想史論』. 上海: 復旦大學出版社.

李軍峰(리쥔펑)·王恩明(왕언밍). 2018. "民本思想是中國政治體制正當性的基石."『山西青年職業學院學報』31卷 3期, 38-41.

栗暉(리휘). 2019. "民本思想的歷史影響及現代轉化."『甘肅理論學刊』6期, 75-80.

林建華(린젠화)·楊文革(양원거). 2002. "論政府官員的道德自律."『長春市委黨校學報』3期, 31-32.

馬社香(마서샹). 2006. 『前奏一毛澤東1965年重上井岡山』. 北京: 當代中

國出版社.

毛澤東(마오쩌둥). 1919. "〈湘江評論〉創刊宣言."『湘江評論』(創刊號).

毛澤東(마오쩌둥). 1990.『毛澤東早期文稿』. 長沙: 湖南出版社.

毛澤東(마오쩌둥). 1991a.『毛澤東選集』(第1卷). 北京: 人民出版社.

毛澤東(마오쩌둥). 1991b.『毛澤東選集』(第3卷). 北京: 人民出版社.

毛澤東(마오쩌둥). 1999.『毛澤東文集』(第7卷). 北京: 人民出版社.

莫裏斯 邁斯納(모리스 마이스너). 1989.『李大釗與中國馬克思主義的起
     源』. 北京: 中共黨史資料出版社.

範寧(범녕)集解·楊士勳(양사훈) 疏. 1999.『春秋穀梁傳注疏』. 北京: 北京
     大學出版社.

畢國明(비궈밍). 2008. "馬克思主義群眾史觀的中國化———毛澤東與中
     國傳統"民本"思想."『思想戰線』5期, 66-69.

上海古籍出版社(상해고적출판사). 1978.『國語』. 上海: 上海古籍出版社.

蕭功秦(샤오공친). 2012. "民粹主義崛起的三種前景." http://opinion.
     m4.cn/2012-09/1183674.shtml(검색일: 2020년 7월 9일).

蕭萐父(샤오샤푸)·李錦泉(리진취안) 主編. 1982.『中國哲學史』(上卷). 北京:
     人民出版社.

夏勇(샤용). 2004. "民本與民權———中國權利話語的歷史基礎."『中國
     社會科學』5期, 4-23.

西藏軍區政治部. 2015. "人民對美好生活的向往, 就是我們的奮鬥目標."
     『西藏日報』(1월 3일), http://theory.people.com.cn/n/2015/0103/
     c40531-26314849.html(검색일: 2020년 6월 11일).

孫志曾(순즈정) 主編. 1933.『新主義辭典』. 上海: 光華書局.

徐大同(쉬다통). 2004. 『中外政治思想史』. 北京: 中央廣播電視大學出版社.

徐復觀(쉬푸관). 2014. "中國的治道───讀陸宣公傳集書後." 『學術與政治之間』(全集本2). 北京: 九州出版社.

習近平(시진핑). 2016. "習近平總書記經濟思想的民本情懷." 『人民論壇網』(2월 3일), http://news.cntv.cn/2016/02/03/ARTIXbvvE01dT-GMNS2PNXjs9160203.shtml(검색일: 2020년 6월 11일).

習近平(시진핑). 2017. 『決勝全面建成小康社會奪取新時代中國特色社會主義偉大勝利』. 北京: 人民出版社.

姚曙光(야오슈꽝). 2003. "民革命失敗的民粹主義因素分析──以湖南農民運動爲個案的探討." 『南京大學學報』3期, 62-72.

楊大膺(양다잉). 1935. "孟子民本主義的政治學說." 『復興月刊』3卷 10期.

王子暉(왕즈휘). 2017. "十九大報告, 習近平宣示"新時代." 『央廣網』(10월 22일), https://baijiahao.baidu.com/s?id=15819256776792270091&w-fr=spider&for=pc(검색일: 2022년 3월 17일).

吳稼祥(우쟈샹). 2008. "民粹一咳嗽, 大眾就發燒." 『搜狐評論-搜狐網站』(4월 3일), http://star.news.sohu.com/20080403/n256081726.shtml(검색일: 2022년 3월 17일).

吳稼祥(우쟈샹). 2008. "民粹主義的三只手." 『南方周末』E31版.

吳海江(우하이쟝)·徐偉軒(쉬웨이쉬안). 2018. ""以人民爲中心"思想對傳統民本思想的傳承與超越." 『毛澤東鄧小平理論研』7期, 38-44.

韋政通(웨이정통). 2009. 『中國思想史』(上). 長春: 吉林出版集團有限責任公司.

雲漢(윈한)·張雲英(장윈잉)·葉永堯(예잉야오). 2007. "傳統民本思想的現代
化轉化."『遼寧行政學院學報』7期, 252-253.

陸九淵(육구연). 1980.『陸九淵集』. 北京：中華書局.

人民網(인민망). 2019. "讀懂"人民"的含義與價值."『人民網』(10월 21일),
https://baijiahao.baidu.com/s?id=1647966884227653095&wfr=spi-
der&for=pc(검색일: 2022년 3월 7일).

趙吉惠(자오지휘). 1998.『國學沉思』. 杭州：浙江人民出社.

江澤民(장쩌민). 2006.『江澤民文選』(第3卷). 北京: 人民出版社.

江澤民(장쩌민). 2009. "江澤民提出"以德治國"理念."『人民網』(9월 10일),
https://news.ifeng.com/special/60nianjiaguo/60biaozhirenwu/ren-
wuziliao/200909/0910_7/66_1343080.html(검색일: 2022년 3월 17일).

張分田(장펀톈). 2005. "論"立君爲民"在民本思想體系中的理論地位."『天
津師範大學學報』(社會科學版)　2期, 1-7.

賈丹(쟈단). 2005. "從傳統的民本思想到現代的以民爲本."『天府新論』5
期, 32-36.

鄭華淦(정화간). 2006. "胡錦濤重要講話凸顯民本思想." (7월 13일), http://
cpc.people.com.cn/GB/7481/67488/67503/4587021.html(검색일: 2022
년 3월 17일).

朱成甲(주청쟈). 1989.『李大釗早期思想和近代中國』. 石家莊: 河北人民
出版社.

中央文獻研究室(중앙문헌연구실). 2014.『十八大以來重要文獻選編』(上).
北京：中央文獻出版社.

左玉河(줘위허). 2011. "論中共黨內的"左"傾民粹主義."『晉陽學刊』3期,

73-85.

訾其倫(즈치룬). 2012. "中國傳統民本思想的現代啟示."『人民論壇』23期, 210-211.

荊媛(징위안). 2020. "習近平"以人民爲中心"發展思想及其時代價値."『中北大學學報(社會科學版)』36卷 3期, 121-125.

陳獨秀(천두슈). 1919. "再質問〈東方雜志〉記者."『新青年』6卷 2號.

焦循(초순)撰. 2015.『孟子正義』. 北京：中華書局.

陶文昭(타오원자오). 2010. "互聯網的社會思潮."『電子政務』4期, 23-28.

譚平山(탄핑샨). 1919. ""德謨克拉西"之四面觀."『新潮』1卷 5號.

龐胡瑞(팡후뤼). 2012. "廣東烏坎事件輿情研究."『當代貴州』2期, 54-55.

傅廷真(푸팅전)·韓晶(한징). 2020. "傳統文化中的民本思想在社會主義核心價値觀中的體現."『文化創新比較研究』7期, 35-36.

何晏(하안)注·邢昺(형병)疏. 1999.『論語注疏』. 北京：北京大學出版社.

侯且岸(허우체안). 1999. "李大釗民彝思想與中國近代民主政治建設."『李大釗研究論文集』. 北京: 人民出版社.

黃建鋼(황젠강). 2016. "論"人民社會"——在"國家治理體系和治理能力現代化"的框架結構中創新."『中國國際共運史學會2016年年會暨學術研討會論文集』, 28-37.

黃宗羲(황종희). 2011.『明夷待訪錄』. 北京：中華書局.

胡偉希(후웨이시). 1994. "中國近現代的社會轉型與民粹主義."『戰略與管理』5期, 24-27.

胡毓寰(후위환). 1936. "孟子政治思想中之民本主義."『復興月刊』4卷 5期.

胡錦濤(후진타오). 2006. "胡錦濤在中國共産黨成立85周年大會上的講話."『新華網』(6월 30일), https://news.qq.com/a/20110611/000822_2.htm(검색일: 2020년 7월 29일).

북한 통치성의 변화: 시장화의 영향을 중심으로*

한규선

I. 문제 제기

이번 장에서는 미셸 푸코의 통치성(governmentality) 관점에서 북한의 시장화가 북한의 권위주의적 사회주의 통치성(통치합리성)의 통치담론들에 대해 끼치는 영향에 대해 살펴보고자 한다.[1] 사회주의 통제경

---

*   이 글은 『정치와 공론』 29집(2021)에 "시장화의 영향을 중심으로 본 북한의 통치성 변화와 함의" 제목으로 게재된 논문을 수정·보완한 것이다.

1   푸코의 통치성은 "통치(govern/gouverner)와 사고 양식(mentality/mentalité)을 의미론적으로 연결시킨 것으로서 통치의 성질이나 성격"을 가리키며, "정치이성(political reason), 정치적 합리성(political rationality), 혹은 통치적 합리성(govern-

제에 입각한 북한은 1990년대 중반부터 경제위기와 식량난을 겪기까지는 안정적으로 체제 유지를 해왔다. 북한 경제위기와 식량난은 북한 사회주의 체제의 존속을 위협하는 최대의 위기였다. 이 위기를 극복하는 과정에서 북한은 시장화를 도입했다. 김정은 시대에 들어와 시장은 북한 체제와 분리될 수 없는 '체제의 일부'가 되어 권위주의 체제와 공존하고 있다. 현재 진행되고 있는 시장화가 북한체제에 끼치는 영향에 대해 많은 연구들이 나왔다. 그러나 대부분의 연구들은 시장화에 대해 제도적 접근을 취하고 있어 시장화가 통치담론에 끼치는 영향을 분석하는데 한계를 갖는다. 제도중심주의 연구에 반대하여 푸코가 도입한 통치성 개념은 통치합리성과 통치합리성을 실현하기 위한 전략으로 축약된다. 북한 정권의 통치를 살펴보는데 푸코의 통치성은 두 가지 유용성을 갖고 있다. 첫째, 푸코의 통치성은 제도중심주의적 관점에서는 소홀히 여겨지는 북한통치의 테크놀로지와 전략을 분석하는데 효과적이다. 푸코가 제도를 중심으로 보는 정치학 이론의 정태적 분석을 극복하기 위해 통치성 개념을 만들었다고 주장하는 것처럼 푸코의 통치성 개념은 통치의 제도 혹은 구조의 내용(what)보다 어떻게(how) 통치의 실천이 이루어지고 있는가를 보는 데에 초점을 두고 있다(Foucault 2007, 116; Gordon 1991, 4). 푸코가 통치성(governmentality)을 통치의 기술(art of government)과 구별하지 않고 사용하는 이유도 푸코가 무엇(what)보다는 어떻게(how)를 중시하는 것과 밀접히 관련되어 있

---

mental rationality)과 같은 개념"이다(이동수 2020b, 212).

다.[2] 둘째, 푸코의 통치성 개념은 북한 정권 '통치의 복합성'과 '통치성을 구성하는 요소들(forces of governmentality)' 사이의 연계성을 조명하는데 효과적이다.[3] 본 논문에서 살필 북한의 통치권력과 통치담론은 유기적으로 연결되어 있다. 푸코의 통치성의 관점에서 보면 통치제도들의 구조적인 변화가 일어나는 것은 통치행위의 원리 및 의미의 변화가 시작된 다음이다.[4] 북한 정권의 통치를 제도중심의 관점이나 통치담론 관점 중 어느 하나의 관점으로만 보면 통치권력의 복합적인 측면과 상호연결적인 측면을 놓치기 쉽다.[5]

---

2 통치를 볼 때 통치의 내용인 제도보다 "통치가 어떻게 실천되고 있는가"에 입각해 있는 통치성 개념에서는 실행과정과 실행전략이 중시된다. 푸코의 통치성 개념이 전략·전술, 테크놀로지, 프로그램, 테크닉과 같은 국지적 개념으로 구성된 것이 이를 반영한다.

3 복합적 체제로서 통치성을 푸코는 "인구를 주요 목표로 설정하고 정치경제학을 주된 지식 형태로 삼으며, 안전장치를 주된 기술적 도구로 이용하는 지극히 복잡하지만 아주 특수한 형태의 권력을 행사케 해주는 제도, 절차, 분석, 고찰, 계측, 전술의 총체"로 정의내린다(Foucault 2007, 108).

4 푸코의 이러한 관점은 『감시와 처벌』에서 잘 나타나 있다. 즉 "처벌행위의 원리 및 의미의 변화가 형벌제도들의 구조적 변화"에 선행한다는 것이다.

5 허프는 통치성 개념틀을 사용한 분석이 "통치 현상에 관련된 모든 요소(forces)들 —국가와 사적영역에 걸친 통치요소들을 통치성이라는 하나의 렌즈로 포착할 수 있게 한다"고 통치성 개념틀이 갖는 포괄성을 지적하고 있다(Huff 2007, 390). 이동수는 '공화주의적 통치성' 개념을 통해 통치성 개념틀이 갖고 있는 포괄성의 장점을 잘 설명하고 있다. "어떤 점에서 공화주의적 통치성은 공화주의나 공화정과 같은 것으로도 들릴 수 있다. 하지만 공화주의는 이론 혹은 이념에 치우치고, 공화정은 제도에 국한되는 경향이 있어서 이를 피하기 위해 공화주의적 통치성이라는 관점을 채택하게 되었다. 공화주의적 통치성은 공화주의 이념을 정신 혹은 멘탈리티로 대체하고, 공화정이라는 체제를 단순히 제도가 아니라 역사 속에서 형

통치성은 어떤 시기 어떤 특정 사회를 반영한다. 푸코는 근대 서구 사회에 나타난 통치성을 '국가이성 통치성', '자유주의 통치성', '신자유주의 통치성'으로 구별한다(Foucault 2011).[6] 권위주의적 혹은 전체주의적 사회주의의 통치성을 분석하기 위한 미첼 딘(Mitchell Dean)의 '권위주의 통치성' 개념을 적용하면, 북한의 통치성은 생명정치(bio politics)에 입각한 '비자유주의적 권위주의 통치성'에 속한다. 북한의 시장화는 통치의 공간에 수평적 권력질서를 가져왔고 이는 북한의 수직적 위계질서에 입각한 권력관계의 안정성을 흔들고 있으며 권력관계의 변화를 일으키고 있다. 이러한 시장이 불러오는 권력관계의 변화들과 이에 따른 통치합리화 및 통치성의 변화가 권위주의적 사회주의 통치성을 새로운 사회주의 통치성으로 변화시킬 가능성을 통치담론의 분석을 통해 전망해 보고자 한다.

이 글에서는 북한의 통치성 변화가 통치담론에 반영되었다는 것을 전제로 북한의 통치담론에서 통치합리성을 구성하는 핵심적인 은유(metaphor)들을 중심으로 통치성의 변화를 분석한다.[7] 푸코학파의 관

성되고 변형되어온 형성물로 바라볼 수 있는 장점이 있다"(이동수 2020b, 214).

6 이들 통치성(통치합리성)은 "각각 고유한 지식과 권력의 결합체를 사용하여 개인을 국가나 사회의 전체에 통합하려는 목표를 수행한다"(조연화 2020, 6).

7 "우리의 사유는 우리가 사용하는 단어들을 선택하지 않는다; 대신에 단어들이 우리 사유를 결정한다"(Embler 1954, 125; Landau 1961, 331). 의미를 생산하는 은유(metaphor)는 사람들이 세계를 어떻게 인식하냐를 결정한다(Meaning-producing metaphors structure the ways in which people make sense of the world)(Mottier 2008, 184). 은유는 세계관을 구축하는데 핵심적 역할을 하고 있기 때문에 우리는 은유를 통해서 세계관에 접근할 수 있다(Underhill 2011a, 13).

점에서 보면 은유들은 사회적·정치적 세계를 구성하며, 은유들을 통하여 권력관계를 강화하고 재생산 혹은 파괴하는 역할을 하고 있다 (Mottier 2008). 이 글에서는 북한의 통치담론의 핵심적인 은유(metaphor)들이 어떤 정치적 진실을 구성하며 이로부터 어떤 사회적·정치적 효과(effect), 즉 통치합리성이 만들어지나를 살펴볼 것이다.[8]

북한의 통치담론을 분석하기 위해 먼저 2절에서 통치성에 대한 이론적 논의들을 살펴보고 다음 3절에서 시장화 과정에 있는 북한을 보는 데 도움을 주는 중국의 '신사회주의 통치성'을 다룬다. 이후 4절과 5절에서 북한의 통치성을 시장화 이전과 이후로 구분하여 통치담론과 통치전략을 분석하고 6절에서 시장화가 진행되면서 나타난 '실리사회주의'와 '인민대중제일주의'의 담론 분석을 한다. 결론에서 통치담론 변화에 반영된 통치성의 변화와 함의를 논의한다.

---

8   언더힐(Underhill 2011b)은 체코슬로바키아 공산주의 통치담론의 핵심 은유들을 분석한 사례연구를 통해 어떻게 '통치담론의 핵심 은유'들이 공산주의 통치담론들을 "일관성과 논리를 갖춘 하나의 체계"로 만들어 주는가를 잘 보여주고 있다.

II. 북한 통치성 분석을 위한 이론적 논의

1. 미시적 수준의 "자유주의적 통치성" 접근의 한계와 대안적 접근들

북한의 통치성 분석을 위해서는 통치성이 미시적 수준뿐만 아니라 거시적 수준의 분석에도 적용 가능하다는 관점과 자율적 사회가 부재한 북한의 통치성을 국가를 중심으로 접근하는 '통치성에 대한 스테이트크래프트적인 관점'이 필요하다. 통치성 연구자들은 권력관계를 주로 미시적 차원에서 접근하는, 즉 미시물리학과 권력관계의 미시적 다양성을 배타적으로 강조하는 연구자들과 푸코의 통치성 개념을 미시적 차원의 분석뿐만 아니라 거시적 차원의 분석, 즉 통치화된 국가(governmentalized state)를 통하여 거시물리학과 전략적 체계화를 중시하는 학자들로 구분되기 때문이다. 미시적 차원의 분석에 치중한 연구들은 주로 자유주의 사회의 통치성을 다루기 때문에 사회주의 통치성을 분석하는 연구들은 거의 없었다. 자율적 사회가 발달된 서구사회에서는 미시적 수준의 통치성 분석이 가능하지만, 자율적 통치주체로서 시민이 없는 사회주의 국가에서 푸코의 통치성 개념은 적용하기 어려웠던 것이 사실이다. '자율적 주체로서 시민'이 없는 북한 사회주의 국가의 통치성을 분석하기 위해서는 통치성에 대해 거시적 수준에서 접근하는 관점을 취하는 것이 효과적이다. 권위주의적 사회주의 국가들에 대해서 통치성 분석 연구의 가뭄은 중국의 권위주의적 사회주의 체제가 시장화되면서 해소되었다. 시장화가 본격적으로 이뤄지면서 중국은 정치분야에서는 권위주의 체제를 유지했지만, 정치를 제외한 경제분야에서 자율적인 주체가 활동하는 사회적 공간을 허용했다. 시장화가 된 중국, 즉 시장과 권위주의 정치체제가 공존하는 중국은 미시적 수준의 통치성 연구자들에게도 매력적인 연구대상이 되었고 많은 미시적 수준의 차원에서 통치성 연구가 이루어졌다. 미시적 수준의 차원에서 시작된 권위주의 사회의 중국에 대한 통치성 연구들은 점차 정치와 사회를 함께 보는 거시적 수준의 통치성 연구로 나아가기 시작하고 있다.

2. 통치성에 대한 스테이트크래프트(statecraft)[9]적 접근

시민사회가 발달하지 않은 북한의 사회주의 통치성을 살피기 위해서는 국가 중심의 거시적인 관점의 통치성 접근이 필요하다. 사회주의 통치성에 대한 연구는 통치성 연구의 주류가 아니었다. 통치성 연구들을 살펴보면 대부분이 자유주의 국가를 대상으로 한 연구들이지 사회주의 국가들에 대한 연구는 상대적으로 매우 드물다. 그 이유의 하나는 대부분의 통치성 연구들은 푸코의 신자유주의 통치성 개념에 입각

---

9 'statecraft'라는 용어는 치국책(治國策), 국가통치술, 국가경영술, 경국치세도(經國治世道)로 번역되는데, 우리말에 외래어로 수용된 리더십처럼 'statecraft'도 스테이트크래프트로 쓰는 것이 'statecraft'의 함의를 살릴 수 있다고 보아 여기서는 '스테이트크래프트'로 사용한다.

해 자유주의 사회를 다루었기 때문이다(Jessop 2010, 56). 영·미중심의 영국학파라 불리는 통치성 학파는 통치성을 미시적 수준에서 분석하고 거시적 차원의 분석을 무시하였다. 이들은 푸코가 국가이론에 대한 논의에 부정적이라는 입장을 취하고 있다. 푸코가 국가에 대한 일반적 이론화들-사법적·정치적, 맑스주의 혹은 현실주의 국가이론들에 대해 강한 비판적 입장을 취하고 정통적 맑스주의와 공산주의 정치실천에 대한 적대감을 숨기지 않았던 것은 사실이다. 푸코가 사회권력에 대한 아래로부터의 접근을 주장한 것으로 유명한 것은 사실이다. 푸코에게 권력은 주권 안에서보다 사회 규범과 제도들, 다양한 형태의 지식에 존재한다. 그러나 푸코의 1970년대 중반의 저작들 『사회는 지켜져야만 한다』와 『안전 영토 인구』 그리고 『생명(관리)정치의 탄생』은 국가성(statehood)과 스테이트크래프트(statecraft)로의 결정적인 전환을 보여준다. 영국의 통치성 학파들은 푸코가 권력관계들의 '체계적 통합을 위한 핵심적인 장소'로서 국가의 중요성을 인식하고 있다는 사실을 간과한다.[10] 제솝(Jessop)은 영국의 통치성 학파들의 이러한 입장을 반박하고 푸코의 통치성은 미시적·거시적 차원에 적용할 수 있으며 푸코의 통치성은 국가의 장에서 스테이트크래프트(statecraft·통치기술)를 분석하는데 유용하다고 주장하고 있다(Jessop 2010, 60). 푸코는 자유주의 통치성에 대한 연구인 『생명관리정치의 탄생』(The Birth of Biopolitics)에

---

10 푸코의 통치성 개념은 국가 안에서 그리고 국가를 통해서(in and through the state) 행사되는 정치적 지배의 성격의 관점에서 통치성의 변화를 보이고 있고 영국의 통치성 학파는 이를 간과하고 있다(Jessop 2010, 61).

서 통치성 혹은 통치실천을 국가의 거시적 조직들(The macroscopic orga-nization of the state)과 정부의 통치에 대한 사유와 연관시키고 있다. 여기서 푸코는 통치성의 미시적 분석과 거시적 분석의 결합을 주장하고 있다.[11] 푸코는 이전의 권력의 미시적 분석을 국가와 정치경제에 관한 거시적 수준의 문제들로 확대할 것을 제안하고 있다.

두 번째로 사회주의 통치성에 대한 연구가 드문 것은 푸코 자신이 사회주의의 독자적인 통치성은 없다고 주장[12]한 것도 영향을 끼쳤다. 사회주의에는 "통치합리성, 즉 통치행위의 양식과 목표의 폭을 이성적으로 계산할 수 있는 방식으로 측정하기 위한 척도가 사회주의에서는 정의되어 있지 않다는 것"(Foucault 2012, 143)이다. 푸코에 따르면 사회주의는 "통치의 내재적 합리성"을 갖고 있지 못하기 때문에 독자적인 통치성을 갖지 못하고(Foucault 2012, 146), "자유주의 통치성 내에서, 자유주의 통치성과 접속되어서 존재했고, 또 실제적으로 작동했다"(Foucault 2012, 144). 푸코가 볼 때 독자적인 통치성이 없는 사회주의에는

---

11 푸코는 『생명관리정치의 탄생』에서 통치성의 미시적·거시적 분석의 통합을 분명하게 말하고 있다. 푸코에 따르면 "광인, 병자, 비행자, 아동 등의 품행 인도를 분석하는 것이 문제시될 때 유효한 이 통치성은 이와는 완전히 상이한 차원의 현상들을 논의할 때에도 즉 경제 정책이나 사회체 전체의 관리 같은 현상들을 논의할 때에도 유효하다. 미시권력의 분석 혹은 통치성의 절차의 분석이 정의상 일정한 단계의 특정 영역에 국한되는 것이 아니라, 그 차원과 무관하게 모든 차원과 관련해 유효할 수 있는 하나의 관점, 하나의 해독방법이기 때문이다"(Foucault 2008, 186).

12 "역사적 합리성, 경제적 합리성, 행정적 합리성 같은 이 모든 합리성을 우리는 사회주의에서 식별할 수 있다. 그러나 사회주의의 독자적인 통치성은 존재하지 않는다"(Foucault 2012, 144).

"그 내부에 통치성과 행정의 융합 및 연속성이 일종의 거대한 블록을 이룬 초행정국가(a hyper-administrative state)인" 내치국가(the police state)의 통치성 안에서 작동하는 "행정장치의 내적 논리(the internal logic of an administrative apparatus)"만이 있을 뿐이다(Foucault 2012, 144).

푸코는 전체주의 국가에서는 아예 통치성이 없다고 본다. 푸코는 1982년의 『주체와 권력』이라는 글에서 권력이란 단순히 물리력이나 폭력과 동일시될 수 없으며 물리력이나 폭력을 사용하지 않는 방식으로 자유롭게 행동할 수 있는 개인을 대상으로 하는 경우에만 권력이 된다고 주장한다(Foucault 1982, 220). 푸코가 볼 때 전체주의 국가는 "위에서부터 아래로, 어떠한 틈이나 공백 없이, 또한 어떤 가능한 편향 없이" 결국 통제를 통한 일종의 단일성을 이루는 국가(Foucault 1977, 386; 홍태영 2012, 63)이다. 자율적인 개인이 없는, 통제만이 있는 전체주의 사회에서는 권력이 존재할 수 없다.

푸코의 사회주의와 전체주의에 통치합리성이 부재한다는 이와 같은 입장과 달리 미첼 딘(Mitchell Dean)은 사회주의와 전체주의에도 '권위주의적 통치합리성'이 존재한다고 보았다. 딘은 '권위주의적 통치성' 개념틀을 도입하여, 사회주의와 전체주의에 대한 통치성 연구의 길을 열어주었다.

3. 딘(Dean)의 권위주의 통치성

자유주의 국가들을 대상으로 한, '자율적 개인들의 권력관계' 분석에 입각한 자유주의 통치성 연구는 개인의 자율성을 허용하지 않는 전체주의 사회에 적용하기 어렵다. 딘은 통치성에 대한 연구들이 자유민주주의 국가들의 통치 연구에 집중되어 있는 것을 문제로 지적하고 있다(Dean 2009, 155). 딘이 볼 때에 기존의 통치성 연구들이 다루는 통치의 문제들은 자유민주주의 국가들의 영역 안에서 주로 찾을 수 있는 문제로 한정되어 있다. 이들 미시적 수준의 통치성 연구는 "자유민주주의 국가들의 안에 있거나 밖에 있는 비자유주의적이고 권위주의적 통치의 문제들"을 포기하고 있다. 기존의 자유주의 통치성 개념틀로는 "자유민주주의 국가들에서 인종 주제가 흔하게 나타나고 있다는 점과 신자유주의뿐만 아니라 신보수주의가 부상하는 것"을 분석할 수 없다.

딘은 기존의 자유주의 통치성의 틀에 입각한 연구로는 분석할 수 없는 '자유주의적 통치성'과 구별되는 '비자유주의적인 사회주의 국가의 통치성'을 분석하기 위해 '권위주의적 통치성' 개념을 도입하고 있다(Dean 2009, 155-173). 딘에게 '권위주의적 통치성' 개념은 "나치독일과는 매우 다른 통치기술들이나 통치합리화를 사용하지만, 나치독일과 다를 바 없는 중국"처럼 본질적으로 권위주의 국가의 통치의 기술들과 합리화를 분석할 수 있는 도구이다.[13] 권위주의 통치성은 사회적 통치와 함께 지난 세기의 특징인 산업사회의 인구들에 나타난 위험을 통제하는 두 가지 대전략들 중 하나이다(Dean 2009, 173).

---

13 중국은 "중국의 정책이 개인 주체의 선택이나 열망 혹은 능력에 의존하지 않는다
    는 점"에서 비자유주의적 국가이다(Dean 2009, 169).

권위주의 통치성은 "자유로운 주체라기보다는 복종하는 주체들을 통해 통치하려고 하는, 적어도 권위에 대한 어떤 반대도 무력화시키려고 하는 권위주의 유형의 통치나 비자유주의 통치"(Dean 2009, 155)를 가리킨다. 이 권위주의 통치성 용어는 "책임 있는 자유라는 속성을 가지지 못한 인구들에게 적용될 수 있는, '자유주의 통치 자체에 내재되어 있는 통치실천들이나 합리화 명분'들을 포함하고 있다". 비자유주의적 통치제도는 개인과 시민의 권리들을 보호하는 법의 지배로 대표되는 제한 정부의 개념을 받아들이지 않는다는 점에서 자유주의적 통치제도와 구별된다(Dean 2009, 177). 이와 같은 구별에도 불구하고 비자유주의적 통치제도들은 두 가지 점에서 자유주의와 유사하다. 첫째, 비자유주의적이거나 자유주의적 통치제도들은 주권과 생명정치의 요소들을 유기적으로 통합시키는 과제를 갖고 있다. 둘째, 자유주의적이나 비자유주의적 형태의 통치들은 모두 인구를 구성하는 과정들, 특히 생명과정들의 최적화라는 생명-정치적 임무를 수행하는 것을 목적으로 하고 있다. 자유주의체제이거나 비자유주의체제들은 일반적으로 동일한 통치합리성의 요소들을 내포하고 있다. 그러나 이들 체제가 강조하는 주권과 생명-정치(bio-politics)의 요소들은 다르며, 이들 체제들이 주권과 생명정치의 요소들을 통합하는 방식도 다르다. 비자유주의체제들은 인종과 혈통과 조국 개념을 중시하지만, 자유주의체제들은 인구, 법, 민족의 개념을 중시한다.

다음으로 북한처럼 권위주의적 사회주의 국가인 중국의 통치성을 살펴보고자 한다. 권위주의적 사회주의 국가인 중국은 시장화를 거치면서 새로운 사회주의 통치성을 보여주고 있기 때문에 시장화가 진전되는 북한의 통치성 연구에 디딤돌이 될 수 있다.

III. 중국의 신사회주의 통치성

과거 개혁개방 이전의 중국의 통치성은 중국과 서구 소련의 다양한 출처에서 나온 통치합리성과 테크놀로지들이 혼합된 통치성을 보여준다. 개혁개방을 통한 시장화가 본격화되면서 중국에 대한 통치성 연구가 시작되었다. 중국에서는 모택동 이후 기간에 일어난 정치이데올로기의 변화와 함께 개혁개방 이후 인구가 통치되는 방식에서 근본적인 변화들이 일어났다. 많은 연구들이 우생학과 인구통제에 대한 중국의 정책들, 이주노동자들, 교육, 직업주의, 공동체 건설, 기록 보존 등에 관한 중국 정책들에서 일어난 변화들을 이론화하는데 신자유주의적 통치성 개념을 적용하였다(Palmer and Winiger 2019, 156). 그러나 정치와 사법제도에 자유에 대한 신념들이 뿌리내리지 않은 중국에서 자유주의 통치성 틀을 적용하는 것은 매우 어려운 일이다. 신자유주의 통치성을 중국 통치성 연구에 적용한 연구자들은 신자유주의적 통치성이 어떻게 확실히 반자유주의적(illiberal)인 사회주의 정권 안에 적용될 수 있는지를 설명하는 데 어려움을 겪었다. 시글리(Sigley 2006, 489)는 시장화 이후의 중국에서 사회주의-신자유주의 혼합형의 정치적 합리성을 찾아내고 있다. 현대 중국의 통치성을 정치적이며 테크노크라시적인 의미에서는 권위적이지만 피치자들 자신의 자율성을 통해 피

치자들을 통치하는 혼합형 사회주의-신자유주의 통치합리성으로 제
시하고 있다. 이들 연구에서 설명된 통치전략들이 '신자유주의적'으로
해석될 수 있을지는 의문으로 남아있다. 이 혼합형 개념은 이 개념이
'무리하게 확장된 개념'이 될 위험이 있다(Kipnis 2007, 384).

중국의 통치성을 설명하기 위해 신자유주의적 통치성을 적용하지
않고 일부 연구자들은 모택동 시대의 혁명유산의 존속과 함께 글로벌
자유시장 자본주의에서 나오는 담론들과 실천을 통한 사회주의의 재
창조를 강조하기 위해 '신사회주의'의 개념들을 사용하고 있다. 피케
(Pieke 2009, 9-10)는 중국 사회에서 공산당의 레닌주의 지도역할을 지지
하고 현대화하고 강화하는 통치합리성으로 '신사회주의'를 제시하고
있다. 그는 '신사회주의'를 "'사회주의 고유의 사상과 실천들'과 '서구의
신자유주의 사상과 실천에서 나온 통치사상과 기술'의 혼합"으로 정의
내리고 있다. 호(Ho 2015)는 신사회주의의 특징으로 시장과 재산권의
논리와 레닌주의 당-국가 권력구조와의 새로운 결합을 제시하고 있다.
신사회주의는 사회주의의 순수한 목표를 갖고 있으면서 인민들이 일
상생활에서 선택하도록 허용하며 또한 인민들의 지배적 경제윤리로
개인의 책임을 택한다. 이와 같은 혼합을 통하여 1980년대부터 나타
난 주체 형성과 통치방식을 신사회주의 통치성이라고 개념화할 것을
제안한다. 신사회주의 통치성(neo-socialist governmentality)은 정치적 주체
안에 3개의 상이한 형태의 주체들을 결합시키려고 한다. 공산당의 초
월적 권위에 충성하며 공산당의 시장과 국가에서 지도적 역할을 신뢰
하는 사회주의 주체(socialist subjectivity)와 시장에서 생산자와 소비자로
서 자율적으로, 효율적으로 활동할 능력을 갖춘 시장형 주체(a market

subjectivity) 그리고 서구자유주의 사회의 가치와 함께 중국 문명과 전통과 장점들을 함께 받아들이고 있는 문명화된 중국 주체(a civilized Chinese subjectivity)들이다(Palmer and Winiger 2019). 이들 세 가지 통치합리성을 하나로 합치는 것은 본질적으로 불안정할 수밖에 없다. 이 신사회주의 통치성(neo-socialist governmentality)의 핵심 문제는 이 세 가지 다른 통치합리성과 이 통치합리성과 연결된 중국당국들이 갖고 있는 원심력을 어떻게 통제하여 이 결합을 유지하는가이다. 이 점에서 신사회주의 통치성은 고정된 것이 아니라 상황에 따라 균형을 유지하는 유동적인 통치성이다.[14] 자유주의 통치성에 비해 여러 개의 이질적인 통치성을 결합한 신사회주의 통치성은 그 유동성이 더 강할 수밖에 없다.

신사회주의 통치성을 주장하는 학자들은 1990년 이후의 시장개혁 도입 후 다른 사회주의 정권들, 1990년대 이후의 베트남과 쿠바의 통치성도 신사회주의 통치성에 들어간다고 보고 있다. 왜냐하면, 이들 국가들은 중국처럼 레닌주의 조직들과 이념과 시장합리성, 국가정체성 건설의 혼합을 통해 사회주의에 새 생명을 주려고 시도하기 때문이다. 이들은 시장개혁을 시작한 북한의 통치성도 신사회주의 통치성으로 분석이 가능하다고 본다(Palmer and Winiger 2019, 561).

---

14 통치성의 유동성은 푸코 자신이 정의한 통치성에 본질적으로 내재되어 있다.

IV. 북한형 사회주의 통치성

1. 가정의 은유: 사회주의 대가정

북한의 통치성을 구성하는 핵심적인 통치담론은 '사회주의 대가정'이라는 담론이다. 이 담론은 '사회주의 대가정'이라는 은유(metaphor)에 입각하고 있다.[15] 국가를 가족(가정)으로, 지도자를 아버지로 여기는 은유는 정치의 은유에서 일반적이다.[16] 통치 효율성의 관점에서 가족의 역할을 "기본 생산 단위이자 국가 이념을 실현하는 세포"(강진웅 2010, 141)로 규정한 북한은 전통적 친족의 약화를 추진했고 친족의 약화로 국가 지도자는 "전능한 지도자, 어버이, 무한한 사랑의 대상으로 우상화되었다"라고 강조한다(Ryang 2000). '사회주의 대가정' 담론에 따르면 수령을 어버이로 하는 소위 '사회주의 대가정'의 가족성원인 북한 주민들은 "자녀들이 부모를 섬기듯 어버이인 수령을 믿고 사랑하며 충

---

15 사회주의 세계관이나 통치성은 은유(metaphor)를 통하여 이해할 수 있다. 세계관을 구축하는데 은유는 핵심적 역할을 하기 때문이다(Underhill 2011b, 13).

16 유교에서는 국가를 가족으로 군주를 아버지로 하는 은유를 통해서 효가 충의 근거가 된다. 즉 가족 도덕인 효를 국가까지 연장해서 통치의 정당성을 확보한다. 가족의 은유는 미국 정치세계관 형성에 중요한 역할을 한다. 레이코프는 아버지 은유 중 엄격한 아버지 은유모델과 자애로운 아버지 은유모델 중 어느 하나를 받아들이냐에 따라 공화당과 민주당의 정치적 정체성이 결정된다고 주장한다(Lakoff 2010, 55-60).

성과 효성을 다해야 한다". 다른 사회주의 국가에서는 찾아보기 힘든 '사회주의 대가정'의 담론이 확고하게 자리 잡을 수 있었던 것은 유교 사회의 전통인 효의 도덕 가치와 부모가 자식을 돌보는 것처럼 국가가 배급을 통해 식량과 기초적인 복지를 제공했기 때문이다. 북한에서 사회주의 대가정론은 "수령·당·인민대중을 하나의 사회정치적 생명체로 묶는" 담론의 역할을 수행한다. 국가지도자인 수령을 '자식을 돌보는 아버지'로 상정하는 '사회주의 대가정' 은유는 당과 인민 사이에서 심판·감독으로 개입하는 지도자를 정당화한다. '사회주의 대가정' 은유를 통해 북한에서 지도자는 노동당의 대표들의 일원이 아니다. 당과 인민 위에 군림하는 아버지이다. '사회주의 대가정' 은유는 부모가 자식을 돌보는 것처럼 국가가 배급제를 통해 기본적인 인민의 복지를 제공할 수 있는 한 피통치자의 신뢰를 얻지만, 국가가 '돌봄'의 역할을 제대로 수행하지 못할 때는 어버이로서 지도자의 은유의 효과는 사라진다. '고난의 행진'이라는 대기근을 겪은 후 '사회주의 대가정'의 담론은 쇠퇴의 길을 걸었다.

2. 심판과 감독으로서 지도자 은유: 지도자-관료-인민의 관계

사회주의는 당과 정부의 대리인(관료)에 의한 통치에 기반하고 있다. 북한에서 지도자는 최고의 존재로 인민과 관료의 관계를 관리·감독하는 관리자이며 심판자로 통치합리성을 구현한다. 이를 위해 북한의 지배권력은 "중간관료층을 배제한 지배권력과 대중의 직접적 관계"[17]를 구축했다. 당의 관료와 인민의 사이에서 지도자의 개입이 제도화되어 있다. 직접적 관계의 제도화는 '지도자의 현지지도'와 당중앙위원회가 직접적으로 진행하는 '집중지도사업'을 통해 이루어졌다. 지도자의 현지지도는 지도자가 당과 인민을 초월한 존재로 당과 인민 사이에 개입하는 장치이다. 지도자의 직접개입은 지도자-일꾼(관료)-인민대중의 위계적 질서를 '지도자-일꾼(관료)', '일꾼(관료)-인민대중', '지도자-인민대중'의 3개의 관계구조로 변화시켰다(박상익 2008, 164). 1950년대 말부터 북한은 "집단적 혁신운동, 천리마작업반운동 등 대중동원운동을 통해 중간 관리층을 무력화시키고 중앙과 현장이 직접 관계를 맺는 관리방식"을 제도화했다(박상익 2008, 163-164). 현지지도는 "공산주의석 령도방법의 위대한 모범"으로 제시되고 있다. 현지지도는 "언제나 인민대중의 힘과 지혜를 무한히 신뢰하고 인민대중이 살고 일하는 현지에 혁명과 건설이 들끓는 현실 속에 들어가 실정을 깊이 알아보고 문제해결의 올바른 방도를 세우며 대중의 자각적인 열성과 창발성을 불러일으켜 모든 문제를 풀어나가는 가장 혁명적이며 과학적이며 인민적인 방법"(리근모 1978, 35; 김종욱 2007, 20)으로 찬양되었다. 지도자가 일꾼(관료)을 통하지 않고 '지도자-인민대중'의 관계에 의존하는 것은 지도자의 초월적 지위를 정당화하는데, 즉 '유일영도'라는 독재를 합리화하는데는 효과적이었지만 국가의 운영에서는 가장 비효율

---

17   지도자의 직접적 개입은 "중간관료층을 통제하기 위한 '우회전술'이기도 했으며, 지배권력의 상징성을 강화함으로써 지배의 안정성을 추구하기 위한 전술"(김종욱 2007, 82)이다.

적인 결과를 낳았다. 지도자의 직접개입이 강화되면 될수록 일꾼(관료)들의 소외도 커졌다. 정책의 집행자인 관료들의 소외는 효과적인 정책 집행을 방해하여 저조한 정책성과를 낳았고 이는 다시 집단적 혁신운동, 천리마작업반운동 등 대중동원운동에 의존하는 악순환 구조를 만들었다.

현지지도는 정책집행에서 가장 비효율적인 결과들을 초래했지만 '유일영도'의 통치를 합리화하는데는 매우 효과적이었다. 현지지도는 '사회주의 대가정'의 은유와 연결되어 있다. '자애로운 아버지로서의 지도자' 은유는 '현지지도'를 통해 구현되고 있다. 이교덕(2002, 2)은 현지지도를 통해 "'어버이 수령'이라는 이미지 강화와 수령의 절대적 능력을 정당화"시킨다는 점을 지적하고 있다. "열악한 도로조건이나 교통수단에도 불구하고 방방곡곡을 찾아 지도한다는 것"은 "인민의 생활을 친어버이 심정으로 보살피시는 자애롭고 영명하신 인민의 수령"의 이미지를 구현한다(이교덕 2002, 2). 현지지도는 "인민을 끝까지 사랑하시고 아끼시며 인민의 생활을 친어버이 심정으로 보살피시는 자애롭고 영명하신 인민의 수령 김일성 동지의 한없이 고매한 덕성을 보여주는" 통치방식으로 선전되고 있다(이교덕 2002, 9).

3. 안전보장의 은유

북한 사회주의 통치합리성은 안전에 대한 욕구를 충족시킨다. 생명관리정치(bio politics)에서 안전보장은 핵심적 본질이다.

인구에게 국가가 협약으로서 제기하는 것은, "당신은 보장될 것이다." 불확실성, 사고, 피해, 위험 등과 같은 것으로부터 보호될 것이다. 사회보장제도, 좋은 경찰감시망 등이 그러한 위험으로부터 당신의 안전을 보장할 것이다. 안전을 보장하는 국가는 일상의 삶이 어떤 예외적 사건에 의해 구멍이 나는 모든 경우에 개입한다. 주권은 영토의 경계 내에서 행사되고, 규율은 개인의 신체에 행사되며, 안전은 인구 전체에 행사된다(Foucault 2011, 31; 홍태영 2012, 54).

안전보장 중 평화·질서·안정에 대한 보장을 북한은 통치합리성의 중요한 근거로 내세우고 있다. 호전적인 이미지의 북한이 안전보장을 내세우는 것은 역설적이지만 한국전쟁의 기억이 트라우마로 남아있는 북한사회의 인민들에게 설득력이 있다.[18] 북한은 안전에 대한 불안을 이용하여, 전시상태에 대비해서 준전시 상태의 비상적 통치를 받아야 되는 이유를 끊임없이 주입시킨다.[19] 북한에 1953년 이후로 전쟁이 없

---

18 북한 주민들에게 평화와 안전이 얼마나 중요한 가치인가를 이해하기 위해서는 이사야 벌린이 이상적 사회의 6개 요건으로 평화·질서·안정, 부정적 자유, 관용, 프라이버시, 겸손, 소속감을 제시하고 이 중 가장 중요한 첫 번째 요건으로 평화·질서·안정을 들고 있는 점을 살펴볼 필요가 있다. 벌린이 평화·질서·안정을 이상적 사회의 제일 중요한 요건으로 보는 것은 2차세계대전을 겪은 개인적 경험에서 볼 필요가 있다(Hiruta 2018, 25-37).

19 "내외호전광들의 전쟁책동을 저지 파탄시키는 것은 현정세의 절박한 요구"(데일리 앤케이 2012).

었다는 것은 분명한 사실이다. 강력한 군사력의 확보로 한반도에서 전쟁을 방지하고 평화를 유지하고 있다는 것을 통치의 업적으로 내세우고 있다. 강력한 군사력으로 전쟁을 방지하는 국가는 강성대국의 은유(metaphor)로 제시되고 있다.[20]

4. 사회주의 통치합리성

사회주의 계획경제의 대실패인 역사적 대기근을 겪으면서 북한 사회주의 체제가 존속했다는 것은 북한 인민에 대한 강제력만으로는 설명하기 어렵다. 고난 속에서도 사회주의 통치합리성에 대한 믿음의 효과가 남아있었다고 볼 수 있다. 러트란드(Rutland 1985)는 러시아 사회주의 체제가 보건분야에서 효과적인 체제라는 믿음을 소비에트 시민들은 갖고 있었다는 점을 지적하고 있다. 러시아 소비에트 체제를 비판하는 연구자들도 사회주의 체제의 긍정적인 요소로 보건 요인을 들고 있다. 미셸 푸코 역시 사회주의 체제의 경제적 합리성으로 보건과 복지를 지적하고 있다.

사회주의는 보건·사회보장 등의 영역에 대한 개입, 곧 행정적 개입

---

20 "우리가 자체의 힘과 기술로 인공지구위성 ≪광명성2호≫를 성과적으로 발사하고 제2차 지하핵시험을 성공적으로 진행한 것은 강성대국건설에서 장쾌한 승리의 첫 포성을 울린 력사적사변"(데일리앤케이 2010).

의 합리적 기술을 보유하고 있고 또 그것을 증명했다고 말할 수 있
다(Foucault 2012, 143).

북한 역시 동구사회주의 붕괴 이후 사회주의 체제의 장점으로 교
육과 보건분야를 내세우고 있다.[21] 북한은 1970년대까지는 의료분야
에서 어느 정도 성과를 거둔 것으로 볼 수 있다.[22] 북한 주민들에게
북한의 무상의료서비스는 북한 사회주의의 성과로 인식되고 있다. 북
한은 사회주의 체제의 가장 큰 서비스였던 식량배급에 실패하면서도
사회주의의 효율성의 상징인 '무상교육'과 '무상의료'만은 지켜내려고
안간힘을 쓰고 있다.

> 인민의 복리를 우선시, 절대시하고 모든 혜택을 인민들에게 돌리는
> 데 우리 사회주의의 본태가 있다. 어버이수령님께서 마련해주시고
> 우리 당과 국가가 력사적으로 실시하여온 무상치료제, 무료의무교
> 육제를 비롯한 인민적시책들이 인민들의 생활에 더 잘 미치게 하여
> 야 한다(데일리앤케이 2010).

인민들이 사회주의 보건제도의 우월성을 실감할 수 있게 제약공장

---

21 북한 신년사에서 교육과 보건은 사회주의의 장점으로 반복되어 제시되고 있다.

22 "비록 북한이 선전한 정도는 아니더라도 휴전 이후 1970년대 초반까지 생산, 교
    육, 보건, 의료 제도에 있어 괄목할 만한 개선이 이루어졌다고 여겨진다"(박경숙
    2013, 179).

들과 의료기구공장들을 현대화하고 의료기관들의 면모를 일신하며

의료봉사수준을 높여야 합니다(서울평양뉴스 2019).

5. 차별과 격리의 통치합리성: 사회주의 인종주의

푸코는 계급개념에 입각한 사회주의에 차별의 인종주의가 내재되

어 있다고 주장한다(Foucault 2015, 312-313). 인종주의가 적용되는 사회

주의 국가 내의 적들은 정신질환자, 범죄인, 정치적 반대자들이다. 북

한은 사회계급 및 출생성분에 따라 차별과 격리의 인종주의를 적용하

고 있다. 사회주의에 차별의 인종주의가 내재되어 있다는 점을 고려하

더라도 북한의 계급과 성분에 의한 차별은 역사상 유례가 없는 수준

에서 행해지고 있다. 북한은 '성분' 제도를 통해 주민들을 3개의 광범

위한 계급과 약 51개의 세부 계층으로 분류한다.[23] 성분에 따라 "주거,

직업, 식량 접근권, 의료, 교육 및 기타 서비스"가 결정된다. 북한 주민

들은 '성분'에 따라 '지리적 분리'를 강요당한다.[24]

'성분'은 출생부터 모든 주민들의 진로를 결정하는 주요 요인이었

다. 좋은 '성분'인지가 군대(특히 엘리트 부대), 대학 및 조선노동당에 들어

---

23 3개의 확대분류는 핵심군중, 기본군중, 복잡(동요 및 적대)(통일연구원 2014, 135-
   150).
24 "하위 또는 중간 성분의 일반 주민들은 평양에서 거주하는 것이 불가능하며 심지
   어 평양 여행증을 발급받는 것조차 어렵다"(통일연구원 2014, 135).

갈 수 있는지를 결정지었는데, 이것은 공공서비스 분야 모든 진로에서의 필수 전제 조건이었다. 반대로, 나쁜 '성분'인 사람들은 상당수가 채굴과 농사일을 배정받았고 그들의 자손들은 대부분 고등 교육에서 배제되었다(통일연구원 2014, 137). 이러한 성분구별에서 좋은 성분에 소속한 이들은 차별과 분리의 사회주의 인종주의의 통치합리성에 대해 내면적으로 동의하게 된다.

V. 시장의 도전과 통치담론의 변화

1. 권력의 상품화를 통한 수평적 지배질서의 도전

위계에 입각한 수직적 지배질서로 이루어진 김정은 정권의 지배구조는 시장이 초래하는 수평적 지배질서의 대두라는 도전을 받고 있다. 기존 권력구조는 '유일영도'의 지도자 김정은을 정점으로 하는 수직적 위계질서다. 이러한 수직적 위계질서에서 지배권력은 독점적이며 중앙집권적이다. 상품거래에 입각한 교환의 체제로서 시장은 지배권력도 교환거래가 가능한 상품으로 바꾸어버리고 있다. 일반적으로 부패라고 부르는 메커니즘을 통해 권력은 분할되고 거래가능한 상품으로 바뀌어 버린다.[25] 계획경제와 명령경제에 입각한 북한이 시장화를 제한적으로 수용할 때 시장화와 부패는 분리될 수 없다. 부패 행위는 거래 행위다. 시장의 확산과 심화로 시장은 부패(거래)를 통해 권력을 사고 팔수 있는(transactional) 상품(commodity)으로 만든다. 권력이 상품화된다는 것은 수직적 위계질서에서 존재하던 권력이 수평적으로 옮겨 갈 수 있다는 것을 의미한다. 위로부터 아래로 향하는 권력이 상품화되어 거래가 되는 경우 상·하의 위계질서는 의미가 없어진다. 돈으로 수직적 위계질서의 어느 위치(지위)에서 행사하는 권력을 살 수 있는 권력의 상품구입자에게는 구매력만이 문제일 뿐이다. 독재정권에서 권력의 유지는 충성을 바치는 하급자에게 충성의 대가를 제공하는 묵시적인 계약관계에 의존하고 있다. 권력자로부터 받는 충성에 대한 보상이 시장에서 얻는 이익보다 작을 때 권력은 약화될 수밖에 없다(김종욱 2008, 389, 393). 2019년 4월 2일 개최된 최고인민회의 14기 첫 회의 시정연설에서 김정은이 부정부패와의 투쟁을 전면에 내세우지 않을 수 없었던 것은 권력기관의 부패가 권력을 약화하는 심각한 수

---

25 푸코의 권력관에 따르면 권력은 소유되거나 교환될 수 없다. 푸코의 권력개념은 사실상 권력관계로 환원된다. 푸코 자신도 권력관계와 권력을 구분하고 있지 않고 사용한다고 말하고 있다. 그러나 여기서 "권력을 소유·양도할 수 있는 것"으로 보는 전통적인 권력관을 적용하는 이유는 푸코의 통치성 개념틀에서 거래(transaction)개념은 매우 중요한 위상을 차지하기 때문에 거래(transaction)를 부각시키려는 의도 때문이다. 푸코의 권력관계에 입각한 통치성 개념에서 권력관계들의 연계성과 권력관계들 간의 상호작용은 중시된다. 국가이성에 입각한 북한의 통치성이 시장의 영향을 받아 변화할 수 밖에 없는 것은 "시장이 갖는 거래(transaction) 기능" 때문이다. 푸코에게는 국가의 통치는 다수의 통치성, 즉, 통치의 힘(force)들의 상호작용의 결과물(effect)이다. 그 상호작용을 푸코는 거래(transaction)로 표현한다. 푸코에게 거래(transaction)는 'deal'과 동의어다. 푸코에게 통치는 다수의 통치성 혹은 권력관계 힘들이 끊임없이 상호 간에 'deal'을 통해 벌이는 게임이다. 통치는 그 게임의 결과이다.

준에 도달했다는 것을 말해주고 있다. 김정은은 이 연설에서 "인민의 이익을 침해하는 세도와 관료주의, 부정부패를 반대하는 투쟁을 국가 존망과 관련되는 운명적인 문제로 내세우고 그와의 단호한 전쟁을 선포했고, 강도 높은 투쟁을 벌이도록 했다"고 부패의 심각성과 그 위협에 대한 대처가 북한정권이 직면한 중대한 문제임을 공개적으로 강조했다. 부패를 정권의 심각한 위협으로 인식하고 부패와의 전쟁을 선포할 정도로 부패는 심각하다. 2018년 12월에 김정은을 경호하는 약 10만명의 정예 병력을 보유하고 있는 매우 강력한 권한을 가진 '북한판 친위대'인 호위사령부 산하 연못무역회사에서 역대 최대 규모의 횡령 및 축재 사건이 발각되었다. 일본 도쿄신문은 2018년 12월 11일 노동당 조직지도부의 검열을 받고 북한 호위사령부 정치부 책임자가 수백만 달러의 미화를 몰래 소지한 혐의로 숙청됐다고 보도했다(RFA 자유아시아방송 2018). 연못무역회사에서 "해외 판매자금을 조작하고 외국업체로부터의 리베이트, 간부 승진·보직은 물론 자녀들의 해외 일자리를 봐주면서 챙긴 뇌물"의 액수는 2000만 달러에 달했다. 부패의 검열 결과를 보고받은 김 위원장이 "어떻게 됐길래 한 단위에서 이렇게 많은 달러를 빼돌릴 수 있었느냐"고 의아해할 정도로 부패의 규모는 역대 최고 수준이었다(중앙일보 19/04/19). 2020년 2월 29일 당 중앙위원회 정치국 확대회의에서 김정은은 당 서열 1순위 부서인 조직지도부 수장인 리만건 조직지도부장을 "우리 당 골간 육성의 중임을 맡은 당간부양성기지"[26]에서 부정부패 발생에 대한 책임을 물어 해임했다. 북한에서 조직지도부는 당 간부에 대한 인사를 결정하는 최고권력기관으로 노동당 전문부서 중 최상위 권력 기관이다. 권력기관인 호위사령부와 조직지도부에서 부패발생은 김정은 정권에게는 심각한 위협이다.

권력의 상품화를 통해 통치자가 독점했던 권력의 공유가 일어나고 있다. 지배엘리트만이 접근할 수 있었던 권력이 시장을 통해 거래되면서 권력은 공유된다. 북한이탈주민을 대상으로 한 연구에 따르면 북한이탈주민 대다수는 "북한사회에서의 많은 부분이 '돈'에 의해 해결할 수 있다"는 것을 확인해 주고 있다.[27] 탈북자의 증언에 따르면 과거 뇌물로는 불가능했던 "신분세탁"도 돈으로 해결되고 있다.[28] 한동호는 북한 주민들이 "뇌물을 공여하는 것에 대해" '사업'이라는 용어를 사용하고 있는 점에 주목한다(한동호 외 2018, 389). '사업'이라는 표현에는 '시장을 통한 거래(교환)'라는 인식이 포함되어 있다. 뇌물은 사업(business)의 일부로 받아들여져 이에 대한 부정적인 인식, 즉 도덕적으로 나쁜 것이라

---

26 "당간부양성기지"란 중앙과 지방의 노동당 고위간부들을 재교육하는 김일성고급당학교를 가리킨다. 김일성고급당학교는 "중앙당 간부와 각 도와 군의 상위 핵심간부 수명, 내각 및 인민군 등 주요 권력기관 간부 등 북한 체제의 근간을 이루는 고위간부들이 수개월에서 수년간 재교육을 받는 곳이며 잘못을 저지른 간부들의 단골 교육장소이다"(연합뉴스 2020).

27 "입당이나 일반대학 진학과 같이 예전에는 토대(성분)를 중심으로 결정되던 많은 것들이 이제는 경제력에 의해 해결될 수 있다"(한동호 외 2018, 389).

28 청진 출신의 한 탈북여성은 "장마당에서 감자국수와 들쭉술로 영업을 해서 온 집안 식구를 먹여 살렸다고 했다. 그렇게 번 돈으로 원래 종파분자 집안이라 앞날이 막힌 자식들의 성분기록을 전부 바꿔치기하는 데 성공했던 이야기도 자랑스럽게 들려주었다. 바꾼 성분으로 아들이 대학에 갈 수 있고 당원도 될 수 있게 되자, 이번엔 장마당에서 익힌 '고이기' 기술로 좋은 전공 분야에 입학할 수 있도록 했다"(정병호 2020, 314).

는 인식이 사라진다.

2. 비공식 네트워크의 확산: 시장 레짐(regime)의 대두

시장화가 본격적으로 도입되기 이전에도 북한은 비공식관계가 서로 안면이 있는 범위 안에서 작은 규모로 존재했다. 비공식관계를 허용치 않는 전체주의 성격의 사회인데도 불구하고 주민들이 비공식관계의 네트워크를 형성하게 된 것은 역설적으로 "국가의 전면적인 통치" 때문이다. "국가, 당, 관료가 생산과 복지의 중요한 권력이 되면서, 조직에 순응하고 안면관계에 힘써야 하고, 자기 능력보다 관계에 의존하는 행동방식"(박경숙 2013, 156)을 선택하게 되었다.

자기 주변으로 한정됐던 비공식네트워크는 교환과 유통의 효율을 위한 시장의 성장과 함께 공간적 제약을 뛰어넘으면서 폭발적으로 확산되었다. 평양과 지방도시, 지방도시와 지방도시를 연결하는 전국시장이 등장했다. 시장에서 거래를 위해서는 신뢰가 쌓여야 했고 거래의 효율화를 위해서는 네트워크가 제도화되어야 했다. 북한의 시장화는 정부가 통제하는 계획경제의 틀 안에서 진행되었기 때문에 규제의 권한을 갖고있는 관료들과의 제휴는 필연적이었다.[29] "이동과 거주의 자

---

29 "시장화현상은 분명히 아래로부터 시작되었지만, 시장의 작동 메커니즘은 역설적으로 권력기관의 관료들이 비합법적 비공식적 영역과 조직적으로 연계되어 있다"(김신 2020, 57).

유를 제약하고, 공식적으로 시장을 불허하는 북한 특유의 내부통제시스템"(김신 2020, 58)은 거래의 자유를 제약하여 시장에 참여하기 위해서는 통제권한을 갖고있는 관료들과의 제휴를 피할 수 없게 만들고 있다. 시장에 대한 통제가 만들어낸 "특혜와 편익, 지대추구로 공유된 이익의 공생관계"(김신 2020, 58)는 시장주체[30] 중에서 주도적 역할을 하는 돈주들의 성장과 함께 거대한 권력네트워크로 진화한다. 민간 자본과 권력기관과의 제휴가 확대되고 강화된데는 김정은이 집권 후 "시장 통제보다는 시장을 적극적으로 활용하는 전략을 취한 것"이 크게 작용했다(홍민 2015, 156). "시장 활동을 단속하고 관리·감독하는 소위 사법기관 및 사법일꾼들은 물론 거의 모든 국가기관 자체가 시장 시스템의 구성요소로서 기능"하고 있다(홍민 2015, 156). 아래에서 시작된 '장마당'이 시장으로 확대·확산되면서 돈주들의 자본축적도 증가했다. 자금력을 가진 돈주들은 시장화 이후 국가 소유의 영역에 있던 생산·유통수단들을 사유화하고 있다. '관료와 돈주가 제휴한 권력네트워크'는 사실상 시장의 운영을 좌우하고 있다.[31] 이들의 영향력을 보면 사

---

30 경제 주체들은 "장마당의 매대 상인으로부터 달리기장사, 차판장사, 되거리 장사꾼(도매상인) 나아가 유통망을 장악하고 있는 거대(巨大) 돈주"(김신 2020, 55)로 구성되어 있다.

31 "북한 주민이 스스로 만들어낸 사실상의 시장경제인 장마당은 지금도 계속해서 성장하며 그 영향력을 키우고 있다. 2000년 이후 거대 시장으로 발전한 장마당은 북한의 경제 및 사회 발전의 도화선 역할을 하고 있다. … 북한의 시장체제는 2018년 2월 현재 공인된 종합시장만 480개에 이를 정도로 규모가 커졌다. 북한 주민은 시장을 통하여 생활수요의 80-90%를 해결하고 있다. 시장에서 일하는 시장주체는 100만명이 넘으며 시장 관련 종사자와 그 가족을 포함하면 북한 주민

실상 비공식 레짐의 수준에 도달한 것으로 보인다. 이들 네트워크는 중국 등 외부로부터 수입을 주도적으로 할 수 있는 위치에 있다. 수입과 유통을 장악한 이들은 정부의 역할 상당 부분을 대신하고 있다. 이들 네트워크의 영향력을 보여주는 사례를 살펴보면,[32]

김일성, 김정일 부자의 혁명역사를 가르치는 노천박물관 왕재산 혁명 전적지, 백두산 혁명 전적지 건설에 필요한 목재, 시멘트, 건설자재를 실은 열차들은 북한 내부에서 '5호선'으로 불리며 언제나 다른 열차들보다 우선 통과시키는 것이 원칙이다. 하지만 현실에서는 돈주들이 운영하는 석탄, 광석, 소금을 실은 열차방통들이 5호선 열차들보다 먼서 통과하는 경우가 빈번히 발생하고 있다. 열차 이동을 총지휘하는 사령실에서 각 역들에 뇌물을 받은 화물열차를 먼저 통과시키라는 지령을 내리고 있으며, 이로 인해 왕재산 전적지 건설자재는 제때 수송하지 못해도, 개인 소금 장사꾼의 열차는 통과하는 과거 북한체제에서는 상상조차 할 수 없던 국유재산의 사유

의 3분의 1 이상이 수입의 3분의 2 이상을 시장에서 벌어들이고 있다"(주성하 2018, 40).

32 "북한은 2012년 김정은 정권 들어 공장기업소마다 독립채산제에 기초한 경영자율권을 부여하고, 공장 자체로 원료의 조달과 생산물 제조와 판매, 심지어 대외무역권한까지 부여했다. 이에 따라 북한 내부에서는 돈 있는 사람들이 기업소 곳곳에 편입되어 중책을 담당하면서 사실상 경제를 이끄는 주역이 되었다. 김정은 정권이 경제분야에 대한 자율권을 부여하면서 북한 경제는 자금력을 갖춘 돈주들에 의해 대부분 좌지우지 되고 있는 것이다"(임을출 2015, 214).

화현상이 발생하고 있다(김신 2020, 65).

북한에 있는 "철도기관차 대수가 300대 정도인데, 그중 270대 정도의 운송을 개인이 좌우하고 있는 심각한 상황이 상급기관에 보고됐지만, 상부에서는 해당 보고를 사실상 무시하고, 상황을 묵인하는 실정"은 시장네트워크가 가진 힘을 보여줄 뿐만 아니라 북한의 통치가 시장의 협력 없이는 작동할 수 없다는 현실을 보여준다(김신 2020, 65).

VI. 신사회주의 통치성의 형성

1. '실리사회주의' 통치담론

북한에서 '실리'의 개념은 경제위기를 극복하기 위하여 '개건'과 '개선'이라는 이름으로 경제개혁을 하기 시작한 1998년에 등장하기 시작했다. 처음에 '실리'개념은 "낡은 관념을 반대하고 새로운 시대에 맞는 새로운 방법, 과학적 사고 등을 가리키는 개념으로 사용되었다". 그러나 경제개혁 추진과정에서 '실리'는 모든 경제 활동의 기본 원칙으로 자리잡기 시작하였다.[33] 경제효율의 개선을 위해 주로 사용되던 '실리'

---

33 북한의 한 출판물은 '경제적 타산을 하지 않고 되는 대로 일하던 시대는 지나갔다. … 실지로 리익을 보고 덕을 입을 수 있는 견지에서 경제 지도 사업을 해야

개념은 2002년에 '실리사회주의'로 정식화되었다.

'실리사회주의'는 제한된 시장경제 도입을 정당화하기 위해 제시되었다.[34] 시장경제 도입을 정당하기 위해서 '실리'를 사용한 것은 기존의 사회주의 지식담론 체계에는 큰 모험이다.[35] '실리사회주의' 담론을 만든 사람들이 가장 우려하는 것은 실리에 강조점이 주어져서 '실리사회주의'가 자유시장경제를 도입하기 위한 것으로 오인되는 것이었다. 이러한 오해를 피하기 위해 '실리사회주의' 담론의 해설자들은 '이윤=실리'라는 도식을 거부하면서, "실리란 개별적 단위가 아니라 집단주의의 견지에서 추구해야 할 목표라고 주장한다"(정영철 2004, 177). 이들은 "'7·1 경제개혁조치'에 의해 위에서의 계획이 줄어들고, 아래 단위의 창발성이 보나 강조뇌며, 철서한 계산을 상조하는 개혁에 대해서도 '자유경제가 아닌, 나라의 계획적인 지도로 보장되는 창발성'이라고 주

한다는 것을 강조하고 있다. 실리주의 원칙을 구현하기 위해서는 또한 현실발전의 요구에 맞게 공업구조를 변경시켜야 한다고 보고 있다'라고 지적하면서, 경제관리, 구조 등에 대한 실리 위주의 구조로의 변화를 주장하고 있다(정영철 2004, 176).

34 기존 연구들은 '실리사회주의'를 담론의 측면에서 주로 '경제개혁', '개혁개방 전략', '국가발전전략'의 측면에서 접근했다(김근식 2003; 김근식 2010; 김연철 2002; 박형중 2004; 박희진 2007; 양문수 2010; 임수호 2008). 북한의 '개혁·개방 전략'으로서 실리사회주의 연구들 중 실리사회주의의 담론적 성격을 다룬 연구로는 정영철(2004)의 연구가 있다.

35 북한에 따르면 "실리사회주의란 사회주의 원칙을 지키는 가운데 가장 큰 실리를 추구하는 것을 의미한다. 따라서 실리사회주의는 지도와 대중, 보편과 특수 등 사회주의 원칙과 실리의 결합이라는 북한 특유의 모순적 용어를 조합하여 표방한 것"(통일부 북한정보포털 2017).

장한다". '7·1 경제개혁조치'는 변화이지만 시장경제로의 개혁이나 개편을 의미하는 변화는 아니다. '7·1 경제개혁조치'를 뒷받침하는 '실리사회주의'는 "우리식 사회주의 건설을 위한 과정에서 제기되는 경제건설 사상"이다. '실리적 사회주의'라는 용어 대신 '실용적 사회주의'라는 용어를 쓸 경우, 실용성은 기존의 통치성의 지식·담론 체계에서 긴장 없이 수용될 수 있다. 경제의 효율성을 개선시키기 위한 의도라면 '실용적 사회주의'라는 말로 제한적 시장화를 합리화 할 수 있다. 그런데도 자본주의와 시장을 상징하는 용어인 실리를 굳이 사용했다는 것은 단순한 경제효율성을 개선하려는 목적 이상을 바라보고 있다는 것을 암시한다. 북한이 '제한된 시장화'를 합리화하기 위해 만든 '실리사회주의' 안에 들어온 실리(유용성(utility))의 은유(metaphor)는 통치합리화를 위한 북한 기존의 지식과 담론을 뒤흔들 수 있는 잠재적 위협을 내포하고 있다. 실리 개념은 효율성의 개념을 포함한다. 실리 개념을 사용하면서 실리를 확보하기 위해서는 효율성을 추구할 수밖에 없다. 북한에서 말하는 '실리' 개념은 실리가 "이윤의 추구에만 있는 것이 아니라 생산조직과 관리방식의 변화, 과학기술에 근거한 경제 효과성의 제고"에 중점을 두고 있다. "'실리' 개념이 북한 경제의 모든 분야에서 제기되는 원칙"이 되면서 실리 개념이 가져온 효율성은 가치판단의 기준이 되었다. 이것은 향후 제도나 통치의 정통성의 잣대로 발전될 가능성을 갖고 있기 때문에 체제에 위협이 될 수 있다. 효율성의 잣대로 모든 것이 평가될 때 효율적이지 않은 것은 효율적인 것으로 교체되어야 한다는 이 원리의 적용에서 북한의 통치도 예외가 될 수 없기 때문이다.

2. '인민대중제일주의'의 통치담론

북한은 '인민대중제일주의'를 '김일성-김정일주의'의 본질로 규정하고 있다(김종수·김상범 2021; 김창희 2013; 김효은 2021; 홍민 외 2021). 다시 말해, "김일성-김정일주의는 본질에 있어서 인민대중제일주의이며, 인민을 하늘처럼 숭배하고 인민을 위하여 헌신적으로 복무하는 사람이 바로 참다운 김일성-김정일주의자"(통일뉴스 2020)라고 규정한다. '인민대중제일주의'는 "인민대중을 이 세상에서 가장 귀중하고 힘 있는 존재로 보고 모든 것을 인민대중을 위해 복무시키며 모든 것을 인민대중에게 의거하여 풀어나가는 이념"이다.[36]

김정은은 2019년 4월 12일 최고인민회의 제14기 제1차 회의 시정연설 '현 단계에서의 사회주의 건설과 공화국 정부의 대내외 정책에 대하여'에서 '인민대중제일주의' 통치담론을 직접 설명하고 있다(매일경제 2019). 이 연설은 '인민대중제일주의'를 이해하는데 매우 중요한 연설로 '인민대중제일주의' 통치담론으로 등장한 이유를 잘 드러내 주고 있다. 김정은의 설명에 따르면 '인민대중제일주의'는 "국가활동과 사회생

---

36 '인민대중제일주의'는 김정일 집권 3년 차인 2013년 1월 29일 조선로동당 제4차 세포비서대회 김정은 연설에서 처음으로 제시되었다. 이 연설에서 김정은은 "김일성-김정일주의는 본질에 있어서 인민대중제일주의"라고 선언하여 자신의 '인민대중제일주의' 담론을 김일성과 김정일의 주체사상과 선군사상과 같은 위치에 있는 통치담론으로 자리매김하였다. 2016년 제7차 당대회에서 '인민대중제일주의'는 김정은의 사상으로 공식적으로 인정받았다. 2018년에는 '인민대중제일주의'는 '국가활동전반'을 지도하는 지도이념이 되었다(홍민 외 2021, 15).

활전반"에 구현되어야 하는 정치이념이다(홍민 2015, 19).

인민대중제일주의는 인민대중을 혁명과 건설의 주인으로 보고 인민
대중에게 의거하며 인민을 위하여 멸사복무할 데 대한 정치이념입
니다. 인민대중제일주의에는 인민을 세상에서 가장 귀중하고 힘있
는 존재로 내세우는 주체의 혁명철학이 구현되어있고 인민을 끝없
이 사랑하고 인민의 요구와 이익을 끝까지 실현하려는 우리 당과 공
화국 정부의 투철한 입장이 반영되어 있습니다.
… 우리 당은 한평생 인민을 하늘처럼 믿고 인민을 위하여 모든 것
을 바쳐오신 위대한 수령님과 위대한 장군님의 이민위천의 숭고한
사상과 뜻을 계승하고 높이 받들어나가기 위하여 혁명의 지도사상
인 김일성-김정일주의의 본질을 인민대중제일주의로 정식화하였으
며 주체의 인민관, 인민철학을 당과 국가활동에 구현하는 것을 최
대의 중대사로 내세웠습니다.
《모든 것을 인민을 위하여, 모든 것을 인민대중에게 의거하여!》라
는 구호에는 우리 당과 공화국 정부의 인민대중제일주의 입장이 응
축되어있습니다. 우리는 국가사회생활전반에서 인민적인 것, 대중적
인 것을 최우선, 절대시하고 인민의 복리증진을 위함에 모든 것을
아낌없이 돌려왔습니다(매일경제 2019).

수령을 하늘로 받드는, 수령을 당과 인민의 위에서 이끄는 존재로
규정한 '유일영도'의 통치담론 안에 왜 인민을 '하늘로 받드는 '인민대
중제일주의'가 들어올 수 있나'라는 질문에 대한 답의 실마리를 이 연

설에서 찾을 수 있다.

> 당과 국가활동, 사회생활전반에 인민대중제일주의를 구현하기 위한
> 투쟁 속에서 당과 국가와 인민은 하나의 운명공동체를 이루게 되었
> 으며(매일경제 2019).

위의 인용을 통해 본 '인민대중제일주의'의 통치담론으로서 기능은 통합이다. 수령-당(일꾼)-인민으로 이루어진 수직적 통치 질서는 시장화가 가져온 수평적 권력질서에 의해 위협받고 있다. 시장이 도입되면서 관료들은 정권의 일꾼이면서 동시에 시장 레짐의 일꾼이라는 이중적 정체성을 가신다. 앞서 살펴본 것처럼 국가에 의한 시장통제는 관료와 시장주체(agent)들과의 제휴(coalition)를 구조화시켰다. 인민도 김정은 정권의 주체이면서 시장 레짐의 주체라는 이중적 정체성을 가진다. '인민대중제일주의' 통치담론의 등장은 시장 레짐의 도전에 대한 대응이라는 맥락에서 살펴볼 필요가 있다. "국가활동에서 인민을 중시하는 관점과 입장을 견지하는 것은" 세도와 관료주의로 표현되는 관료와 시장 레짐과의 제휴(coalition)라는 도전에 대해, 즉 "사회주의건설과정에 일꾼들 속에서 세도와 관료주의와 같은 인민의 이익을 침해하는 현상들이 나타날 수 있는 것과 관련하여 중요한 문제"에 대한 대응인 것이다. 이 관료와 시장 레짐과의 제휴는 "사회주의제도의 존재 자체"를 위협한다.[37] 노동신문과 연설에 나타난 '인민대중제일주의'의 담론들 안에 항상 세도와 관료주의의 비판이 빠지지 않고 나오는 이유도 '인민대중제일주의' 담론이 본질적으로 관료와 시장 레짐과의 제휴

에 대한 대항담론이라는 성격에서 찾을 수 있다.[38] 인민을 하늘처럼
받드는 '인민대중제일주의' 담론은 시장 레짐에 인민과 관료를 시장 레
짐에 빼앗기지 않으려는, 김정은 레짐에 대한 인민의 충성을 확보하려
는 노력이다.

'인민대중제일주의'는 지도자의 유용성을 설득하는 담론이다. 지
도자(수령)-당-인민 구도에서 지도자의 통치유용성은 당·인민의 사이에
개입하여 관료들을 감독·심판하는 역할이다. '인민대중제일주의'는 지
도자 개입의 정당성을 확립시켜준다.

> 당사업 전반에 인민대중제일주의를 철저히 구현하여야 하겠습니다.
> 인민대중제일주의를 구현하는 것은 인민대중을 위하여 투쟁하며
> 인민대중에게 의거하여 활동하는 우리 당의 본성적 요구입니다. 모
> 든 당사업과 당활동을 인민대중을 중심에 놓고 진행하여야 합니다
> (노동신문 16/05/08, 3-4).

---

37 "인민 위에 군림하여 인민이 부여한 권한을 악용하는 특권행위는 사회주의의 영
   상과 인민적 성격을 흐리게 하고 당과 국가에 대한 인민들의 지지와 신뢰를 약화
   시켜 사회주의제도의 존재 자체를 위태롭게 만들 수 있습니다"(매일경제 2019).
38 "인민대중제일주의정치에서 당면한 문제점은 어려운 경제적 환경과 이에 따른 다
   양한 부작용이다. 시장의 만연과 외부문화 유입 등 다양한 체제 이완 현상에 대
   응하여 김정은 표 '애민정치'를 추진하면서 동시에 반사회주의·비사회주의 투쟁을
   강화해야만 하고, 인민은 포용하고 권력층에 대한 통제력을 강화할 수밖에 없는
   딜레마가 대표적이다"(김인태 2021, 19).

이제 김정은은 인민대중제일주의에 입각해 인민의 요구와 이익을 위해 인민과 관료 사이에 적극 개입할 수 있게 된다. 이 담론은 통치성을 이루는 지식에 상당한 긴장을 주고 있다. "인민의 요구와 이익"을 "첫 자리에 놓는다"는 것은 인민의 요구와 이익이 무엇인지를 판단하는 주체가 누구냐는 문제를 제기한다. '사회주의 대가정' 은유에서는 자녀가 아닌 가부장이 판단의 주체가 된다. 지도자인 어버이가 자식인 인민의 요구와 이익을 알아서 행동한다는 것은 이제 가능하지 않다. 김정은은 당일꾼들에게 인민의 요구와 이익을 스스로 판단하지 말고 인민의 요구의 목소리를 들으라고 요청하고 있기 때문이다. 관료가 일을 잘하나 못하나를 판단하는 것은 이제 인민의 몫이다. 이 '인민대중제일주의'는 관료의 권력을 축소하는 효과를 내고 있다. 문제는 '유일영도'의 지도자인 김정은이 관료와 달리 계속 초월적 존재로 남을 수 있는가이다. '인민대중제일주의'는 처음에는 레토릭으로 작동하나 권력의 지식과 담론에 가치 판단의 기준이 되는 은유가 된다. 은유를 통해 인간의 사유와 지식은 바뀌기 때문에, 지배담론의 은유는 중요하다. '인민대중제일주의'는 하나의 은유로서 북한의 담론에서 지도자의 절대성을 침식한다. 인민대중이 제일이라는 이 은유 앞에서 지도자의 초월적 절대성을 주장하기는 어렵기 때문이다.

VII. 결론: 통치담론의 변화에 반영된 통치성의 변화와 함의

푸코의 통치성의 관점에서 본 국가는 확정된 제도가 아니라 끊임없이 움직이는 통치성의 결과물(effect)이다. "국가는 재원, 투자양식, 결정의 중심, 관리의 형태와 유형, 지방권력과 중앙관청 간의 관계 등을 바꾸거나 이동시키거나 전반적으로 변화시키거나 은밀하게 변화시키는 끊임없는 거래(transaction)라는 의미에서 국가화(statification; étatisation) 혹은 다수의 국가화에 의해 발생된 결과(effect)이고 그 외형이며 그 유동적인 절편에 불과하다"(Foucault 2008, 77; Foucault 2012, 116). 다시 말하면 푸코가 보는 국가는 다수의 통치성(multiple governmentality)으로 이루어진 체제(regime; régime)의 유동적 결과(mobile effect)이다(Jessop 2007, 37; Foucault 2008, 77; Foucault 2012, 116). 푸코에 따르면, 국가는 통치성에 따라, 즉 '국가이성 통치성', '자유주의 통치성', '신자유주의 통치성'에 따라 '내치국가', '자유주의 국가', '신자유주의 국가'로 형성되는 것이다. 푸코의 통치성 관점에서 볼 때 국가는 이미 존재하는 것임과 동시에 아직 완성되어 있지 않은 것이기도 하다(Foucault 2008, 4). 그리고 통치성(국가이성)은 바로 하나의 실천, 더 정확히 말하면 기존의 (이미 존재하는) 국가와 앞으로 구성되고 건설되어야 하는 국가 사이에 위치하게 될 실천(통치)의 합리화이다. 통치술(the art of government)로서 통치성은 통치의 규칙들을 확정하고 또 미래의 건설되어야 할 국가를 만들 목적으로 하는 일들, 즉 통치실천의 방식을 합리화해야 한다.

시장의 도전에 직면한 북한의 김정은에게 주어진 과제는 바로 이미 존재하는 것(권위주의적 사회주의 국가)과 동시에 아직 완전히 실현되어 있지 않은 것(시장이 가져온 변화의 결과로서 생성될 국가) 사이에서 새로운 통치합리성을 추구해야 한다는 것이다. 푸코에게 통치의 임무는 국가를 만드는 임무와 동일시된다. 요컨대 통치합리성은 신중하고 합리적이며 계획을 통한 방식으로 기존의 국가가 최고의 상태로 완성될 수 있게 만드는 것이다. 국가이성의 원칙에 따라 통치한다는 것은 국가를 영구히 존속할 수 있도록 튼튼하게, 부유하게 만들어 국가를 파괴할 수 있는 모든 것에 대항할 수 있게 강력하게 만드는 행위인 것이다. 1998년 이래 시장화가 도입되면서 북한의 국가이성에 의한 통치목표는 강성대국 건설이었다.[39] 새로 건설되어야 할 강성대국의 통치합리성은 '실리사회주의'와 '인민대중제일주의'의 담론으로 표현된다.

자신의 정치권력 레짐이 시장 레짐과 공존할 수밖에 없는 현실에 직면한 김정은에게 주어진 과제는 "사물의 진정한 가치를 교환이 결정하는 시장"이 통치와 모든 통치행위의 유용성은 무엇이냐고 묻는 문제(Foucault 2012, 81)에 답해야 한다는 것이다. 시장화는 권력을 거래가능한 상품으로 전환시키면서 새로운 통치 영역을 만들어 내고 있다. 시장화가 확산·심화되면서 나타나는 '부패'의 본질은 거래(transaction)이다. 거래를 통해 경제적 공간으로 여겨졌던 시장이 정치적 공간과 결합한다. 이제 시장에서 개인은 거래를 통해 '선택할 수 있는 주체', 자율성을 갖는 주체로 바뀐다. 거래를 통한 선택 가능성을 가진 개인에

---

39 강성대국(强盛大國)은 '부국강병(富國强兵)'을 말한다. 북한은 군사적으로 강하고 경제적으로 번성하는(즉 부유한) 국가의 건설이 통치의 목표라는 것을 신년사에

게 기존의 통치합리화를 위한 지식과 담론은 변화하지 않을 수 없다. 가치의 기준을 유용성(utility)에 두는 시장의 등장은 시장과 공존할 수밖에 없는 북한 사회주의 레짐(regime)에게 유용성을 통치합리화의 지식·담론 안으로 수용하지 않을 수 없게 만들고 있다. 북한이 제한된 시장화를 합리화하기 위해 만든 '실리사회주의' 담론[40] 안에 들어온 유용성의 은유(metaphor)는 통치합리화를 위한 북한 기존의 지식과 담론을 뒤흔들 수 있는 잠재적 위협을 내포하고 있다. 통치합리화에서 지식과 권력은 떨어질 수 없는 관계다. 권력의 움직임은 끊임없이 지식을 생산하며, 또한 역으로 지식은 권력의 효과를 유도하기 때문이다(Foucault 1980, 79). 이미 김정은은 통치의 정당성을 자신의 유용성(utility·competence) 입증에서 찾고 있는 것으로 보인다. 시장화 이전의 통치 담론이었던 '어버이로서 지도자'에서 '유용성에 입각한 지도자'로 변신을 시도하고 있다. 통치의 정당성을 혈통에서 찾는 것은 이제 현실적으로 효과가 떨어진다. 독재자가 혈통에 입각한 통치 정당성을 넘어서기 위해서는 독재자 자신이 대체 불가할 정도로 유용성(능력)이 뛰어나다는 것을 입증해야 한다. 김정은은 집권 초에 장성택의 권력에 대한

서 되풀이하여 밝히고 있다.

40 북한은 2000년대에 들어와 북한식 사회주의 체제를 유지하면서도 계획경제 체제를 보완하는 시장적 요소를 도입하는 새로운 경제정책 노선으로 실리사회주의 노선을 제시한다. 북한이 말하는 실리사회주의는 "인민경제 차원에서부터 기업소 경영활동에 이르기까지 경제활동의 성과, 즉 최대의 실리를 획득하는 것을 기본적 요구로 삼고 있다". 실리사회주의는 "현실적으로 요구되는 이윤(소득) 창출을 원칙적 요구로 수용한 논리"이다(통일부 북한정보포털 2017).

도전을 경험했다. 장성택 사건은 북한의 권력체제에 충격적인 사건이다. '최고 절대적 권위'인 지도자에게 도전한다는 것, 도전을 시도했다는 것은 북한의 권력체제에서는 상상할 수조차 없는 일이었다. 최고 지도자에게 도전했다는 사실과 이를 공개하지 않을 수 없었다는 것은 과거와는 다른 상황 속에 있다는 것을 말해주고 있다. 장성택의 국가전복 음모에 대한 특별군사재판소 판결문(중앙일보 13/12/14, 8)에는 권력에 도전한 죄목 중 하나는 "불평불만자 규합 신성불가침 존재 군림"이다. 북한에서 '신성불가침 존재'는 혈통에 의해서만 가능한 절대적 성격을 지니고 있다. 그러나 혈통에 속하지 않은 장성택은 자신의 사적 네트워크 형성으로 자신을 '신성불가침 존재'로 만들려고 시도했다. 자신을 감히 "'신성불가침 존재'로 되려고 도전했다"라는 장성택 기소 이유는 '신성불가침 존재'가 되는 것이 절대적이지 않고 상대적이라는 것을 말해주고 있다.

판결문에서 또 하나 중요하게 보아야 될 것은 장성택이 권력의 정당성의 기준이 유용성(능력)이라고 생각하고 있다는 점이다. 판결문은 장성택이 정권의 무능을 군사정변에 대한 성공 근거로 제시했다는 점을 밝히고 있다. "나는 군대와 인민이 현재 나라의 경제 실태와 인민 생활이 파국적으로 번져지는데도 불구하고 현 정권이 아무런 대책도 세우지 못한다는 불만을 품게 하려고 시도하였다". "내가 총리가 된 다음에는 지금까지 여러 가지 명목으로 확보한 막대한 자금으로 일정하게 생활문제를 풀어주면 인민들과 군대는 나의 만세를 부를 것이며 정변은 순조롭게 성사될 것으로 타산하였다". 이 인용문은 장성택은 무능한 현 지도자를 대신해서 경제적 문제를 해결하는 '개인의 능력'

을 통해 권력의 정당성을 확보하려고 시도했다는 것을 보여주고 있다. 즉 장성택은 인민의 생활문제를 개인능력으로 즉 장성택 개인이 갖고 있는 '막대한 자금으로' 해결할 수 있다고 판단했다는 사실은 북한권력구조에 심각한 문제를 제기한다. 개인의 경제적 능력(막대한 자금 소유)으로 정권이 해결해주지 못하는 '인민의 생활문제'를 해결해 줄 수 있다는 장성택 생각에는 정치적 힘이 아니라 경제적 힘이 권력을 좌우할 수 있다는 가능성을 인정하고 있기 때문이다. 이 판결문에서는 장성택의 경제력(막대한 자금)이 어디서 왔냐는 물음에 대한 답으로 "여러 가지 명목으로 확보한"이라는 모호한 설명을 제시하여 막대한 자금이 확보된 곳은 시장이다라는 사실을 은폐하고 있다. 장성택은 사실상 '관료와 돈주가 제휴한 권력네트워크'를 대표한다. 이 '시장권력네트워크'의 영향력은 앞에서 살펴본 것처럼 하나의 '레짐'의 단계에까지 이르렀다. 판결문에서 장성택이 자신의 추종자들에게 북한의 최고 권력자를 상징하는 '1번동지'라고 불렀다는 비난은 사실상 '시장권력네트워크'가 하나의 레짐에 다름없다는 것을 보여주는 것으로 해석할 수 있다. 북한권력체계가 시장과 함께 가는 한 제2, 제3의 장성택이 나타날 가능성은 열려있다. 장성택 처형 이후 북한의 통치담론으로서 중요한 위치를 차지하는 신년사[41]는 '세도'와 '부패'를 되풀이하여 비판하고 있다.[42] '세도'와 '부패'는 떼어놓을 수 없는 관계를 갖고 있다.[43] '부패'는 일꾼(관료)의 시장과의 제휴(coalition)를 가리키며 '세도'는 제휴의 결과

---

41 신년사는 새해의 정책 구상을 밝히는 동시에 북한 당국자와 주민들의 한 해 업무 지침을 내리는 수단.

인 '시장권력네트워크'이며 '시장 레짐'인 것이다. 노동신문을 통해서 북한사회에 공표된 이 판결문은 역설적으로 권력의 정당성이 지도자로서의 유용성(utility·competence)에 있다는 것을 사실상 공인한 셈이 되었다.

시장화 이후의 핵심 통치담론의 위치를 차지한 '인민대중제일주의'의 담론은 북한 지도자의 특징이었던 초월적 존재라는 은유를 포기한

---

42 "모든 당조직과 당일꾼들은 세도와 관료주의를 철저히 극복하며"(YTN 2014), "모든 당조직과 당일꾼들은 세도와 관료주의를 철저히 극복하며", "세도와 관료주의, 부정부패행위를 반대하는 투쟁을 강도 높게"(데일리앤케이 2015), "일심단결을 좀먹고 파괴하는 세도와 관료주의, 부정부패 행위를 반대하는 투쟁을 강도 높게 벌여야 한다"(데일리앤케이 2016), "당사업과 국가사회생활의 모든 분야에서 주체의 인민관, 인민철학의 최고 정화인 인민대중제일주의를 철저히 구현하며 일심단결의 화원을 어지럽히는 독초인 세도와 관료주의, 부정부패행위를 뿌리 뽑기 위한 투쟁"(데일리앤케이 2017), "전당적으로 당세도와 관료주의를 비롯한 낡은 사업방법과 작풍을 뿌리 빼고"(데일리앤케이 2018), "당과 대중의 혼연일체를 파괴하고 사회주의제도를 침식하는 세도와 관료주의, 부정부패의 크고 작은 행위들을 짓뭉개버리기 위한 투쟁의 열도를 높여야 하겠습니다"(2020년과 2021년은 신년사 생략).

43 정창현은 세도와 관료주의는 김일성, 김정일 시대에도 지속적으로 제기된 문제이지만 '부정부패'가 김정은 시대에 들어와 추가되어 지난 5년(2012-2016)간 지속적으로 제기되고 있다고 지적한다(정창현 2017). 김정은은 2016년 5월 개최된 노동당 제7차 대회에서 "우리 당이 세도와 관료주의, 부정부패 행위와의 전쟁을 선포하고 투쟁하여 왔지만 그것이 아직도 완전히 극복되지 못하고 있다"며 세도와 부정부패의 구조적인 문제를 인정하고 있다. 김정은은 2016년 노동당 제7차 대회에서 "세도와 관료주의가 허용되고 용납되면 부정부패가 성행하고 전횡과 독단이 생겨나게 되며 그것이 쌓이면 반당의 싹이 자라게 된다."라고 부패의 체제위협의 심각성을 인식하고 있다(2016년 5월 노동당 제7차 대회 김정은 연설).

다. '인민대중'을 제일로 내세우는 '인민대중제일주의'의 담론이 완결되기 위해서는 지도자-당(일꾼)-인민대중의 통치관계는 두 단계의 변화를 거친다. '인민대중'을 통치의 '제일'로 내세우기 위해서는 일꾼(관료)과 인민대중의 관계도 재정의되어야 한다. 기존의 당일꾼의 역할은 지도자의 대행자(agent)로서 인민대중을 지휘·감독하는 것이었다. 2014년 신년사는 일꾼(관료)들에게 "혁명의 지휘성원"으로서 "인민의 충복으로서의 본분"을 잊지 말라고 말하고 있다. 일꾼들은 "인민의 요구, 대중의 목소리에 무한히 충실하여야 하며 언제나 인민을 위해 헌신하는 인민의 참된 심부름꾼으로 살며 일하여야 합니다"라고 요구하고 있다 (YTN 2014). 이제 당일꾼은 '인민의 지휘자'이며, '인민의 충복'이라는 이중적 정체성을 갖는다. 김정은은 '2017년의 신년사'에서 자신을 '인민의 충복'이라고 정의한다. 이것은 상당히 충격적인 전환이다. 2017년 이전까지 북한의 수령은 지도자-당일꾼-인민대중의 관계에서 당을 초월한 존재로서 당일꾼의 감독자이며 심판관이었다. 이제 "인민의 충복"이라는 은유를 통해 북한의 수령은 당을 초월한 존재가 아니라 당과 당일꾼의 일부가 되고 있다.

　"인민대중제일주의" 담론에서 또 하나 시선을 끄는 점은 통치의 양방향성으로 변화 가능성을 시사한다는 점이다. 북한의 유일영도 통치의 성격은 '위에서 아래로' 통치에 있다. 2017년 신년사는 "또 한 해를 시작하는 이 자리에 서고 보니 나를 굳게 믿어주고 한마음 한뜻으로 열렬히 지지해주는 세상에서 제일 좋은 우리 인민을 어떻게 하면 신성히 더 높이 떠받들 수 있겠는가 하는 근심으로 마음이 무거워집니다"[44]로 시작된다. 여기서 인민은 "위에서 아래로"의 통치대상이 아니라 "신성(神聖)하게 더 높이" 떠받들어야 하는 존재가 된다. 통치담론에서 중요한 위치를 차지하는 신년사의 모든 용어와 표현은 신중하게 선택된다. 이것이 신년사의 표현을 단순한 수사(rhetoric)에 그친다고 볼 수 없는 이유다. 김정은이 '유일영도'의 지도자(수령)에게만 사용하던 표현인 '신성(神聖)'이라는 용어를 사용하면서까지 '인민'을 절대시한다는 점은 가볍게 지나칠 수 있는 문제가 아니다. 레이코프(Lakoff 2010)는 우리의 사유는 본질적으로 은유에 입각한 사유이며 은유(metaphor)가 세계관을 규정한다고 주장하고 있다. 레이코프의 주장을 따르면, '떠받든다'는 위치의 은유는 이미 사용되기 시작하면 그 파급효과가 무시할 수 없다. 김정은이 이처럼 파격적으로 나올 수 있는 것은 자신의 지도자로서 통치능력(유용성)에 대한 자신감에서 나오는 것이라 볼 수 있다. 집권 5년 차인 2017년은 경제건설·생활수준·안보분야에서 성과가 가시화되고 있었다. 혈통에 의존하지 않고도 자신의 업적으로 자신의 통치의 정당성을 확보할 수 있다는 것이 이와 같은 변화를 가져온 것이라고 볼 수 있다. 그러나 경제건설·생활수준 향상은 시장의 도움 없이는 불가능했던 것도 부정할 수 없다. 이런 맥락에서 보면 '인민대중제일주의'는 시장화가 낳은 통치담론이라고 할 수 있다.

'인민대중제일주의'의 통치담론은 '인민대중'을 제일로 내세우며 '일꾼(관료)'들을 뛰어넘어 인민대중과 직접 접촉하는 통치담론이다. 이것은 '현지지도'의 사상적 판(version)으로 볼 수 있다. '인민대중제일주의'

---

44 필자 강조.

는 시장화로 '유일영도'의 통치합리성의 절대성이 침식되면서 통치의 지지를 대중에서 얻는 '포퓰리즘'으로 진화할 여지가 많다. "인민을 신성히 떠받들고, 인민의 충복으로 봉사하겠다"는 기존의 통치담론에서 상상할 수 없었던 메시지를 담은 '인민대중제일주의'는 관료(일꾼)를 통한 '위로부터 아래로'의 일방적인 절대적 통치가 더 이상 지속될 수 없다는 현실을 반영하고 있다. 인민대중의 지지를 얻기 위해서 김정은은 인민대중의 불만에 신속하게 반응하는, 인민대중의 여론에 민감하게 반응하는 유연한(responsive) 통치를 점차적으로 수용해 나갈 것이다. 인민대중의 최대의 불만인 복지의 향상을 위해서도 김정은은 시장에 더 의존할 수 밖에 없다. 식량문제 만큼 시급한 것이 주택 공급이다. 김정은은 집권이래 주택건설을 자신의 최대 업적의 하나로 내세웠다. 포퓰리스트 지도자로서의 김정은의 위상을 강화해준 주택건설은 시장의 협력 없이는 불가능한 것이 현실이다. 시장화 이후 등장한 '실리사회주의'와 '인민대중제일주의'의 담론은 김정은 레짐의 통치가 시장을 떠나 이루어질 수 없다는 점을, 즉, 김정은의 통치는 이제 시장 레짐과의 병존 혹은 공존을 통해서만 가능하다는 것을 시사하고 있다. 시장화의 진전으로 중국의 권위주의적 사회주의 통치성이 정치분야에서는 권위주의를 유지하면서 시장과 사회에서는 어느 정도 자율성을 보장하는 '신사회주의 통치성'으로 바뀌는 것처럼 현재의 시장화가 계속 진전된다면 장기적인 관점에서 북한 역시 그러한 방향으로 나아갈 것이라고 조심스럽게 전망해 본다.

참고문헌

강진웅. 2010. "남북한의 국가와 가족."『한국사회학』44집 5호, 139-175.

김근식. 2003. "김정일 시대 북한의 新발전전략: 실리사회주의를 중심으로." 『국제정치논총』43집 4호, 197-218.

김근식. 2010. "사회주의 체제전환과 북한 변화: 비교사회주의 관점에서."『통일 과 평화』2집 2호, 111-136.

김신. 2020. "북한체제시장화와 불가역적 체제변화 가능성 분석."『통일과 평 화』12집 1호, 47-79.

김연철. 2002. "북한 경제관리 개혁의 성격과 전망." 김연철·박순성 편.『북한경 제개혁연구』, 11-28. 서울: 후마니타스.

김영윤·조봉현·박현선. 2007.『북한이 변하고 있다』. 서울: 통일연구원.

김인태. 2021. "김정은 시대 10년:「노동당 중앙지도기관」의 구성과 변화." 『INSS 전략보고』133호. 서울: 국가안보전략연구원.

김종수·김상범. 2021. "북한 김정은 시대 위기와 대응: '인간의 얼굴을 한 수령' 과 '인민대중제일주의'의 소환·발전."『국가안보와 전략』21권 1호, 193-226.

김종욱. 2007. "북한의 관료체제와 지배구조의 변동에 관한 연구." 동국대학교 박사 학위 논문.

김종욱. 2008. "북한의 관료부패와 지배구조의 변동: '고난의 행군' 기간 이후를 중심으로."『통일정책연구』17권 1호, 371-400.

김창희. 2009. "북한 사회의 시장화와 주민의 가치관 변화."『한국동북아논총』

14권 3호, 81-101.

김창희. 2013. "북한의 통치이념 '김일성-김정일주의' 분석." 『한국정치연구』 22 집 3호, 187-211.

김효은. 2021. "북한의 사상과 인민대중제일주의 연구." 『통일정책연구』 30권 1 호, 31-67.

노동신문. 2016. "조선로동당 제7차 대회에서 한 당중앙위원회 사업총화보고- 김정은." (5월 8일), 3-4.

데일리앤케이. 2010. "북한 2010 신년 공동사설 전문." (1월 1일), https://www. dailynk.com/북한-2010-신년-공동사설-전문/.

데일리앤케이. 2012. "2012 북한 신년공동사설 전문." (1월 1일), https://www. dailynk.com/2012-북한-신년공동사설-전문/.

데일리앤케이. 2015. "북한 김정은 2015년 육성 신년사 전문." (1월 1일), https:// www.dailynk.com/북한-김정은-2015년-육성-신년사-전/.

데일리앤케이. 2016. "[전문] 2016년 북한 김정은 신년사." (1월 1일), https:// www.dailynk.com/2016년-북한-김정은-신년사/.

데일리앤케이. 2017. "[전문] 2017年 북한 김정은 신년사." (1월 1일), https:// www.dailynk.com/2017年-북한-김정은-신년사/.

데일리앤케이. 2018. "[전문] 2018 김정은 신년사." (1월 1일), https://www.dai-lynk.com/2018-김정은-신년사/.

리근모. 1978. "경애하는 수령님의 현지지도방법은 공산주의적령도방법의 위대 한 모범." 『근로자』 432호, 34-41.

매일경제. 2019. "[전문] 김정은 위원장, 최고인민회의 시정연설-1." (4월 13일), https://www.mk.co.kr/news/politics/view/2019/04/228114/.

박경숙. 2013.『북한사회와 굴절된 근대』. 서울: 서울대학교출판문화원.

박상섭. 2008. "한국 국가 개념의 전통 연구 – 동서양 국가 개념사와의 연계를 중심으로."『개념과 소통』1호, 121-174.

박상익. 2008.『북한의 관료문화』. 파주: 한국학술정보.

박영민. 2016. "북한의 부패 실태 및 사회변화에 미치는 영향: 시장화-약탈성-부패의 메커니즘."『세계지역연구논총』34집 4호, 277-307.

박제훈. 2009. "북한경제의 개혁과 체제전환: 이행경제학적 접근."『비교경제연구』16권 1호, 1-45.

박형중. 2004.『북한의 개혁·개방과 체제변화』. 서울: 해남.

박희진. 2007. "계획과 시장의 관계로 본 북한 경제개혁: 중국과의 비교를 중심으로."『북한연구학회보』11권 2호, 137 172.

서울평양뉴스. 2019. "김정은 북한 국무위원장 2019년 신년사〈전문〉." (1월 1일), http://www.spnews.co.kr/news/articleView.html?idxno=16014.

양문수. 2010.『북한경제의 시장화: 양태·성격·메커니즘·함의』. 파주: 한울.

연합뉴스. 2020. "김정은, 코로나19·경제난 '이중고' 속 고위층 기강 잡기 나서." (2월 29일), https://www.yna.co.kr/view/AKR20200229035300504.

이교덕. 2002.『김정일 현지지도의 특성』. 서울: 통일연구원.

이동수. 2020a. "미셸 푸코: 권력과 통치성을 넘어서." 김비환 외.『현대정치의 위기와 비전: 니체에서 현재까지』. 파주: 아카넷.

이동수. 2020b. "공화주의적 통치성: 르네상스기 이탈리아 도시국가를 중심으로."『OUGHTOPIA』35권 2호, 211-246.

이무철. 2008. "북한의 경제조정 메커니즘의 변화 경향 분석: 축적체제와 조절 양식을 중심으로." 윤대규 편.『북한 체제전환의 전개과정과 발전조건』.

파주: 한울.

이문웅. 1996. "남북한의 사회의 변화와 전통·유교문화: 가족과 친족을 중심으로." 홍천용 편. 『분단 반세기 남북한의 사회와 문화』, 135-162. 서울: 경남대학교 극동문제연구소.

임수호. 2008. 『계획과 시장의 공존: 북한의 경제개혁과 체제변화 전망』. 서울: 삼성경제연구소.

임을출. 2015. "북한 사금융의 형성과 발전: 양태, 함의 및 과제." 『통일문제연구』 27권 1호, 205-242.

정병호. 2020. 『고난과 웃음의 나라 : 문화인류학자의 북한 이야기』. 파주: 창비.

정영철. 2004. 『북한의 개혁·개방: 이중전략과 실리사회주의』. 서울: 선인.

정창현. 2017. "김정은 신년사, 강도 높은 사회개혁과 경제 건설 최우선 강조." 『통일뉴스』 (1월 2일), https://www.tongilnews.com/news/articleView.html?idxno=119328.

조연화. 2020. "푸코의 통치성 개념에서 안전장치의 역할." 서울대학교 석사 학위 논문.

주성하. 2018. 『평양 자본주의 백과전서』. 서울: 북돋움.

중앙일보. 2013. "노동신문 장성택 보도 전문." (12월 14일), 8.

중앙일보. 2019. "부패와의 전쟁 선포…칼 빼든 김정은." (4월 19일).

최봉대. 2008. "1990년대 말 이후 북한 비공식경제 활성화의 이행론적 함의." 윤대규 편. 『북한 체제전환의 전개과정과 발전조건』. 파주: 한울.

최완규·최봉대. 2008. "사회주의 체제전환방식의 비교연구." 윤대규 편. 『사회주의 체제전환에 대한 비교연구』. 파주: 한울.

통일뉴스. 2020. "〈노동신문〉 김일성-김정일주의, '자주'와 '인민대중제일주의'에 방점." (4월 20일), https://www.tongilnews.com/news/articleView.html-l?idxno=131897.

통일부 북한정보포털. 2017. "실리사회주의." (3월 3일), https://nkinfo.uniko-rea.go.kr/nkp/term/viewNkKnwldgDicary.do?pageIndex=1&dicary-Id=138.

통일연구원. 2014. 『2014 유엔 인권이사회 북한인권 조사위원회 보고서』. 서울: 통일연구원.

한동호·박형중·최사현. 2018. 『북한에서 국가: 사회 관계 양상 연구(KINU 연구총서 18-21)』. 서울: 통일연구원.

홍민. 2015. 『북한의 시장화와 사회적 모빌리티: 공간구조·도시정치·계층구조 (KINU 연구총서 15-02)』. 서울: 통일연구원.

홍민·강채연·박소혜·권주현. 2021. 『김정은 시대 주요 전략·정책용어 분석 (KINU Insight 21-02)』. 서울: 통일연구원.

홍태영. 2012. "푸코의 자유주의적 통치성과 정치." 『한국정치학회보』 46집 2호, 51-70.

Ankersmit, Frank R. 1993. "Metaphor in Political Theory." In *Knowledge and Language: Volume III. Metaphor and Knowledge,* edited by Frank R. Ankersmit and J. J. A. Mooij, 155-202. Amsterdam: Kluwer Academic Publishers.

Burchell, Graham, Colin Gordon, and Peter Miller. 1991. *The Foucault Effect: Studies in Governmentality.* UK: Harvester Wheatsheaf.

Dean, Mitchell. 2009. *Governmentality: Power and Rule in Modern Society*

(Second Edition). SAGE Publications Ltd.

Embler, Weller. 1954. "Metaphor and Social Belief." In *Language, Meaning, and Maturity,* edited by S. I. Hayakawa, 125-138. New York: Harper & Brothers.

Foucault, Michel 저·김상운 역. 2015. 『사회를 보호해야 한다: 콜레주드프랑스 강의 1975~76년』. 서울: 난장.

Foucault, Michel 저·오트르망(심세광·전혜리·조성은) 역. 2011. 『안전, 영토, 인구: 콜레주드프랑스 강의 1977~78년』. 서울: 난장.

Foucault, Michel 저·오트르망(심세광·전혜리·조성은) 역. 2012. 『생명관리정치의 탄생: 콜레주드프랑스 강의 1978~79년』. 서울: 난장.

Foucault, Michel. 1977. "Michel Foucault: La Sécurité et L'État." *Tribune Socialiste* (Novembre 24-30), 3-4.

Foucault, Michel. 1980. *The History of Sexuality, Vol. 1: An Introduction.* New York: Vintage Books.

Foucault, Michel. 1982. "The Subject and Power." In *Michel Foucault: Beyond Structuralism and Hermeneutics (Second Edition),* edited by Hurbert L. Dreyfus and Paul Rabinow. Chicago, IL: University of Chicago Press.

Foucault, Michel. 1991. "Governmentality." In *The Foucault Effect: Studies in Governmentality,* edited by Graham Burchell, Colin Gordon, and Peter Miller, 87-104. London: Harvester Wheatsheaf.

Foucault, Michel. 2000. "'Omnes et Singulatim': Toward a Critique of Political Reason." In *Power: Essential Works of Foucault, 1954-1984,* edited by James D. Faubion, 298-325. New York: The New Press.

Foucault, Michel. 2003. *"Society Must Be Defended": Lectures at the Collège de France 1975-1976*. New York: Picador.

Foucault, Michel. 2007. *Security, Territory, Population: Lectures at the Collège de France 1977-1978*. New York: Palgrave Macmillan.

Foucault, Michel. 2008. *The Birth of Biopolitics: Lectures at the Collège de France, 1978-1979*. New York: Palgrave Macmillan.

Gorden, Colin 저·홍성민 역. 1991. 『권력과 지식: 미셸 푸코와의 대담』. 서울: 나남출판.

Gordon, Colin. 1991. "Governmental Rationality: An Introduction." In *The Foucault Effect: Studies in Governmentality*, edited by Graham Burchell, Colin Gordon, and Peter Miller, 1-52. Chicago, IL: University of Chicago Press.

Hiruta, Kei. 2018. "A Democratic Consensus? Isaiah Berlin, Hannah Arendt, And The Anti-Totalitarian Family Quarrel." *Think : Philosophy for everyone* 17(48): 25-37.

Ho, Cheuk-Yuet. 2015. *Neo-Socialist Property Rights: The Predicament of Housing Ownership in China*. Lanham, MD: Lexington Books.

Huff, Richard F. 2007. "Governmentality." In *Encyclopedia of Governance*, edited by Mark Bevir, 389-390. London: SAGE Publications Inc.

Jessop, Bob. 2007. "From Micro-Powers to Governmentality: Foucault's Work on Statehood, State Formation, Statecraft and State Power." *Political Geography* 26(1): 34-40.

Jessop, Bob. 2010. "Constituting Another Foucault Effect: Foucault on States and Statecraft." In *Governmentality: Current Issues and Future Challenges,* edited by Ulrich Bröckling, Susanne Krasmann, and Thomas Lemke, 56-73. London: Routledge.

Kipnis, Andrew. 2007. "Neoliberalism Reified: Suzhi Discourse and Tropes of Neoliberalism in the People's Republic of China." *The Journal of the Royal Anthropological Institute* 13(2): 383-400.

Lakoff, George 저·손대오 역. 2010. 『도덕, 정치를 말하다』. 파주: 김영사.

Landau, Martin. 1961. "On The Use of Metaphor in Political Analysis." *Social Research* 28(3): 331-353.

Lawlor, Leonard and John Nale. 2014. *The Cambridge Foucault Lexicon.* Cambridge: Cambridge University Press.

Mottier, Véronique. 2008. "Metaphors, Mini-Narratives And Foucauldian Discourse Theory." In *Political Language and Metaphor: Interpreting and Changing the World,* edited by Terrell Carver and Jernej Pikalo, 182-194. London: Routledge.

Palmer, David A. and Fabian Winiger. 2019. "Neo-Socialist Governmentality: Managing Freedom in the People's Republic of China." *Economy and Society* 48(4): 554-578.

Pieke, Frank N. 2009. *The Good Communist: Elite Training and State Building in Today's China.* Cambridge: Cambridge University Press.

RFA 자유아시아방송. 2018. "북한은 왜 간부와의 전쟁을 선포했나." (12월 19 일), https://www.rfa.org/korean/weekly_program/bd-

81d55cc740-c5b4b514b85c/fe-jy-12192018134426.html.

Rutland, Peter. 1985. *The Myth of the Plan: Lessons of Soviet Planning Experience.* La Salle, IL: Open Court Pub.

Ryang, Sonia. 2000. "Gender in Oblivion: Women in the Democratic People's Republic of Korea (North Korea)." *Journal of Asian and African Studies* 35(3): 323-349.

Sigley, Gary. 2006. "Chinese Governmentalities: Government, Governance and the Socialist Market Economy." *Economy and Society* 35(4): 487-508.

Underhill, James W. 2011a. "Metaphor and World-Conceiving." In *Creating Worldviews: Metaphor, Ideology and Language, 3-16.* Edinburgh: Edinburgh University Press.

Underhill, James W. 2011b. "The Language of Czechoslovak Communist Power." In *Creating Worldviews: Metaphor, Ideology and Language,* 92-127. Edinburgh: Edinburgh University Press.

YTN. 2014. "북한 김정은 2014년 신년사 전문." (1월 2일), https://www.ytn.co.kr/_ln/0101_201401021100345870

7장

인도의 재정·예산제도와 예산과정: 근대국가의 통치성 관점에서

김정부

I. 서론

본 장은 푸코의 통치성(governmentality) 개념을 중심으로 인도의 재정·예산제도를 분석하고 그 개선방향을 탐색하고 있다. 푸코는 1978년 Collège de France에서 행한 일련의 강의(Foucault 2007)에서 16세기 이후 19세기에 걸친 유럽에서의 근대국가의 등장 및 그 통치논리의 형성과정을 분석하기 위해 통치성 개념을 도입한다. 통치성은 국가가 그 기구들을 통해 개인을 시민이자 인구의 구성인자로 구성하여(construct) 국가의 통치작용에 통합하는 논리, 제도, 기법의 일관된 전체(assemble)를 의미한다. 근대국가의 형성과정이 무수한 영지국가(domain state)가 사활을 건 전쟁을 통해 조세국가로 탈바꿈하는 과정에 다름 아니었다고 할 때(Tilly 1975; 1985), 국가가 경제발전을 진작하여 세수기반을 마련하고 이에 대한 징세 및 세출 기능을 담당하도록 하는 재정기구의 성장 및 그 정당화 논리는 근대국가 통치성의 핵심적 내용을 이룬다고 볼 수 있다.

왕실의 토지를 기반으로 하는 왕실금고(royal treasury)와는 구분되는 조세기반의 공공재정(public finance)을 확립하기 위해서는 우선 국가의 재정규모가 왕실토지에서의 소출에 비교할 수 없을 정도로 성장하여야 하는데, 그 배경이 된 것은 경제발전과 잦은 전쟁이었다. 조세는 납세자에 대한 직접적인 편익의 제공에 대한 반대급부가 아니라는 점에서, 조세를 통해 조성되는 재원에 관해서는 그 규모, 조성방법, 지출에 대한 결정과 그 결과에 대해 납세자에게 책임지는 기제가 동반되어야 한다. 다시 말해 조세국가의 출현은 징세 및 지출 등 재정과정 전반에 대한 의회에 의한 통제기제의 성장, 즉 재정민주주의의 제도적 정착과 맥을 같이한다. 이와 함께 조세국가의 발전은 징세 및 지출 기능을 담당하는 중앙재정기구(재무부)의 성장을 동반한다. 중앙재정기구는 경제전반에서 세입원의 규모를 확인하고, 실제 징세관료제를 통해 세금을 징수하며, 나아가 행정부의 지출행위들이 의회의 결정을 준수하는지를 관리·감독하는 기능을 수행하여야 한다. 이렇듯 행정부의 재무부가 왕실금고와 구분되는 공공재정의 운영에 대해 국왕 또는 총리의 명을 받아 세입 및 세출을 아우르는 재무행정 전반을 책임지는 한편, 귀족과 시민을 대변하는 의회는 행정부의 재정활동을 사전적 및 사후적으로 통제하는 체제가 근대국가의 통치성의 핵심적 내용이자 기술(technique)로 자리 잡게 된 것이다. 그리고 조세국가로서의 근대국가의 통치성의 형성은 개인이 국가의 권력작용을 통해 시민으로 구성됨과 아울러 시민-납세자로서 국가에 대해 조세의 징수와 그 사용에 대해 설명을 요구할 권리를 확보해 나가는 과정과 맞물려 있다. 즉, 근대국가의 재정·예산제도는 반대급부나 그에 대한 명확한 약속도 없이 조세를 납부해야만 하는 납세자들에 대해 재정국가기구와 재정활동에 대한 투명성, 책임성을 확보하기 위한 기제를 내장하고 있다.

그렇다면, 이렇듯 16세기에서 19세기에 걸쳐 서유럽과 미국에서 나타난 근대국가 통치성의 재정적 측면은 현대국가에서는 어떤 양상을 보이고 있을까? 서두에서 언급하였듯이 본 장은 푸코의 통치성 개념에 입각하여 국가의 통치작용이 관철되는 핵심적 기제라는 관점에서 현대 인도의 재정·예산제도의 대강을 분석하고자 한다. 근대국가 통치성의 핵심 요소로서 재정·예산제도에 대한 분석에서 인도가 분석 대상으로서 흥미로운 이유는 무엇보다 인도가 영국의 통치를 받았다는 점에서 찾을 수 있다. 인도는 1757년 동인도회사의 지배를 받기 시작한 이래 1947년까지 190년에 걸쳐 영국의 지배를 받았다. 이 기간 동안 식민본국 영국에서는 근대적 재정·예산제도의 근간이 완성되어 갔고, 이러한 제도의 틀은 식민지 인도의 재정운용 및 재무행정에 근본적인 원리로서 착근되었다. 독립 이후 인도는 1951년부터 경제개발을 위한 5개년 계획을 수립하고 실행하게 되면서, 식민시대에 뿌리내린 재정·예산제도의 근간이 국가의 전략적 개발을 위한 재정활동, 즉 개발계획을 뒷받침하기 위한 원활한 재원조달 및 투자활동의 수행에 장애요인으로 작용하고 있음을 인식하였다. 특히, 영국의 재정·예산제도는 행정부의 지출활동 자체에 대한 세세한 통제(회계 및 감사)에 초점을 맞춤으로써 적시적인 대규모 자본의 조성과 지출을 어렵게 하였다. 이에 따라, 인도는 재정의 민주적 책임성을 확보하기 위한 영국식의 기제에 더해 재정의 사회경제적 대응성(responsiveness)을 강화하기 위한 재정·예산제도 개혁을 매우 적극적으로 추진해 나갔다. 인도가 영국 국왕의 직접통치를 받게 된 1850년대부터 1947년까지 근 1세기에 걸쳐 구축된 식민시기의 재정·예산제도들은 적어도 행정 각 부처 및 지방의 재무관리, 사업관리 전반에 뿌리 깊은 관행(routines)으로 녹아있었던 반면, 계획-비계획 지출의 구분, 성과예산제도(performance budgeting), 영기준예산제도(zero base budgeting), 중기재정계획제도(Medium-Term Expenditure Framework, MTEF) 등은 경제적 합리성의 추구를 위해 이러한 기존 관행과 제도의 근본적인 변화(transformation)를 지향하고 있다. 이를 고려할 때, 식민시기의 재정·예산제도들이 신생 독립국의 국가전략에 따라 변화해 갈 때 어떠한 양상을 보이는지는 흥미로운 연구주제가 아닐 수 없다.

나아가 인도는 적어도 고대 마우리아제국(Mauryan Empire) 시기부터 2000년 이상 국가재정 운용에 대한 고유한 제도적 원칙과 관행을 형성해 왔다. 기원전 3세기경 Kautilya가 저술한 인도의 통치전략 고전인 *Arthashastra*에 따르면 "[재무]장관은 각각의 지역과 활동으로부터 예상되는 세입을 판단하고 이를 종합하여 한 해 동안의 세입을 추계하여야 한다"(Rangarajan 1992, 245). *Arthashastra*는 제5부에서 재무(Treasury), 세원, 예산, 회계계정, 감사 등 왕국의 재무행정의 기본 구조와 원칙에 대해 구체적으로 서술하고 있다. 이미 당시에 세입원에 따라 구분하여 세입추계를 실시할 것을 주장하고 있고, 예산지출에 대해서도 예산으로 계상된 일상지출(budgeted day-to-day expenditure), 예상으로 계상되지 않은 일상지출, 계획된 주기적(격주, 월별, 또는 연도별) 지출을 구체적으로 구분하고 있다. 세출의 경우 기능별(function) 분류와 품목별(objects) 분류를 혼합한 분류체계를 제시하고 있다. 이렇듯 기원전 3세기경 마우리아제국 시기에 이미 인도는 재정관리를 위한 기본적 원칙과 체계에 관한 논의를 구체화하고 있었던 것이다. 이는 오늘날에도 영국의 식민시기에 도입되고 정착된 재정민주주의의 원칙 및 제도와 결합하여 현재의 인도 재정·예산제도 속에 녹아 있다.

우리나라에서 인도에 대한 관심은 중국에 대한 관심과 비교하여 크게 낮은 편이다. 특히 인도가 약 14억 명의 인구를 가지고 코로나19 팬데믹 이전 약 6% 대의 경제성장률을 유지해 온 점을 고려할 때, 이는 다소 의외다. 더욱이 분야를 좁혀 인도의 행정체제, 특히 그 재정·예산제도에 대한 국내 연구는 몇몇 저술(김윤권 2009; 배유경 2010)을 제외하면 거의 전무한 실정으로, 이 역시 우리나라나 일본보다 높은 인도정부지출의 효율성을 고려할 때 의외라 할 만하다([그림 7-1] 참조). 이러한 관찰은 영미권 문헌을 살펴보아도 대체로 비슷한데, 인도의 재정·예산제도에 대해서는 최근 몇몇 연구들(Blair 2020; Jena 2016; 2018; Karnam 2018; 2022)이 나타나고 있으나, 여전히 매우 부족한 실정이다. Appleby(1957)나 Premchand(1963) 등 저명한 학자들이 비교적 일찍 인도행정에 주목하고 있음에도 불구하고, 비교재무행정(comparative public budgeting) 연구서들(Guess and LeLoup 2010; Menifield 2011)도 영미국가들, EU국가들, 동유럽, 남미, 중국·필리핀·베트남·태국 등 아시아 국가들의 재정·예산제도 및 예산과정을 비교분석하고 있으나, 이상하리만치 인도는 관심대상에서 제외하고 있다. 본 장은 인도의 유구한 역사와 식민경험, 방대한 영토와 인구 및 다양성, 국가전략에 따른 개발계획의 수립·집행, 재정·예산개혁을 위한 꾸준한 노력 등 그 고유의 특성과 도전을 염두에 두고, 인도의 재정·예산제도를 근대적 통치성의 관점에서 살펴보고자 한다.

[그림 7-1] 인도 및 주요 비교국가들의 정부지출 효율성[1]

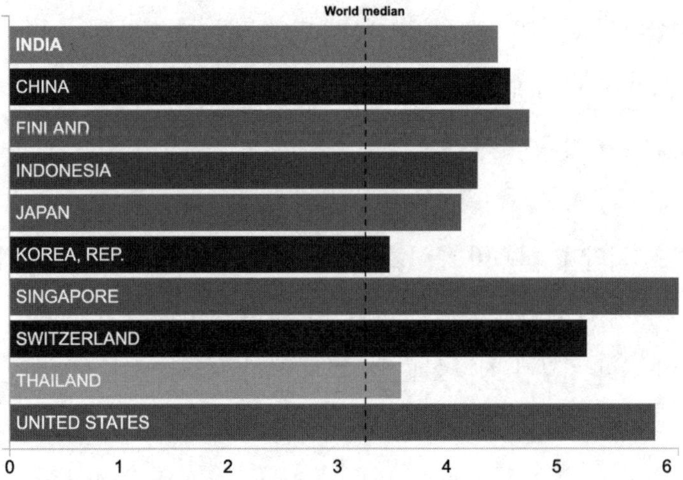

출처: World Bank(2022a).

---

1   세계경제포럼(World Economic Forum)의 2017-2018 글로벌경쟁력지수(Global Competitiveness Index) 상의 지표 중 "당신의 나라에서 정부가 공공세입을 얼마나 효율적으로 쓰고 있습니까?"(In your country, how efficiently does the government spend public revenue?)라는 질문에 대해 7점 척도(매우 효율적, 7점)로 측정한 것이다(World Economic Forum 2018).

본 장은 제2절에서 푸코의 통치성 개념을 소개하고 이것이 재정·예산제도에서 어떻게 구체화되는지를 설명하고 본 장의 분석틀을 제시한다. 이어 제3절에서는 인도의 재정거버넌스와 예산과정을 주요 제도적 행위자들을 중심으로 논의하고, 재정책임성과 재정건전성을 확보하기 위한 인도의 제도적 개혁노력을 소개하고자 한다. 이러한 논의를 통해 인도의 재정·예산제도가 어떻게 현대국가의 통치성을 구체화하고 있는지, 즉 재정·예산제도가 어떻게 국가기구와 그 통치논리·기법의 앙상블로 작용하고 있는지가 분명해질 것이다. 이어 제4절에서는 근대국가의 통치성의 관점에서 인도의 재정·예산제도의 개혁방향에 대해 개략적으로 검토한다. 제5절은 결론이다.

II. 푸코의 통치성 개념과 재정·예산제도

1. 푸코의 통치성과 근대 국가기구

미셸 푸코의 연구 및 강의는 1970년대에 규율권력(disciplinary power) 및 생명관리정치(biopolitics)의 작용에 대한 규명에 천착하고 있다. 1970년 Collège de France에 합류한 이후 매년 병원, 감옥, 학교 등에서 환자, 죄수, 어린이, 학생들에게 작용하는 규율권력(disciplinary power)이 어떻게 그 개인들의 영혼을 구성하는지, 어떻게 "영혼이 몸의 감옥(the soul is the prison of the body)"(Foucault 1995, 30)으로 작용할 수 있게 되는지에 대한 질문과 씨름하였다. 사람들의 신체에 작용하는 규율권력은 "위로부터 아래로" 감시의 눈을 들이대고, 반대로 "아래로부터 위로" 각각의 개인들의 신체의 움직임과 그 생각에 관한 정보를 비대칭적으로 수집한다. 근대에서 규율권력은 봉건적 속박으로부터 자유로워진 사람들을 권력의 내려다보는 시야에 붙잡고 이들을 환자, 어린이, 학생, 군인, 노동자 등 특정한 행동특성과 의무를 갖는 개인들로 구성해 냈다.

푸코의 미시적 규율권력 작용에 대한 이러한 분석은 막상 물적 기반을 갖춘 거대한 국가기구가 사회를 조직하고 통치하는 논리와 그 양상에 대한 분석에는 그대로 적용될 수 없다. 즉, 개인과 사회에 대한 근대국가의 권력작용에 대해서는 분석의 공백이 남아있게 된 것이다. 적어도 1960년대 말부터 1970년대 중반에 걸친 푸코의 규율권력 분석에 대한 비판론자들은 푸코가 국가기구에 의한 권력작용에 대한 분석을 결여하고 있다고 지적하고 있다(Collier 2009; Gordon 1991). 이러한 비판에 대응하면서 1975년부터 푸코는 Collège de France의 강의에서 자유주의나 맑스주의에서 전제하는 '쟁취, 거래 및 소유가 가능한 것으로서의 권력' 개념을 비판하고 '불균등하게 분포하면서(unevenly distributed), 관계 속에 녹아 흘러다니는(circulating), 중심을 갖지 않는(decentered) 권력' 개념을 제시한다(Foucault 1982; 2003; Kelly 2010). 권력관계(relations of power)를 전제로 하여 이러한 관계에 생명을 불어넣는 권력은 이제 '타인의 행동(품행)에 대한 지도'(conduct of conducts) 능력을 통해 작용한다(Foucault 1982; 2007). 즉, 권력은 다른 사람들이 선택할 수 있는 행동의 가능한 범위를 설정하는 능력을 의미하며, 실상 여러 노드들(nodes)의 관계망(networks)으로 이해되는 권력관계의 본질은 그 당사자들 간에 설정된 가능한 행동의 범위들에 다름 아니다. 권력은 그 작용을 통해 사회의 각 노드들을 개인으로 구성하게 되는데, 개인이란 실상 선택가능한 행동의 범위가 자유, 권리, 의무 등으로 정의된 존재들이다.

이러한 대안적 권력개념은 푸코로 하여금 거시적 권력의 작용이 미시적 규율권력의 작용과 어떤 논리와 방식으로 일관되게 통합되는지에 대한 분석을 가능하게 하였다. 개인 및 조직들 간의 관계에서 작용하는 '행동에 대한 지도'로서의 권력이 어떻게 국가기구에 의해 사회의 곳곳으로 모세혈관처럼 뻗어있는지를 이해할 수 있게 되었다. 전국가적 자원의 동원과 그 효과적 투사를 불가피하게 하는 대규모 전쟁이 빈번하고 또 장기화함에 따라, 근대국가에서의 권력작용은 권력의 효과로서 구성된 개인들의 유기적 집합체인 인구(population)의 파라미터(parameters, 인구수·출산율·수명·건강·교육·고용률 등)에 국가권력이 작용하는 생명관리정치(biopolitics)의 양상을 띠게 되었다(Foucault 1978; 2003). 인구에 대한 생명관리권력(biopower)의 작용을 위해서는 인구 전체를 대상으로 그 경제적 사회적 활동 전반에 대한 지식의 축적과 활용과 더불어 또 이를 전담하는 국가기구가 필요하다. 인구에 대한 지식의 체계로서의 '정치경제'(political economy) 및 통계학(statistics)의 발전, 그리고 이러한 지식을 권력작용에 녹여내는 관료제의 발전은 이러한 요청에 대한 근대적 응답이었다고 할 수 있다.

이러한 논의를 전개한 1975-76년의 강의(Foucault 2003)에 이어, 푸코는 1977-78년의 Collège de France 강의(Foucault 2007)에서 본격적으

로 근대국가의 통치논리를 탐색하고 있다. 즉, 푸코는 이때 국가기구의 권력작용의 논리와 양상을 다루는 권력의 거시물리학(macrophysics of power)과 규율권력의 작용을 규명하는 권력의 미시물리학(microphysics of power)의 통합을 시도하고 있다. 이를 위해 푸코는 근대국가에서 권력의 정치하고도 물 샐 틈 없는 작용을 간취하기 위해 통치성(governmentality) 개념을 제시한다. 통치성은 "인구를 통치대상으로 하고, 정치경제를 주요 지식형태로 하며, 안보기구를 핵심적 기술적 수단(technical instrument)으로 하는, 매우 특정적이면서도 고도로 복잡한 권력의 행사를 가능하게 하는 제도, 절차, 분석, 계산, 기술(tactics) 등의 일관된 전체(ensemble)"로 정의된다(Foucault 2007, 108). 여기서 통치성은 근대국가에서 생명관리의 권력과 정치가 작동하는 논리와 실제(practices) 및 이를 가능하게 하는 지식과 물질적 장치(국가기구)의 유기적 일관성 전반을 지칭하는 것으로 이해할 수 있다. 즉 근대국가가 인구와 개인들을 권력의 장으로 포섭하여 권력작용의 효과로서 이들의 정체성과 자아를 정의하며 국가 자체의 영구적 존립에 기여하도록 하는, 지식과 물리력으로 뒷받침된 통치논리, 통치합리성이 곧 통치성이라 하겠다. 이렇게 정의된 통치성은 국가 자체의 영구적 존속과 확대·번영을 지향하는 국가이성(Raison d'État)을 구현시킨다(Foucault 1994; 2007).

16세기 이후 근대국가의 형성과 제도화의 역사는 다름 아니라 통치성의 정부화(governmentalization) 과정에 다름 아니다. 정부화란 통치성을 구현시키는 지식, 분석, 기술, 관행, 제도가 국가기구에 축적되고, 재생산되며, 실행되기 때문이다. 이때 국가기구란 국가 자체의 존속을 가장 근본적 수준에서 보장하는 (군대 및 경찰 등) 안보기구들, 안

보기구의 작동에 물적 기반을 제공하는 징세관료제, 인구 전반의 경제활동과 개인·조직 간 재원배분을 기획하고 관리할 재정기구(재무부) 및 통계기구, 그리고, 인구의 재생산(출생 및 교육 등)과 보건을 보장할 관료제 등의 유기적 총합을 지칭한다. 이들 각각의 구성요소들은 그 자체로서 국가기구 전반의 작동과 각 국가기구 자체의 조직과 작동에 관한 지식의 체계를 전제한다. 즉, 경찰학, 정치경제학, 관방학, 행정학의 태동과 발전은 근대국가 통치성의 정착과 궤를 같이한다. 근대국가의 통치성은 이렇듯 국가 자체의 존속과 번영이라는 국가이성의 지상 목적을 위해 인구와 그 구성인자인 개인들의 경제적 사회적 활동 전반에 대한 지식을 축적하고 일정한 파라미터(parameters)에 따라 개인들과 조직들에 대해 장려되는 행동(품행), 허용되는 행동(품행), 허용되지 않는 행동(품행) 등으로 그 가능한 범위를 설정하고 실제 실행하는(en-force) 기제를 구축하고 있는 것이다. 인구에 대한 지식의 체현자로서의 국가기구는 개인들을 국가 및 국가기구와의 관계를 통해 구성하고 (construct), 개인들로 하여금 국가기구와의 관계에서 자신이 어떤 존재인지, 그 자아를 정의하게 만드는 방식으로 그 권력을 행사한다. 근대국가에서 개인들은 이제 국가와의 관계를 통해서만 자신의 정체성을 획득하게 된다. 이제 개인들은 그것이 자유주의 통치성이든, 신자유주의 통치성이든(Foucault 2008) 국가의 통치성이 작동하는 특유의 방식에 따라 그 삶의 의미와 목적, 삶의 방식을 정의하게 된다. 즉 개인은 국가권력의 작용의 효과로서 이해된다. 그리고, 이러한 국가기구의 핵심에 재정기구들이 자리 잡고 있다.

2. 근대국가의 공공재정의 발견과 재정·예산제도

그렇다면, 근대국가의 통치성 작동의 핵심적 축이라 할 수 있는 징세 및 재정기구의 형성과 정착은 어떠한 논리와 지식을 전제로 하는가? 나아가 생명관리정치의 대상으로서의 개인들은 근대국가 재정기구의 조직·지식·논리·실제(practices)에 어떻게 통합되었거나, 혹은 통합되어야 하는가? 근대국가의 형성과정(state-building)은 전쟁수행 (war-making) 과정에 다름 아니다(Tilly 1975; 1985). 16세기 이후 유럽에서 근대국가는 생존투쟁의 과정이었고, 생존을 보장하기 위해서는 외부적 위협, 내부적 반란을 효과적으로 극복하여야 했다. 이는 효과적인 군대와 경찰 조직이 담당하여야 할 기능이나, 이 시섬에서 재성기구가 사활적인 중요성을 갖는다. 바로 이러한 안보기구의 유지를 위한 물적 재원을 효과적으로 동원하고 집행할 책임을 재정기구가 담당하기 때문이다. 화약, 총포, 전투함의 발명 등 군사기술의 획기적인 발전, 전쟁규모의 증대, 장기전 등은 막대한 전쟁비용의 조달을 불가피하게 하였고, 실제 이런 기능을 효과적으로 수행한 국가만 최종적으로 존속할 수 있었다. 국왕소유의 왕실재정(royal treasury)만으로는 전쟁비용의 막대한 증가를 감당할 수 없게 되었다. 멀리 13세기 초의 대헌장 (Magna Carta)에서부터 프랑스의 삼부회에 이르기까지 전쟁수행의 과정은 전비마련을 위한 왕실금고 이외에 재원조달 수단을 찾아가는 과정이기도 했다. 즉, 근대국가의 생존투쟁의 과정에서 국왕 개인의 토지를 기반으로 하는 왕실재정과는 구분되는, 일반조세를 통해 재원이 조성되는 공공재정(public finance)이 등장하게 된 것이다. 공공재정의 조성과 관리에 필요한 지식과 이를 담당할 관료제 조직(재무부 및 징세기관)이 정착해 간 것은 그 자연스런 귀결이다.

　일반조세를 통해 조성되는 공공재정은 왕실재정과는 매우 중요한 차이점을 갖는다. 이를 이해하기 위해서는 민간부문과 공공부문의 거래의 근본적 차이점에 주목할 필요가 있다. 우선 민간부문(시장)에서는 무수한 거래 당사자들이 존재하며, 거래는 오직 이들 개인들(소비자들)과 생산자들 간의 자발적인 의사에 의해 성사된다. 계약에 근거한 무수한 거래들이 동시적이면서 또 분산된 방식으로 성사되고 집행된다. 나아가, 민간부문에서 소비자들은 반드시 일정한 대가(가격)를 지불하여야만 재화·서비스의 혜택을 누릴 수 있다. 즉 소비자 입장에서 비용의 지불과 혜택의 향유가 일대일 대응관계를 갖는다. 생산자 입장에서 특정한 상품을 생산하여 공급할 것인가의 결정은 전적으로 이를 통해 생산비용을 회수하고 수익을 창출할 수 있을 것인지에 대한 판단에 따른다. 생산자는 상품을 생산하여 가격을 매겨 시장에 '판매'함으로써 소비자에게 편익을 제공하고, 동시에 생산비용을 회수하고 수익을 가져간다. 즉 생산자 입장에서도 편익의 제공과 비용의 회수가 일대일 대응관계를 갖는다. 이 자발적 거래들이 근대사회에서는 대부분 가격신호를 바탕으로 한 시장기제를 통해 달성된다. 생산자는 상품·서비스 생산에서의 기술적 효율성(technical efficiency)을 높여 수익마진을 높일 수 있고, 소비자는 WTP(willingness to pay)에 따른 소비결정을 통해 효용을 극대화할 수 있다. 경제전반에서도 소비자에게 보다 높게 소구되는 상품·서비스의 생산분야로 희소한 자원이 재분배되어, 전체적인 배분적 효율성(allocative efficiency)이 제고된다. 아담 스미스가 꿰뚫어 보았듯이 이 모든 것은 "시장의 보이지 않는 손"(invisible hand)이 부리는 마술이라 하겠다.

반면, 공공부문에서는 민간부문에서의 이러한 특성들이 대체로 적용되지 않는다. 우선 공공부문에서는 독점생산자인 국가(정부)와 편익향유자로서의 시민들 간에 비배제성(nonexcludability)과 비경합성(nonrivalry)을 특징으로 하는 공공재(Hackbart and Ramsey 2002; Kaul and Mendoza 2003)의 생산·공급·향유를 둘러싸고 집합적이며 집권화된 비자발적 거래가 이뤄진다. 주로 공공재의 생산과 향유가 이뤄지는 이 거래에서 국방·치안·교육·보건·환경 분야에서와 같이 일단 서비스가 공급되면, 그 비배제적 성격으로 인해 이 서비스를 향유할 것인지 말 것인지에 대한 결정을 개인들이 개별적으로 할 수 없다. 즉, 시민들은 그들의 공공재 향유와 관련한 WTP와는 상관없이 재화를 향유하게 된다. 이 점에서 공공부문에서 정부와 시민 간의 거래는 비자발적이며 동시에 거래의 성사·집행이 집중화되어 있다. 또, 공공부문에서는 시민들이 공공재의 혜택을 누리기 위해 각 순간마다 따로 비용을 지불할 필요가 없다. 이는 시민들 각자에게는 보다 높은 수준의 공공서비스 수요로 나타날 수 있다. 반면 독점적 생산자로 기능하는 정부의 입장에서는 경제전반의 원활한 작동과 발전, 그리고 시민들의 일상적 삶에 없어서는 안될 공공재를 일정한 수준에서 반드시 생산·공급하여야 한다. 하지만 민간부문과는 다르게 정부는 소비에 있어 비배제성과 비경합성을 갖는 공공재에 대해 가격을 책정하여 판매할 수 없다는 근본적인 문제에 직면한다. 비배제성과 비경합성으로 인해 서비스의 잠재적 향유자들은 자신들의 서비스 선호(WTP)를 자발적으로 표출할 유인이 없기 때문이다. 모두 잠재적 무임승차자의 유인을 갖고 있는 것이다. 바로 이런 이유에서 정부는 공공재의 생산·공급의 비용을 서비스 판매를 통해 회수할 수 없고, 그 재원을 일반조세를 통해 조달하여야 한다. 즉 공공부문에서는 공공서비스의 향유가 가격신호에 따른 WTP에 의한 개인들의 자발적인 결정으로 이뤄질 수 없는 한편, 서비스의 생산·공급 측면에서도 독점적 생산자로서의 정부는 (시장 가격신호의 부재로 인해) 어떤 공공재를 어떠한 수준에서 생산할 것인지, 또 이러한 공공재의 생산에 필요한 재원을 어떻게 마련할 것인지에 대해 각각 따로 결정하여야 한다. 시장에서는 가격신호에 따른 결정이 분산적 자발적으로 이뤄져 생산에서의 기술적 효율성, 여러 섹터 간 재원배분의 효율성이 달성되지만, 공공부문에서는 이러한 결정이 시민들의 대표자인 정치인들과 그 정치인들의 위임을 받은 행정가들에 의해 이뤄지게 된다.

이런 공공부문의 거래적 특성으로 인해 일반재원의 조성과 사용을 둘러싼 근본적인 이슈들이 제기된다. 즉, 조세를 통해 조성되는 일반재원은 공공재정(public finance)으로서 일종의 공유지(fiscal commons)로 기능하게 된다는 점이다(Brubaker 1997; Hardin 1968; Wagner 1992; 2012). 시민들의 세금으로 조성되지만, 공공재원으로 된 이상 더 이상 시민들은 이에 대해 직접적으로 재산권을 행사할 수 없다. 이렇게 하여 공공부문에서는 재원에 대한 비용부담자, 재원사용에 대한 결정자 및 재원사용자, 재원사용의 수혜자 간 삼각 괴리가 발생한다. 비용의 지불을 통해 재화를 향유하게 하는 시장적 기제가 작동하지 않고 이기적 개인과 집단들(재원사용자 및 수혜자)이 일반재원으로 조성되는 공

공재정에 공익이 아닌 자신들의 사익을 위해 경쟁하게 되는 유인구조
가 공공재정의 조성과 운영을 근본적 수준에서 규정하게 된다. 그렇다
면, 이러한 공공재정의 유인구조를 억제하고 시민들에 의한 재정민주
주의를 구현할 수 있는 공공재정의 조성과 운영을 위한 원칙과 관리
제도는 어떠해야 하는가? 근대국가에서의 재정·예산제도들은 그 자체
로서 바로 시민들의 일반조세를 통해 형성된 이 공공재정에 대한 통제
에 납세자인 시민들의 의사를 관철하는 동시에 정책결정자 및 관료제
에 의한 기회주의적 행태를 제어하려는 노력의 구체적 표현이라고 할
수 있다(Raudla 2010; von Hagen 2002). 즉 그 규모와 내용에서 왕실재정
을 넘어서는 공공재정의 조성 및 운영과 관련한 근대적 재정·예산제도
는 전쟁수행에 필요한 군대의 유지, 조세수입의 확대, 인구에 대한 권
력작용(통치)의 고도화 과정에서 등장한 것으로, 직접적 반대급부 없이
세금을 납부하는 시민들에 의한 궁극적 재정통제, 즉 재정입헌주의, 재
정민주주의의 원칙과 관행을 제도적으로 정착시킨 것에 다름 아니다.

　근대적 재정·예산제도의 근간은 우선 입법부에 의한 조세 및 지출
에 대한 통제기제의 확립이다. 공공재정의 확대와 함께 조세 및 지출
에 대한 의회의 통제권한이 강화되어 왔다(Bates and Lien 1985; Herb
2003). 이는 영국에서는 17세기 중반 명예혁명을 통해, 프랑스에서는
18세기 말 대혁명을 통해, 그리고 미국에서는 독립전쟁에 이은 연방정
부의 수립을 통해 구체화되었다(김정부 2021). 어떤 세금을 얼마나 징수
할 것인지, 이렇게 조성된 공공재원을 어떻게 사용할 것인지에 대한
결정은 시민들의 대표자인 의회의 몫이라는 점이 궁극적인 원칙으로
확립되어갔다. 나아가 공공재정의 사용자로서 행정부 및 각 지출부처

의 예산계획의 수립과 예산집행의 행태들에 대한 책임성 확보기제를 통제장치를 통해 확보해 나갔다. 이는 적어도 세 가지 방향으로 전개되었다. 첫째는 징세 및 재정운영을 전담할 재정관료제의 확립이다. 주로 국왕, 총리, 대통령의 직접적인 통제를 받는 재무부(Ministry of Finance)가 그것이다. 재무부가 그 역할을 실효적으로 담당하기 위해서는 행정 각부의 지출계획과 지출행태 정보에 대해 접근할 권한이 있어야 하고, 또 각 지출부처로 분산되었던 자금출납을 재무부로 집권화하여야 한다. 정부전반의 수입과 지출을 통합적으로 관리하기 위한 통합계정(일반회계)의 설치가 재무부의 역할강화와 병행되어야 한다. 앞서 언급한 영국, 프랑스, 미국 등에서는 19세기에 주로 재무부 관료제의 강화와 국고출납의 집권화가 이뤄졌다. 행정부에서 예산의 편성과 집행과 관련한 재무부의 기능강화는 행정부에 의한 일반재원의 조성과 사용에 대한 책임소재를 명확하게 함으로써 의회로 하여금 보다 효과적으로 행정부에 대한 재정통제를 가능하게 하였다. 둘째, 행정부에 대한 재정통제의 또 다른 기제는 의회 내에 또는 독립적 기구를 통해 감사기능을 강화해 왔다는 점이다. 이를 위해서는 예산집행의 실태와 그 결과의 기록을 위한 회계제도의 발전이 동반되어야 한다. 행정부의 재정활동이 실제 의회의 의도와 승인대로 이뤄지는지를 확인하여 이에 대한 책임을 부과하는 기제로서 감사담당 기구의 제도화가 이뤄지게 된다. 이와 함께 회계연도 제도를 통해 행정부의 지출계획 및 실제 지출행태·결과에 대해 정기적으로 의회가 검토하고 결정할 수 있게 되었다. 즉, 집권화된 재무부를 행정부의 재정책임성 확보를 위한 주요 행위자(counterpart)로 하여 단년도 예산제도(annual budget)에 따른 예산안과 결산보고서를 통해 정부의 공공재원 사용에 대한 제도적 통제를 확립해 갔다. 셋째, 재정활동의 전모(조세 및 지출의 규모 및 내용)를 파악하여야만 국가의 재정활동이 경제전반 및 인구에 미치는 영향에 대한 전략적 접근이 가능해진다. 이를 위해서는 국고출납의 집권화를 위한 통합계정의 설치가 이뤄져야 한다. 즉 통합계정의 설치는 행정부 지출행태에 대한 통제뿐만 아니라, 동시에 공공재정을 경제정책 전반의 수단으로 활용하기 위한 전제적인 요건이라고 할 수 있다.

이러한 근대적 재정·예산제도의 발전과정의 주요 특징을 Naomi Caiden(1989)은 전예산시대와 예산시대의 대비를 통해 요약하고 있다. 전예산시대(pre-budgetary era)와는 달리 예산시대에서 예산과정은 연속성 대신 연례성(annuality), 분산싱 대신 집권성(centralization) 및 딘일성(unity), 과세 및 지출에서의 할당(earmarking) 대신 일반성, 징세청부(privatization; tax-farming) 대신 재정관료제(bureaucracy), 편의성(expediency) 대신 세출통제(appropriation) 및 감사(audit) 등으로 특징지어진다(Stourn 1917). 근대국가에서의 공공재정의 개념적 구분 및 확대와 더불어 의회에 의한 행정부 재정활동 전반에 대한 감시·통제를 제도화하기 위한 원칙들이 도입되고 정착되기 시작한 것이다. 재정활동 전반에 대한 계획을 수립하여 관련 정보와 함께 의회에 제출하여 그 승인을 받은 경우에만 행정부는 징세 및 지출활동을 할 수 있다는 원칙이 확립되었으며, 이와 함께 행정부는 그 재정활동의 결과에 대해 결산 및 감사자료를 의회에 제출하여 그 승인을 받게 되었다. 이와 같은 맥락에서 Léon Say(1885)는 근대적 예산제도 및 예산과정의 주요 원칙으로서 사전승인, 정기성, 포괄성, 단일성, 감사, 책임성 등을 지적하고 있다.

18-19세기 서구에서 도입되어 정착된 근대국가의 재정·예산제도는 20세기 후반에 오면 다양한 측면에서 근본적인 변화를 맞게 된다. 이러한 변화를 Schick(1966)은 예산개혁의 지향(orientation) 차원에서 설명하고 있는데, 행정부처의 지출행태에 대한 중앙예산실과 의회의 감시·감독에 초점을 두는 통제지향(control orientation), 지출부처 재정사업의 디자인과 집행관리에서의 효율성 증진(management orientation), 그리고 공공부문에서의 재원배분을 전략적으로 합리화하려는 기획지향(planning orientation) 등이 그것이다. 어떤 예산제도이든 이들 세 가지 기본적인 지향을 동시적으로 추구하여야 한다. 다만, 시대적 요청과 정책결정자들의 가치지향에 따라 그 상대적 강조점이 달라질 뿐이다. 가령, 전통적인 품목별예산제도는 통제에, 성과예산제도는 관리에, 기획예산제도(PPBS)는 기획에 좀 더 초점을 두고 있는 것이다. 20세기 후반에 오면 복지국가에서의 재정위기, 재정활동에 대한 시민들의 책임성 요구와 맞물려 재정활동의 결과(outcomes, results)에 주목하는 성과주의예산제도(performance-based budgeting)(Schick 2014; Mauro et al. 2017), 국가적 우선순위를 고려한 전략적 재원배분과 재정총량에 대한 적극적인 정책적 관리 등을 위한 중기재정프레임워크(Medium-Term Expenditure Framework)(World Bank 2013), 하향적 예산편성제도(top-down budgeting)(Ljungman 2009; Robinson 2013), 재정적자와 정부부채의 통제를 위한 재정준칙(fiscal rules)(Kopits and Symansky 1998; Schick 2003; Wyplosz 2013) 등의 제도혁신이 OECD 국가들을 중심으로 적극적으로 추진되고 있다. 비배재성과 비경합성을 특징으로 하기 때문에 시장가격 기제를 통해 공급될 수 없는 공공재의 생산 및 향유를 둘러싼 공공재정(public finance)과 관련하여, 이상의 근대적 재정·예산제도들은 재원조성과 지출에 대한 의회의 통제, 시민-납세자들에 대한 장·단기적 책임성을 확보하여, 기술적(technical), 배분적(allocative), 총량적(aggregate) 효율성을 보장하기 위한 것이다. 이상의 논의를 분석틀로 정리하면 [그림 7-2]와 같다.

[그림 7-2] 재정·예산제도, 재정민주주의, 통치성

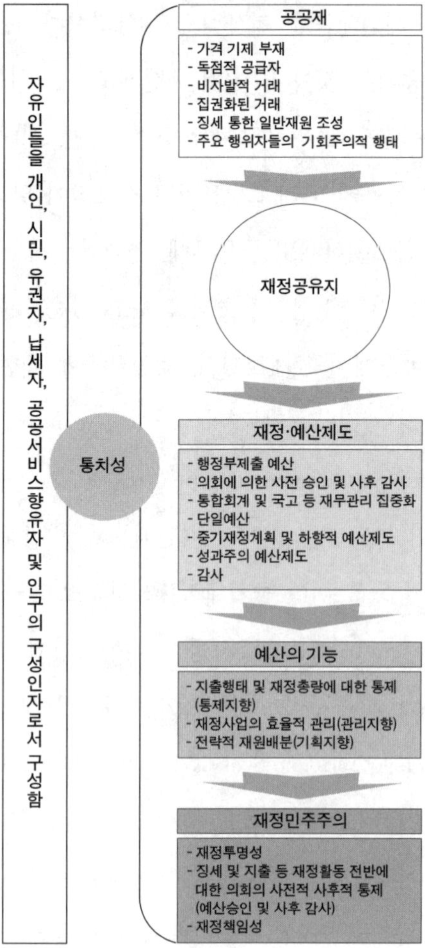

자유인들을 개인, 시민, 유권자, 납세자, 공공서비스향유자 및 인구의 구성인자로서 구성함

통치성

공공재
- 가격 기제 부재
- 독점적 공급자
- 비자발적 거래
- 집권화된 거래
- 징세 통한 일반재원 조성
- 주요 행위자들의 기회주의적 행태

재정공유지

재정·예산제도
- 행정부제출 예산
- 의회에 의한 사전 승인 및 사후 감사
- 통합회계 및 국고 등 재무관리 집중화
- 단일예산
- 중기재정계획 및 하향적 예산제도
- 성과주의 예산제도
- 감사

예산의 기능
- 지출행태 및 재정총량에 대한 통제 (통제지향)
- 재정사업의 효율적 관리(관리지향)
- 전략적 재원배분(기획지향)

재정민주주의
- 재정투명성
- 징세 및 지출 등 재정활동 전반에 대한 의회의 사전적 사후적 통제 (예산승인 및 사후 감사)
- 재정책임성

III. 인도의 재정·예산제도

1. 인도 중앙정부의 예산편성 및 심의·의결 과정

의회의 재정통제와 행정부에 의한 재정지출 활동을 근간으로 하는 현재 재정국가에서의 예산과정은 대체로 행정부에 의한 예산편성, 의회의 예산심의·의결, 행정부에 의한 예산집행, 결산·감사 등 4단계로 구분될 수 있다. 인도의 회계연도는 매년 4월 1일부터 다음 해 3월 31일까지로, 예산편성과정은 대체로 회계연도가 개시되기 바로 전 해의 9월경에 재무부가 각 지출부처에 예산안편성지침을 하달하면서 시작된다.[2] 예산안편성지침(Budget Circular)은 "재정책임성 및 예산관리법"(Fiscal Responsibility and Budget Management Act, FRBMA)에 의거하여 주요 재정정책방향 및 재정전략을 기초로 하고 있으며, 각 지출부처에 재정지출 분야 및 부문별 재원배분 우선순위에 대한 재무부의 기본방침을 담게 된다. 지출부처는 이를 바탕으로 지출소요(estimates)를 예산요구서에 담는다. 재무부는 각 부처의 예산요구를 전략적 우선순위에 따라 검토·조정하여 행정부 제출 예산안을 마련한다. 재무부에 의한 행정부 예산편성과정은 일반재무규칙(General Financial Rules)을 통해 구체화되어 있다(Indian Ministry of Finance 2017). 재무부 장관은 내각의 승

---

2 2021년의 경우 예산안편성지침이 9월 16일에 각 부처에 하달되었다.

인을 얻은 정부예산안(annual financial statement)을 중기 재정정책방향 및 재정전략, 중기재정계획서 등과 함께 매년 2월경에 의회에 제출한다. 예산안은 회계연도가 개시되기 전에 의회에서 승인되어야 하는데, 보통 인도의회는 2월 중순부터 회계연도가 시작하는 4월 1일까지 약 5주간 예산안을 심의할 수 있는 시간을 갖게 된다. 이는 9개월 이상 심의기간을 갖는 미국이나 3개월의 우리나라에 비해 절대적으로 부족한 시간이다. 재정민주주의가 의회에 의한 재정통제권의 실질적 구현이란 면에서 볼 때 이는 인도의회의 행정부에 대한 재정권한을 절대적으로 제약하는 요인이라고 할 수 있다.

정부예산안이 의회에 제출되면 의회는 먼저 재무부 장관으로부터 세안설명을 듣게 된다. 의회는 예산안에 대한 일반토론(General Discussion)과 재무부 장관의 답변·설명, 구체적 예산요구(Demands for Grants)에 대한 표결, 세출법안에 대한 표결, 그리고, 재정관련 법안(Finance Bill)에 대한 토론 및 표결 순으로 예산안심사 과정을 진행한다. 1단계 일반토론은 예산안 전체를 대상으로 하는데, 경제정책 및 정책 우선순위, 세법 개정 필요성, 경제전망(Economic Survey), 중앙은행(Reserve Bank of India)의 "화폐 및 재정 보고서", 세입예산안, 세출예산안, 재정관련 법안, 통제감사원(CAG)의 보고서, 공공계정위원회(Public Accounts Committee)의 권고사항 등을 구체적으로 다루게 된다. 이 1단계의 일반토론은 약 4-5일이 소요된다(Mahajan and Mahajan 2014; 2021). 2단계 일반토론은 각 지출부처의 지출요구에 대한 하원(Lok Sabha)에서의 토론으로, 각 지출부처별로 기존 지출사업에서의 낭비, 비효율, 예산전용의 적절성, 기존 승인예산의 적절성, 사업우선순위 등이 주요 쟁점이 된다. 통합회계(Consolidated Fund)로부터 지출가능한 예산액을 승인하는 세출법안(Appropriation Bill)에 대한 표결은 하원의장이 표결일을 지정하여 삭감제안(cut motion) 등에 대한 토론을 진행한 후 이뤄진다.[3]

이러한 예산과정은 재정·예산제도를 통해 구조화된다. 재정·예산제도는 예산의 편성, 결정, 집행, 결산의 과정을 정의하고, 각각의 단계마다 어떤 제도적 행위자들이 어떤 권한을 갖고 참여하는지 그 권한의 상대적 배분과 이들 간의 상호작용에 관한 규칙을 제공한다. 이와 함께, 재정·예산제도는 예산과정의 각 단계에서 예산이 어떻게 분류되고, 재정 전반 및 재정사업들에 대해 어떤 시계(time horizon)에서 어떤 데이터(자료)가 생성되어 활용되며, 예산집행 상의 거래들이 어떤 방식으로 기록·추적되는지에 대해서도 그 기본적 원칙과 더불어 각 행위자들의 역할을 규정하고 있다. 근대 재정국가는 이러한 재정·예산제도를 통해 조세 및 기채 등 재원을 조성하고, 나아가 조성된 재원을 특정한 목적을 위해 특정한 방식으로 지출함으로써 납세자를 시민으로 정의하고, 개인을 국가의 서비스를 향유하는 인구의 구성인자로 구성하여 통치하게 된다. 다음 소절에서는 근대 재정국가로서의 인도의 중

---

3   예산집행은 재무부의 주도와 통제 하에 각 지출부처를 통해 이뤄지게 된다. 또, 집행된 예산에 대해서는 회계감사를 통한 결산과정이 진행된다. 집행결과에 대한 회계감사는 기본적으로 행정부의 예산지출이 의회의 승인에 부합하는지를 확인하는 작업으로서, 재정책임성 및 의회에 의한 재정통제의 기본적 전제가 된다. 여기서는 지면의 제약과 논의의 초점을 분명히 하기 위해 예산집행과정 및 그 관리, 결산과정에 대해서는 자세히 다루지 않는다. 다만, 행정부 지출통제와 관련한 재무부의 기능 및 통제감사원(CAG)의 권한은 아래에서 논의한다.

앙정부(the Union)를 중심으로 그 재정·예산제도를 살펴보고자 한다. 여기서는 예산과정에서 재정권한을 담지하고 참여하는 여러 행위자들과 그들 간의 상호작용 양상을 재정거버넌스로 개념화하고, 국가별 재정거버넌스가 근대국가의 통치성의 표현임을 보인다.

2. 인도의 재정거버넌스(fiscal governance)와 재정·예산제도

재정거버넌스(fiscal governance)는 예산결정 과정을 구조화하는 제도와 절차의 총합을 의미하며(Hallerberg et al. 2009), 보다 구체적으로는 재정·예산과 관련하여 일정한 권한이 있는 국가기관들, 이 기관들 간의 상대적 권한의 배분양상, 재정·예산관련 결정의 종류와 그 결정의 절차와 원칙 전반을 지칭한다. 이런 점에서 근대국가의 재정거버넌스는 재정민주주의와 재정책임성의 원칙을 구현하고 있으며, 나아가 푸코의 통치성이 재정국가기구와 그 작동논리·기법을 통해 드러난 것이라고 하겠다. 이 절에서는 인도중앙정부의 재정거버넌스를 주요 재정관련 주요 제도단위와 그 각각의 상대적 권한을 중심으로 살펴본다. 인도 중앙정부의 주요 재정관련 기구들에는 의회, 대통령 및 총리, 재무부, 재정위원회, 기획위원회(현 NITI Aayog), 통제감사원(Comptroller and Auditor General, CAG) 등이 있다.

1) 인도의회의 재정권한과 재정통제

대통령[4]은 한 회계연도 동안의 수입과 지출에 대한 추계를 담은 정부예산안(annual financial statement)을 상하원에 제출한다(헌법 제112조 제1항). 정부예산안은 인도통합회계(Consolidated Fund of India)[5]를 통한 지출의 총액을 제시하여야 하며, 세입계정(revenue account)을 통한 지출과 다른 지출을 구분해야 한다(헌법 제112조 제2항). 대통령실의 지출, 상하원 의장·부의장, 대법관 및 연방법관, 통제감사원장(CAG)의 연봉과 수당, 이자지출, 감채기금 적립 등은 반드시 통합회계를 통해 지출되어야 하며(헌법 제112조 제3항), 통합회계를 통한 이들 지출예산안에 대해 상하원이 심의할 수는 있지만 표결할 수는 없다(헌법 제113조 제1항). 헌법 제112조 제3항에 명시한 지출항목 이외의 지출예산안(estimates)은 대통령에 의해 보조금(grants) 요구의 형태로 하원(Lok Sabha)에 제출되어야 하며, 하원은 동의하거나, 동의를 거부하거나, 또는 삭감을 전제로 동의할 권한이 있다(헌법 제113조 제2항). 즉 인도하원은 정부의 세

4　의원내각제 정부형태를 갖고 있는 인도에서 대통령은 국가원수로서의 지위를 갖지만, 행정전반의 업무는 내각을 지휘하는 총리가 담당한다. 대통령은 임기 5년으로 상하원 및 주의회 의원으로 구성되는 선거인단을 통해 간선된다. 본 장에서 언급하는 인도헌법 규정 중 대통령의 재정권한에 대한 내용들은 실질적으로는 행정부 수반인 총리의 권한으로 이해할 필요가 있다.

5　헌법 제266조 제1항의 규정에 따라 조세수입, 기채 등을 통한 모든 세입은 하나의 통합회계를 구성한다. 마찬가지로 각 주에도 주통합회계가 있다. 통합회계를 통한 지출은 모두 의회에 의한 승인이 있어야 한다. 그 외 국가 및 주 사무(affairs of the Union or of a State)와 관련하여 고용된 사람이나 법원의 세입은 공공계정(public accounts)으로 계상되며(헌법 제266조 제2항 및 제284조), 공공계정으로부터의 지출은 의회의 표결을 요하지 않는다.

입계정을 통한 지출예산안에 대해 증액할 수는 없고, 삭감하거나 또는 동의할 수 있는 제한적 권한을 행사하고 있다. 하원이 보조금 형태의 예산안에 대해 승인하면, 통합회계로부터의 지출을 승인할 세출법안(appropriation bills)이 제출된다. 인도헌법은 어떠한 경우라도 의회를 통과한 세출법을 통하지 않고서는 통합회계에서 지출할 수 없다는 점을 명확히 하고 있다(제114조 제3항).

인도헌법은 제110조에서 조세의 부과, 폐지, 수정에 관한 사항, 기채 및 지급보증, 통합회계 및 비상기금의 관리 및 운영에 관한 사항, 통합회계로부터의 세출, 통합회계를 통한 지출 규정 및 지출액의 증액, 통합회계 및 공공회계(public account)의 세입, 이들 회계에 대한 감사 등에 관한 사항 등을 다루는 법인을 재정법인(Money Bills)으로 따로 정의하고, 이와 관련하여 특별한 규정을 두고 있다. 즉, 이들 법안은 행정부, 즉 대통령의 권고(recommendation)에 의하지 않고서는 하원에 제출될 수 없고, 또한 이들 내용을 다루는 법안은 상원(Council of States; Ra-jha Sabha)에 제출될 수 없다.[6] 다만 세금감면이나 세금철폐에 관한 사항에서는 그렇지 않다(헌법 제117조 제1항). 재정법안이 하원을 통과하면 상원으로 이송되며, 상원은 14일 이내에 자체 권고사항을 하원에 요구할 수 있다. 하원은 이에 대해 거부하거나 동의할 수 있는 권한이 있다(헌법 제109조 제2항). 또한 어떤 법안이라도 만약 효력을 발생할 경우 통합회계로부터의 지출을 야기할 것으로 판단되는 경우에도 대통령의

---

6 즉, 상원은 재정관련 법안(Money Bills)을 제출할 수 없다(헌법 제109조 제1항).

권고 없이는 상원이나 하원에서 통과할 수 없다(헌법 제117조 제3항). 재정법안에 대한 이러한 규정은 증세나 세출증가 등 재정건전성에 영향을 미치는 법안들에 대해 의회가 자체적으로 법안을 마련하는 것을 막고 있으며, 총리가 이끄는 내각에서 이들에 대한 의제설정을 주도하도록 하고 있음을 알 수 있다. 즉 지역구 중심의 단순 다수대표제를 채택하고 있는 인도하원과 하원의원들이 재정의 지속가능성을 악화시키면서 지역구의 이익을 대변하려는 인센티브 구조에 대해 헌법규정을 통해 방지장치를 마련하고 있는 것이다.

인도의회의 재정·예산관련 상임위원회에는 예산추계위원회(Estimates Committee, EC), 공공계정위원회(Public Accounts Committee, PAC), 공공자산위원회(Committee on Public Undertakings, CPU)가 있다. 예산추계위원회는 정부지출에 대한 통제기능의 실질적인 수행을 위해 행정부에서 예산안으로 제출하여 실제로 의회의 승인을 받은 지출추계에 대해 사후적으로 정밀 검토하여 다음 회계연도의 예산요구에 반영하도록 하는 기능을 담당한다. 이렇게 함으로써 지출부처 및 재무부가 이전 연도의 예산요구에 대한 의회의 검토를 보다 전향적인 자세에서 반영하여 향후 예산요구의 합리성을 제고할 수 있게 된다. 보다 구체적으로 예산추계위원회는 1) 지출추계가 전제하고 있는 정책의 효율성 및 효과성을 제고하기 위해 조직구조 개편, 행정관행 개선 등 필요한 개선방안 검토, 2) 사업집행의 효율성을 제고할 수 있는 정책대안 권고, 3) 지출추계에 내포된 정책의 제약 하에서 수립된 지출계획의 적절성에 대한 검토, 그리고 4) 지출추계, 즉 예산요구가 의회에 제출되는 형식에 대한 검토 등을 담당한다. 1950년 설치되어 하원의원들로만 구성되는 예산추계위원회는 매년 그 위원들을 새로 선출한다. 위원 수는 처음에는 25명으로 고정되었다가, 소위원회 활동을 진작하기 위해 1956년 30명으로 증원되었다(Sapru 2018).

공공계정위원회는 행정부의 재정활동 전반에 대한 감시·감독 기능을 수행한다. 인도 하원의 의사규칙 제308조에 따르면, 공공계정위원회는 1) 실제 지출된 자금이 해당 목적으로 적법하게 승인이 된 것인지, 2) 지출행위가 실제 이를 주관하는 기관의 규정에 부합하는지, 3) 세출조정이 주무기관의 규정에 합당하게 이뤄졌는지를 보장하고 확인하는 기능을 수행한다(Singh and Singh 2011, 244-245). 공공계정위원회는 또한 국영기업 및 준정부기관의 수입과 지출내역에 대해서도 점검할 권한이 있다. 공공계정위원회는 1923년 최초로 설치되었으며, 독립 후 제헌 당시에는 15명의 위원으로 출발하여 1953년 22명으로 증원되었다. 현재 15명은 하원에서, 7명은 상원에서 매년 각각 선출하며, 여러 위원들이 연임되고 있다. 제한된 인력과 자원으로 인해 공공계정위원회는 행정 각 부처의 재무관리 전반의 기록을 직접적으로 조사하지는 않고, 주로 통제감사원(CAG)의 감사보고서에 대한 검토에 주로 의지하고 있다. 공공계정위원회는 그 역할과 관련하여 행정부에서 집행되는 정책 그 자체보다는 그 정책의 집행에 낭비적인 요소들이 있는지를 점검하는 것에 초점을 둔다.

공공자산위원회는 방대한 공기업(public enterprises) 부문에 대한 재정적 통제기능을 담당하고 있다. 동 위원회는 1) 공기업의 회계 및 기타 보고서들에 대한 검토, 2) 통제감사원(CAG)의 공기업 관련 보고서 검토, 3) 공기업이 경영상의 독립성을 바탕으로 효율성을 추구하기 위해 상업적 특성과 원리에 맞게 운영되는지에 대한 검토 등의 기능을 담당한다. 1964년 설립된 임기 1년의 위원들(임기 1년)로 구성되어 있다 (Sapru 2018).

이렇듯 인도의회의 재정관련 위원회들은 행정부의 지출행태에 대한 감시·감독 등 재정통제 기능에 충실하도록 설치되어 있다. 이는 근대국가 통치성을 구현한 재정·예산제도의 핵심적 기능으로서 영국의회를 주로 모델로 한 것으로 평가된다. 이들 위원회들은 소위원회 및 스터디 그룹 등을 통해 주요 사안들에 대한 연구 및 조사를 진행하고 이를 보고서 형태로 공개하고 있다. 또 공공계정위원회와 공공자산위원회의 사례에서 보듯이 상하원 합동으로 위원을 구성하여 상하원 간 컨센서스의 형성을 도모하고 있는 점이 특징적이다. 인도의회의 재정권한과 재정관련 위원회들의 기능과 활동으로 볼 때, 행정부가 재정지출 및 재정정책에서 의제설정 주도권을 갖게 하여 의회의 지대추구적 행태를 제어하려는 점이 두드러지는 반면, 행정부의 지출행태에 대한 의회에 의한 재정통제에 대한 강조가 매우 강한 것으로 평가된다.

2) 재무부[7]와 행정부 재정기능의 집중

인도의 중앙재정기구는 재무부(Ministry of Finance)이다. 명실공히 인도의 경제정책, 재정정책, 조세, 예산편성, 지출 및 국고관리, 공공은

---

[7] 인도의 재무부에 대한 논의는 주로 Mahajan and Mahajan(2014; 2021)에 의존하고 있다.

행 및 공기업 등 공공부문, 금융서비스 등 경제정책 및 재정정책, 재무행정 전반에 대한 컨트롤 타워의 역할을 담당한다. 1810년 영국의 인도식민정부에 재무부가 최초로 설치되었고, 1843년 세입및농상청(Department of Revenue, Agriculture and Commerce)으로 전환되었다. 1919년 인도총독위원회(Governor General's Council)가 조세부과, 통화, 은행 업무 등에 대해 제안할 권한을 부여받았고, 이에 따라 재무청(Finance Department) 조직개편과 함께 감사관(Auditor General)의 권한이 법적으로 규정되었다. 제1차 세계대전 기간에 세입및지출청(Department of Revenue and Expenditure)과 경제청(Department of Economic Affairs)으로 분할되었다가, 독립 직후인 1947-49년 세입, 세출, 경제정책을 아우르는 재무부(Ministry of Finance) 체제로 지리잡았다. 이후 1955년 회사법 행정(Company Law Administration) 기능까지 담당하도록 조직개편이 이뤄졌다(Mahajan and Mahajan 2014; 2021).

재무부 내 가장 핵심적인 부서는 경제청(Department of Economic Affairs)으로 경제정책과 프로그램을 입안·집행하고, 경제상황 전반을 모니터링 및 관리하는 경제정책의 컨트롤 타워 역할을 담당한다. 이를 좀 더 세분하여 보면, 1) 국가재정, 국가채무관리, 인플레이션, 자본시장 등과 관련한 주요 거시경제정책 기능, 2) 다자간 양자간 원조, 해외기채(borrowing abroad), 해외직접투자, 환율자원관리 등 해외자원관리기능, 3) 예산편성 및 집행 기능을 들 수 있다.[8] 경제청 산하에는 경제정

8　인도의 철도예산은 2016년까지 철도부 장관이 따로 편성하여 의회에 제출하여 승인을 받았으나, 2017년부터는 재무부의 경제청이 일반예산 및 철도예산을 포

책국, 예산국, 인프라투자국, 채무관리실 등 12개 국·실이 있다. 세출청(Department of Expenditure)은 중앙정부 및 주정부 전반의 재정사업에 대한 재무적 관리책임을 갖고 있다. 특히 주요 재정사업에 대한 평가, 주정부로 이전되는 예산재원에 대한 관리, 중앙부처의 세출관리, 중앙부처의 인건비 규제, 재정사업 집행의 효율성 제고를 위한 조직진단 및 개편 등의 업무를 수행한다. 산하에 중앙재정국, 주재정국, 계정통제관 등 11개 실·국·위원회 등이 있다. 세입청(Department of Revenue)은 중앙세입위원회법(Central Board of Revenue Act of 1963)에 따라 산하에 각각 5-6명으로 구성되는 중앙직접세위원회(CBDT)와 중앙개별소비세및관세위원회(CBEC)를 두고 중앙정부의 직접세 및 간접세 부과와 징수에 관한 업무를 담당하고 있다. 판매세국, 마약통제국, 중앙경제정보국, 관세및개별소비세분쟁위원회 등 산하 부서를 두고 있다. 금융서비스청(Department of Financial Services)은 은행 등 금융부문의 육성과 운영을 지원·관리하기 위해 비교적 최근인 2007년에 설치되었다. 금융서비스청은 특히 공공부문의 은행 및 보험공기업, 개발금융기관의 운영 방향 및 전략 수립, 관리감독에 관한 업무, 비은행권 금융업무 및 민간·외국은행에 관한 정책 수립, 연금개혁 등을 담당하고 있다. 자산관리청(Disinvestment)은 1999년에 설치되어 공기업에 대한 관리·운영에 관한 업무를 담당한다. 자산관리청은 공공자산(Public Sector Undertakings) 매각수입으로 재원을 마련하는 국가투자펀드(National Investment

---

괄하여 예산안을 편성하게 되었다.

Fund)의 운영도 담당하고 있다. 중장기적으로 자산관리청은 중앙정부 산하 모든 공기업을 주식시장에 상장하는 것을 목표로 하고 있다.

재무부는 이러한 조직체계를 바탕으로 중앙정부 및 주정부를 아우르는 재정정책 및 재정관리 전반에 대한 기능을 담당하고 있다. 특히 경제정책, 조세정책, 전략적 재원배분과 관련, 매년 9월 예산안편성지침을 각 지출부처에 하달하여 부처 예산요구에서의 기본적 방향을 제시하고 예산편성 과정을 개시한다. 아래에서 기술하는 바와 같이 재무부는 '재정책임성 및 예산관리법'(FRBMA)에 따라 향후 3년에 걸친 중기 재정정책 및 재정정책전략의 수립, 중기재정운용계획, 거시경제운용방안 등을 마련하여 예산안과 함께 의회에 제출하여야 한다. 이를 위해 재무부는 지출부처의 예산변성이 중기 재정운용계획과 부합하도록 사전적으로 개입하여 재정자원의 국가 주요전략 분야로의 배분을 관장한다. 이를 통해 재무부는 거시적 재원제약과 전략적 재원배분 우선순위를 지출부처의 사업지향을 조화시키는 책임을 담당한다.

재무부의 또 다른 핵심 기능은 지출부처에 대한 지출행태 통제이다. 근대국가에서 행정부의 재정권한을 재무부로 집중하여 지출부처에 대한 통제를 강화한 것은 행정부 재정활동에 대한 책임소재를 분명히 하여 의회에 의한 행정부 전반의 지출통제를 원활하게 하기 위함이다. 이런 면에서 볼 때 재정민주주의의 근간이 되는 의회에 의한 행정부 지출통제가 제대로 작동하기 위해서는 재무부가 지출부처의 행태에 대해 실질적인 통제권한을 행사할 수 있어야 한다. 인도 재무부의 지출통제는 예산편성과정과 예산집행과정에서 모두 작용한다. 즉,

예산편성과정에서는 우선 예산안편성지침을 각 부처에 하달하여 국가 전반의 가용한 재원의 크기, 전략적 재원배분의 우선순위, 사업비용 추계기준 등을 고려하여 부처의 요구와 재정정책 방향 간의 정합성을 사전적으로 확보하고자 한다. 재무부는 부처의 개별적 사업예산 요구를 검토할 권한을 통해 비효율적 낭비적 요인이 예산요구에 포함되지 않도록 사전통제를 가할 수 있고, 제출된 부처예산요구에 대해서도 이를 선별적으로 세밀하게 사정(review)하여 지출부처 사업의 정책적 정합성을 제고한다. 즉 중앙예산기구로서 재무부는 정부전반의 재정정책 방향과 전략에 부합하도록 각 지출부처 및 그 사업들을 통합·조정한다.

재무부는 의회에서 세출법이 성립한 이후에도 실제 지출부처의 지출행태, 즉 재정사업의 집행과정에 대해서도 그 속도를 조율하고, 실제 세출법에 따른 지출이 이뤄지고 있는지를 모니터링한다. 지출부처는 세출법에 포함되지 않는 새로운 사업을 시작하거나, 예산으로 승인된 금액을 초과하는 지출을 할 수 없다. 집행과정에서의 변화된 여건에 대응하여 당초 계획과 다른 집행이 필요하다면 그 적절성을 판단하는 것 역시 재무부의 책임이다. 물론 재무부에 의한 지출행태 통제는 독립 이후 1960년대까지 지출목록(expenditure items) 각각에 대한 품목별 통제에 집중하였으나, 이러한 지향은 실제 재정지출을 통해 시민들의 삶(교육, 빈곤, 보건, 소득 등)에 어떠한 변화가 나타났는지를 제대로 고려하지 못한다는 단점이 있다. 이러한 반성에서 1960년대부터 재정사업의 성과의 중요성에 주목하게 되면서 점차 지출통제의 초점을 사업성과에 대한 관심으로 옮기게 된다. 지출부처의 지출행태에 대한 감시·감독은 통제감사원(CAG)에 의한 공공부분 모든 조직들의 수입 및 지출에 대한 감사기능과 상호 보완을 이룬다.

3) 인도의 재정위원회(Finance Commission)와 재정정책 방향설정

인도정부는 독립 초기부터 재정정책 및 중앙-주정부간 재정관계 전반에 대한 사항에 대한 전문가의 자문을 위해 재정위원회를 두고 있다. 헌법 제280조 및 재정위원회법(1951년 제정)에 근거하는 재정위원회는 5년 임기로 대통령이 임명하는 5명의 위원으로 구성되는 자문기관으로서 주요 재정정책방향에 대해 대통령, 총리, 내각과 의회에 권고한다. 식민시기인 1920년대에 이미 중앙과 지방(states)의 조세권한 및 사회간접자본 지출수요 간의 불균형(mismatch) 문제의 해결을 위한 제도적 기반에 대한 논의가 재정위원회의 설치방안으로 나타났다. 재정위원회는 기획위원회(Planning Commission)와 더불어 독립이후 2010년대까지 인도 중앙정부의 재정정책 및 예산과정에 대해 매우 결정적인 영향을 미쳤다. 2014년 기획위원회가 해체되고 정책위원회(NITI Aayog)로 대체된 이후에도 재정위원회의 역할과 그 중요성에 대한 인식은 이를 상설 사무처를 갖는 독립재정기구로 격상하려는 주장으로까지 이어지고 있다.

헌법 제280조에 따라 재정위원회는 1) 중앙정부와 주정부 간의 조세세입의 배분에 관한 사항, 2) 통합회계에서 제공되는 주정부에 대한 보조금(grants-in-aid), 3) 주정부 재정위원회의 권고에 입각하여 각 주의 기초자치평의회(Panchayats, 마을평의회) 및 시정부(Municipalities)에 대한 재원보강을 위한 주정부 통합회계 강화방안, 4) 기타 건전재정을 위해 대통령이 자문요청한 사항들에 대해 대통령에게 자문할 권한을 갖는다. 헌법 제281조에 따라 대통령은 재정위원회의 자문내용에 대한 조치방안을 의회 상하원에 제출할 의무가 있다. 1951년의 재정위원회법은 재정위원의 자격에 대해 1) 고등법원의 판사 경력이 있거나 이에 준하는 자격, 2) 재정 및 정부회계 분야에 대한 전문지식, 3) 재무나 행정 분야에서의 폭넓은 경험, 4) 경제학적 전문지식 등 4가지 요건을 규정하고 있다. 헌법 제280조 제4항 및 재정위원회법 제8조는 재정위원회가 그 필요에 따라 관계 기관 및 개인에게 의견과 자료의 제출을 요구할 권리가 있음을 규정하고 있다.

재정위원회가 자문하는 이슈들은 우선 일차적으로 중앙정부-주정부 간 재정자원의 조성 및 지출 배분, 주정부 간 재정관계의 설정 등 수직적 및 수평적 재정불균형(vertical and horizontal fiscal imbalances) 이슈를 포함한 인도연방 전반의 정부 간 재정관계에 관한 것이다. 가장 최근의 재정위원회를 예로 들면, 제15대 재정위원회(2017-2021)의 첫 보고서는 2020년 2월에 의회에 제출되었고, 권고사항(recommendations)을 담은 최종보고서는 2021년 2월에 나왔다. 이 보고서는 크게 중앙정부-주정부 간 국세(central taxes) 세입의 배분 및 그 기준(〈표 7-1〉 참조), 재정정책방향(fiscal roadmap), 주요 전략적 지출분야의 재원배분 방향 등에 대한 권고사항을 제시한다. 제15대 재정위원회는 중앙정부의 조세수입 중 주정부로 귀속되는 비율은 2021-26년 기간 41%로 권고하였는데, 이는 제14대 재정위원회의 42%보다 다소 낮아진 것이다 (PRS Legislative Research 2021). 재정위원회는 또한 이 기간 동안 17개 주에 세입적자를 보전하기 위해 2.9 라크 크롤(lakh crore)[9] 루피의 보조금을 제공하며, 건강, 초중고 교육, 고등교육, 농업개혁, 도로 유지보수, 사업, 통계 등의 특정 분야를 중심으로 주정부에 대해 1.3 라크 크롤 루피의 보조금 지원을 권고한다. 또한 각 주의 필요에 따라 사회니즈(social needs), 행정거버넌스 및 인프라 개선, 물 및 위생, 문화 및 전통적 기념물 보존, 관광 진흥을 위한 보조금 지원을 권고하고 있다. 주정부에 대한 보조금에 더해, 재정위원회는 농촌 및 도시의 기초자치단체들에 대한 지원도 권고하면서 이를 성과와 연계할 것을 주장하고 있다.

〈표 7-1〉 중앙정부의 조세세입의 주정부에 대한 배분 기준(Criteria for Devolution)

배분 기준	제14대 재정위원회: 2015-20	제15대 재정위원회: 2020-21	제15대 재정위원회: 2021-26
가장 부유한 주와 가장 가난한 주 간의 소득격차(income distance)	50.0	45.0	45.0
면적	15.0	15.0	15.0
인구(1971)	17.5	-	-
인구(2011)	10.0	15.0	15.0
인구억제 정책에 대한 주의 성과 (demographic performance)	-	12.5	12.5
숲면적(forest cover)	7.5	-	-
인도 전체 고밀도 산림 대비 주의 고밀도 삼림 비율(forest and ecology)	-	10.0	10.0
조세 및 재정노력(tax and fiscal efforts): 각 주의 1인 당 자체 조세수입 및 1인 당 GDP	-	2.5	2.5
합계	100.0	100.0	100.0

출처: PRS Legislative Research(2021, 1).

---

9   1조 루피(rupees) = 1 lakh crore 루피. 100루피는 약 US$1.33임.

또한 제15대 재정위원회는 향후 재정정책의 방향과 관련하여, 중앙정부는 2025-26년까지 재정적자를 GDP의 4% 수준까지 낮추며, 각 주정부들에 대해서는 단계적으로 재정적자를 2021-22년의 4%에서 2023-26까지 3% 수준으로 낮출 것을 권고하고 있다. 전력분야의 운영적자 및 세입결손 축소를 위한 개혁을 위해 주정부들에 대해 2021-25년 동안 주내총생산(GSDP)의 0.5%까지 추가기채 허용을 권고하고 있다. 재정위원회는 이러한 재정적자 축소노력을 통해 중앙정부 채무는 2020-21년의 GDP 62.9% 수준에서 2025-26년까지 56.6%로, 주정부 채무는 GDP 33.1%에서 32.5%로 낮출 수 있을 것으로 내다봤다. 세입구조에 있어서, 현재의 봉급생활자들에 대한 과도한 소득세 의존을 줄이기 위해 세금공제 및 세금징수(TDS/TCS) 관련 조항의 적용범위를 확대할 것을 권고하는 한편, 주정부 수준에서 인지세 및 등록세에 좀 더 주목할 것을 주장한다. 또한 부동산 정보를 전자화하고 이를 거래등록 시스템과 통합하고, 부동산의 시장가격을 징세에 반영하는 방안을 권고한다. 이와 함께 제15차 재정위원회는 재무행정(public financial management) 전반의 포괄적인 프레임워크의 개발이 필요하다는 점을 강조하고, 독립적이고 영구적인 재정평의회(Fiscal Council)를 설치하여 중앙정부와 주정부의 재정상황 및 재정성과에 대한 평가권한을 부여할 것을 주장한다. 중앙과 주정부에서 예산외 재정활동(off-budget financing)을 축소하고, 국제표준에 맞춘 회계 및 재무보고제도를 단계적으로 도입할 필요가 있다. 또한 충당부채(contingent liabilities)에 대한 표준화된 보고체계의 개발 필요성을 주장한다. 이와 함께 거시경제 및 재정 예측의 정확성과 일관성을 더욱 제고할 필요가 있다(PRS Legislative Research 2021).

헌법에서 행정부가 재정위원회의 권고사항들에 대한 실천방안을 마련하여 의회에 제출하도록 하고 있음에도 불구하고, 재정위원회를 5년 임기의 자문기구로 둔 점은 재정관련 독립적 전문성의 축적과 내각과 재무부에 집중된 행정부의 재정권한을 고려할 때 개선의 여지가 높다고 평가된다. 특히, 재정정책에 대한 전문성과 실행력이 재무부에 집중되어 있는 반면, 인도의회에는 아직 우리나라의 국회예산정책처, 미국의 의회예산실(Congressional Budget Office) 등 OECD 국가들에서 정착되고 있는 의회 내 독립재정기구가 없는 실정이다. 즉, 의회가 행정부에서 제출한 예산안에 대해 삭감위주의 제한적인 수정권한만 갖고 있고, 공공계정위원회, 예산추계위원회, 공공자산위원회 등이 1년의 짧은 임기로 인해 실질적인 전문분석 역량을 갖추지 못하고 있다. 이런 상황에서 의회는 통제감사원(CAG)의 보고서에 크게 의존할 수밖에 없다. 즉 인도의회는 중기적 시계에서 거시경제여건에 대한 분석, 행정부의 재정정책 및 전략에 대한 분석 및 평가 등을 보다 본격적으로 수행할 독립적 분석역량을 갖춘 기구를 갖춰나갈 필요가 있다. 재정위원회를 지원조직을 갖춘 독립적 재정평의회(Independent Fiscal Council)로 격상하여, 의회에 정치적으로 중립적이면서 객관적 분석결과를 제공하게 된다면, 행정부에 대한 지출통제에서 더 나아가 재정정책 및 재정전략 전반의 수립과 집행에 대한 실질적 통제로 내실화할 수 있을 것이다.

4) 기획위원회(현, NITI Aayog)[10]의 5개년 계획과 기획-예산의 연계

1951년 제1차 5개년 계획의 수립부터 적어도 2010년대 중반까지 인도의 개발전략의 수립 및 집행, 개발전략과 재정정책의 연계, 세출의 기능별·성질별 분류에서 빼놓을 수 없는 존재가 1950년 내각결의안을 통해 설치된 기획위원회(초대 의장: 네루 수상)였다. 이렇게 기획위원회는 연방정부, 의회민주주의, 복지국가라는 제도적 틀을 배경으로 모두 12차례에 걸쳐 사회경제적 발전을 위한 5개년 계획을 수립하고, 이를 실행할 재정사업들을 기획하고 그 집행과정을 종합조정하는 기능을 담당하였다. 하지만 2014년 나렌드라 모디(Narendra Modi) 총리가 이끄는 내각회의에서 기획위원회의 폐지가 결정되었다. 연방체제를 제도적 기반으로 하는 인도에서 중앙의 기획위원회를 통한 국가개발기획은 그 자체로서 근본적인 긴장과 모순을 안고 있다고 할 수 있는데(Sapru 2018), 중앙의 계획을 주정부 및 지방정부에 관철시키는 것 자체가 재정사업의 입안·결정·재원배분·집행·평가 전반에서 중앙정부, 특히 기획위원회와 재무부에 과도한 권한을 집중시킴으로써 연방체계에서의 주정부의 자율과 주도권을 저해하는 위협요인으로 작용하기 때문이다. 기획위원회를 폐지하면서, 당시 재무부 장관이던 아룬 자이틀리(Arun Jaitley)는 "65년 된 기획위원회는 이제 더 이상 쓸모없는 조직이 되었다. 계획경제 시대에는 적실성이 있었을지는 몰라도 이제 인도는

---

10 NITI Aayog는 정책위원회(policy commission)로서 National Institution for Transforming India의 약어이다.

다양화한 나라로서, 인도의 여러 주들은 그 자체의 강점과 약점을 갖고 매우 다양한 경제개발 과정을 밟아가고 있다. 이런 점에서 중앙에 의한 획일적인 경제개발 기획은 이제 더 이상 쓸모없게 되었다"고 갈파하였다(Sapru 2018, 166 재인용).

경제개발 5개년 계획의 수립과 실행은 기획과 예산의 긴밀한 연계를 전제로 한다. 이를 위해 인도는 재정지출 전반을 계획지출(Plan Expenditure)과 비계획지출(Non Plan Expenditure)로 구분하는 동시에, 이들 서로 다른 성격의 지출과 관련한 예산편성·집행·평가의 전 과정에 걸쳐 서로 구분되는 제도를 갖추어야 했다. 5개년 계획에 따른 계획지출 및 비계획지출의 체계를 이해하기 위해서는 먼저 정부지출의 기능적 분류를 살펴볼 필요가 있다. 인도의 기능별 예산분류는 총 6단계를 이루고 있는데, 가장 상위 기능은 일반서비스, 사회서비스, 경제서비스, 보조금 및 기여금 등 4개 대기능(major heads, 분야)으로 분류되며, 다시 각 대기능 아래에 하위기능(sub-major, 부문)을 배치하였다. 각 부문 아래에 130여 개의 세부기능(minor heads, 프로그램)을 배치하고 있다(〈표 7-2〉 참조). 그리고 세부기능 아래에 항(sub-heads, 사업 및 활동), 세항(detailed heads), 세세항(object heads, 지출대상)을 배치하여 지출품목별 분류를 통합하고 있다(Indian Planning Commission 2011). 각각의 대기능, 하위기능, 세부기능은 모두 정부의 지출프로그램을 통해 추구하거나 달성해야 할 목표를 광범위하게 지칭한다. 이러한 기능분류는 예산과정에서 재원배분 결정에 있어, 정부에 의한 재원의 사용, 즉 투입물 및 그 비용 측면에 대한 고려를 넘어 국가의 전략적 우선순위에 대한 검토를 용이하게 하는 장점이 있다.

〈표 7-2〉 경상지출에 대한 기능적 분류

기능	하위 기능 (세부기능 수)
일반 서비스	- 국가조직(의회 등 6개) - 재정 서비스(소득세 징수 등 16개) - 이자지출 및 채무 상환(2개) - 행정 서비스(경찰, 감옥 등 11개) - 연금 및 기타 일반 서비스(연금 및 기타 은퇴지원 등 2개) - 국방 서비스(각 군 및 군관련 연구개발 등 6개)
사회 서비스	- 교육, 스포츠, 예술 및 문화(일반교육 등 4개) - 보건 및 가족 복지(공공보건 등 2개) - 물 공급, 위생, 주택 및 도시개발(물공급 및 위생 등 3개) - 정보 및 방송(정보 및 공보 등 2개) - 불가촉천민 등 하류층 복지(Welfare of Scheduled Castes, Scheduled Tribes and Other Backward Classes, 사회보장 및 복지 등 7개)
경제 서비스	- 농업 및 연관된 활동(농작물, 어업 등 12개) - 농촌개발(농촌개발 특별 프로그램 등 4개) - 특수지역 프로그램(동북지역 등 4개) - 관개 및 홍수 통제(대규모 관개 등 5개) - 에너지(전력, 신재생에너지 등 5개) - 산업 및 광물(마을 및 소규모 산업 등 5개) - 교통(철도정책, 민항, 도로교통 등 14개) - 통신(Communications: 우편, 위성시스템 등 7개) - 과학, 기술 및 환경(원자력연구, 우주연구 등 5개) - 일반적 경제 서비스(관광, 통계 등 8개)
보조금 및 기여금	- 주정부에 대한 보조금 등 5개 세부 기능

출처: Indian Planning Commission(2011, 61-66).

인도의 예산분류와 예산과정에서 주목되는 특징은 1950년대 초부터 제12차 5개년 계획이 만료된 2017년까지 기획위원회의 국가 경제개발계획에 맞춰 계획(Plan)-비계획(Non Plan) 지출분류의 체계를 유지해왔다는 점이다. 즉 기능별 분류에 따른 세입계정(Revenue Account) 상의 경상지출에 대응하여 자본계정(Capital Account)에 의한 자본지출을 구분하여 전략적 재원배분에 대한 고려에서 중요한 기준으로 삼았다. 예산편성과정에서 이러한 구분이 작용하는 방식을 보면, 먼저 비계획지출, 즉 기존(committed)의 일상사업들에 대한 지출소요를 추계하고 난 후 예상되는 세입에서 남는 여유재원을 각 분야·부문별 계획지출에 사용할 수 있게 된다. 이 과정은 재무부와 기획위원회 간의 긴밀한 소통이 필수적이었다. 하지만, 이러한 체제는 5개년 계획의 진전, 개발계획의 확대와 더불어 점점 기존의 재정분류 체계와의 정합성을 상실해 갔다. 1951년 이후 5개년 계획의 집행과정에서 도로·철도 등 사회간접자본의 유지보수, 국방, 국채이자, 치안 등이 비계획지출임에도 불구하고 개발성격을 갖는 비율이 높아졌고 계획지출의 구성도 변화해 왔음에도 불구하고, 비계획지출이 비개발목적이거나 낭비적인 지출이라는 인식이 강화되어 (꼭 필요한 비계획지출 등에 대한) 효율적인 재원배분 결정을 어렵게 하였다. 또 5개년 계획의 종료되는 시점에서 계획지출을 비계획지출로 전환하는 과정에서 계획지출=개발지출(developmental expenditure)이라는 등식이 더 이상 성립할 수 없게 되었다. 더구나 개발목적의 지출이 계획지출과 비계획지출로 이분화되어 지출과 사업성과의 관련성에 대해 일관되게 파악하고 관리하기가 점점 더 어려워졌다. 특히 계획기반(Plan-based) 지출의 40%가량이 교육, 농촌개발, 보건, 고용, 기반시설 등의 중앙정부지원사업(Centrally Sponsored Schemes)을 위해 주정부로 이전됨에도 불구하고, 집행구조의 복잡성, 모니터링의 어려움으로 인해 회계 및 감사 등 재무책임성 확보가 느슨해져 있었다(Jena 2016). 이에 따라 2011년의 국가기획위원회가 조직한 랑가라잔 위원회(Rangarajan Committee)의 권고(Indian Planning Commission 2011)에 따라, 2014-5년 기획위원회가 NITI Aayog로 대체되면서 계획-비계획 분류는 2017-18년도 예산부터 세입지출(revenue expenditure)과 자본지출(capital expenditure)의 구분으로 대체되었다. 이에 따라 주정부와 연방직할지, 공기업, 외국정부 등에 대한 융자, 자본투자사업 (Acquisition of valuables)에 대한 지출은 자본지출로, 그 외 자산이나 부채로 귀결되지 않는 지출은 모두 세입지출로 분류된다.

기획위원회를 대체하면서 2015년 설립된 NITI Aayog는 기본적으로 정부의 정책연구기관(policy think-tank)으로서 중앙정부 및 주정부에 경제정책 및 국제이슈에 대해 전략적 기술적 자문을 제공하는 역할을 담당한다(Sapru 2018). NITI Aayog는 또한 여러 분야나 다수 정부부처에 걸치는 현안 이슈들에 대한 해결책을 탐색하는 플랫폼 기관으로서 개발어젠다의 집행을 촉진하는 기능을 담당한다. 즉, NITI Aayog는 정책연구기관으로서 개발전략의 수립에 대한 연구, 정부전반의 개발이슈에 대한 자문을 통해 재정사업의 입안 및 집행을 돕는다. 총리가 NITI Aayog의 의장(chairman)을 맡으며, 부의장은 국무위원(member of the Cabinet)이다. NITI Aayog는 4명의 상임위원, 2명의 민간 비상임위원, 국가장관평의회(Council of Ministers) 멤버 4명, 사무총장 등으로 구성된다. 28개 주 및 연방직할지의 주무장관(Chief Ministers)으로 구성되는 중앙운영위원회(governing council), 각 지역별 위원회(regional councils)가 있다. 전체 450명에 달하는 전문가(specialists), 컨설턴트, 자문역 및 지원스탭으로 구성되어 있다(NITI Aayog 2022).

5) 통제감사원(Comptroller and Auditor-General of India, CAG)

근대국가의 재정·예산제도에서 빼놓을 수 없는 것이 행정 각부의 지출행태에 대한 감사기능이다. 재정활동에 대한 감사기능은 지출부처의 무수한 지출거래들이 의회에서 승인한 의도대로 적법하게 또 그 목적에 맞게 이뤄졌는지를 확인함으로써, 재정활동이 시민들의 뜻에 부합하도록 하는 의회의 재정통제 기능의 필수불가결한 전제를 만족시켜야 한다. 즉 재정·예산제도는 정부기관의 수입과 지출에 대한 감사를 통해 정부의 재정활동에 대한 투명성 및 책임성을 제고하여 재정민주주의를 실질적으로 뒷받침하여야 한다. 감사기능은 의회와 행정부 간의 정보비대칭 문제의 완화를 위한 핵심적 기제가 되는 것이다. 바로 이러한 인식을 인도헌법의 기초자들이 공유하였던바, 통제감사원(CAG)을 독립한 인도에서 가장 중요한 기관으로 이해했던 것이다(Sapru 2018). 인도대륙에서 통제감사원의 역사는 실로 유구하여, 1753년 인도감사 및 회계청의 설치까지 거슬러 올라간다(Sapru 2018). 이어 1857년에 감사관실, 1860년에 감사위원회가 설치되었다가 1865년 공공회계에 대한 집권적 권한을 갖는 통제관실로 통폐합되었다. 이어 1882년에 통제관(comptroller general)이 통제감사원장(CAG)으로 확대되었고, 다시 1935년에 그 권한이 강화되었다.

인도헌법 제4장은 국가기관 및 공기업 등의 수입 및 지출에 대한 감사기능의 담당할 기구로 제148조-151조에 걸쳐 통제감사원(CAG)의 권한과 의무, 감사보고서 등에 대해 규정하고 있다. 통제감사원장은 대통령에 의해 임명되며, 임기 6년(통제감사원법 제4조)의 직에서 물러난 다음에는 중앙정부나 주정부에서 더 이상 공직을 맡을 수 없다. 통제감사원의 지출은 통합회계를 통해 이뤄진다(이상 헌법 제148조). 통제감사원은 중앙정부와 주정부, 그리고 법률에서 정하는 기관의 회계계정과 관련한 권한과 의무를 행사하게 된다(헌법 제149조). 중앙정부 및 주정부의 회계계정은 통제감사원장의 권고에 따라 대통령이 지정한 방식으로 기재·운영되어야 한다(제150조). 중앙정부의 회계계정과 관련한 통제감사원의 감사보고서는 대통령에게 제출되어야 하며, 다시 대통령은 이를 상하원에 제출하여야 한다. 주정부의 회계계정에 대한 감사보고서는 주지사에게 제출되고, 다시 주지사는 이를 주의회에 제출하여야 한다(헌법 제151조). 이렇듯 인도의 통제감사원의 임무는 기본적으로 공공부문의 수입과 지출에 대한 양질의 회계 및 감사 서비스를 통해 행정부의 의회에 대한 설명책임성(answerability)을 제고하는 것이다(Mahajan and Mahajan 2014). 현재 인도의 통제감사원장은 감사 및 회계청(Indian Audit and Accounts Department, IA and AD)의 보좌를 받는바, 감사 및 회계청은 전국적으로 104개의 지청에 5만 명 이상의 직원을 두고 있다.

1971년 제정된 통제감사원법(CAG Act)은 통제감사원의 권한으로 5가지를 규정하고 있다. 즉, 1) 중앙정부·중앙직할지 및 주정부의 통합회계를 통해 이뤄지는 모든 지출의 적법성에 감사 및 보고, 2) 중앙정부 및 주정부의 비상기금(Contingency Funds) 및 공공계정(Public Accounts)을 통해 이뤄지는 모든 지출에 대한 감사 및 보고, 3) 중앙정부 및 주정부의 부처에 의한 거래, 생산, 수익 및 손실 계정에 대한 감사 및 보고, 4) 세입에 대한 추계(assessment), 징수 및 그 배분 과정에 대한 효과적인 점검기제를 위한 규칙과 절차가 적절히 설계되었는지를 확인하기 위해 중앙정부와 주정부의 모든 세입과 지출에 대한 감사, 5) 중앙정부와 주정부가 '상당한 재원을 투자한'(substantially financed) 모든 정부기관, 정부기업 및 공사의 수입과 지출에 대한 감사 등이다. 즉 통제감사원은 공공부문의 모든 기관과 조직의 수입과 지출이 적법하게 이뤄졌는지를 감사하고 이를 대통령·주지사·의회에 보고할 책무가 있다. 대통령이나 주지사가 각급의 의회에 대해 재정적 책임이 있는바, 통제감사원은 의회가 이들의 재정책임성을 확보하는 데 있어 기본적 전제조건을 충족시키는 기능을 맡고 있는 것이다. 중앙정부의 경우 통제감사원의 보고서는 의회에서 공공계정위원회 및 공공자산위원회에서 논의된다.

그럼에도 불구하고, 통제감사원이 그 기능을 효과적으로 수행하는 데 있어 꼭 필요한 자료제출 등 피감기관의 협조는 대체로 만족스럽지 못한 것으로 보인다. 지출부처에서 통제감사원에서 요청하는 자료나 정보의 제출을 의도적으로 미루거나 회피하는 사례가 드물지 않아, 이것이 통제감사원의 헌법적 권한을 약화시키는 요인이 된다(Sapru 2018). 지출부처 등 피감기관과 통제감사원의 이러한 불편한 긴장관계를 염두에 두고, 제2차 행정개혁위원회는 2009년의 14번째 보고서(Second Administrative Reform Commission 2009)에서 통제감사원과 피감기관들이 서로 대립적인 관계에 있는 것이 아니라 보다 나은 공공서비스 제공이라는 궁극적 목표를 공유한다는 점을 보다 잘 인식할 필요가 있음을 지적한다(Mahajan and Mahajan 2014). 이를 위해 행정개혁위원회는 통제감사원과 행정부처 간의 보다 협력적인 관계설정, 모범사례와 개선점 간의 균형 잡힌 감사, 대통령 및 주지사와의 소통의 질 제고, 적시적인 감사보고서 제출, 감사지적사항에 대한 신속한 대응 등이 필요하다고 권고하고 있다(Second Administrative Reform Commission 2009, 170-171). 그럼에도 불구하고, 통제감사원은 17-19세기에 영국의회가 행정부에 대한 재정통제를 확보하기 위해 정착시킨 장치가 식민지 인도에 설치된 것에 연원이 있고, 인도의 중앙정부 및 주정부에서 행정 각 부처의 지출활동에 대한 정보생산 및 지출통제에 핵심적 기능을 수행하고 있다는 점에는 이론의 여지가 없다. 근대국가 재정민주주의의 구현을 위한 전제적인 조건(재정투명성)의 충족을 위해 없어서는 안 될 헌법기관인 것이다.

3. 인도의 재정개혁: 성과예산, 중기재정프레임워크(MTEF) 및 재정 준칙

1947년 독립 이후 인도의 지도자들은 의회민주주의, 산업화, 사회주의를 결합시킨 네루의 국가비전에 따라 경제발전과 복지향상을 추구함에 있어 재정의 기능이 매우 중요하다는 점을 잘 알고 있었다. 1950년에 이미 총리를 의장으로 하는 기획위원회를 설치하고 이듬해부터 바로 제1차 5개년 계획을 수립하고 집행함으로써 제한된 국가자원을 발전전략에 투입할 수 있는 기반을 마련하였던 것이다. 하지만 식민경험에서 물려받은 영국식의 통제중심의 예산제도와 지출부처가 주도하는 상향식 예산편성제도(bottom-up budgeting)로는 재정의 전략적 재원배분 및 효율적인 사업관리 기능을 원활히 수행할 수 없었다. 이에 인도는 영국, 미국 등에서 한창이던 재정개혁의 사례들을 매우 적극적으로 탐색하여 적용하고자 하는 시도를 하게 되었다(Dhameja 2002; Thavaraj 1984; Thimmaiah 1984). 이 소절에서는 인도의 중앙정부가

1960년대 이후 적극적으로 추진한 재정·예산제도 개혁의 사례들로서 성과예산제도(performance budgeting), 영기준예산제도(zero base budget-ing), 중기재정프레임워크(medium-term expenditure framework), 재정준칙 (fiscal rules) 등에 대해 살펴보고 그 통치성 차원의 의의를 검토한다.

1) 성과예산제도 및 영기준예산제도와 재정효율성·효과성 제고

식민지 시기 동안 인도의 예산제도는 행정부 지출행태에 대한 세밀한 감사 및 통제를 특징으로 하는 영국식 재무관리 모델을 답습하고 있었다. 식민지 인도의 경우에는 의회가 없었으므로, 영국의회는 기본적으로 인도현지인 공무원들에 대한 불신을 바탕으로 지출행태에 대한 세밀한 통제장치를 마련해 놓았다. 이러한 식민시대 장치들은 효율성보다는 지출통제를 목적으로 하기 때문에 기본적으로 재정이 국가전략과 개발계획을 뒷받침하는 데에는 한계가 있을 수밖에 없다. 인도는 독립이후 1951년부터 경제개발 5개년 계획을 실행하면서 예산과 개발계획 간의 불일치에 민감해졌고, 이를 극복하고자 하는 노력을 예산제도 개혁으로 구체화해 나간다. 이런 배경에서 인도는 미국 및 UN 등 국제기구에서 주창하던 예산개혁 시도들을 적극적으로 수용하게 되었다(Thavaraj 1984). 특히 인도는 1949년 미국의 후버위원회 (Hoover Commission)의 권고, 그리고 이듬해 이를 반영한 예산 및 회계 절차법(Budgeting and Accounting Procedures Act of 1950)을 통해 본격화한 성과예산제도를 1950년대 중반부터 도입하고자 하는 노력을 경주하게 된다.

예산에서 수입과 지출의 연계, 과업·업무 단위당 비용(unit cost) 산출, 나아가 예산성과(performance)에 대한 관심은 이미 독립 이전인 1927년부터 국영철도의 운영과 관련하여 나타나기 시작했다. 1947년 인도철도조사위원회(Indian Railway Enquiry Committee)는 지출과 성과의 상관에 주목하였고, 철도위원회(Railway Board) 또한 정부의 수익활동 필요에 부합하는 지출통제의 기법을 검토하고 있었다(Mahajan and Mahajan 2021). 의회에서 본격적으로 성과예산제도의 도입을 고려하기 시작한 것은 1958년으로, 당시 의회의 예산추계위원회(Estimates Committee)가 예산개혁에 관한 보고서를 통해 성과예산제도의 단계적 도입방안을 구체적으로 제시했다(Singh et al. 2017). 이 보고서는 "특히 대규모 개발 사업의 경우 프로그램 기반 성과예산제도가 세출결정 및 지출에서 이상적인 모델이 될 수 있을 것"으로 판단하고, 전통적인 예산을 대체하는 방식으로 1959-60년 예산안부터 몇몇 부처를 대상으로 하여 시범적으로 성과예산제도를 도입할 것을 권고하고 있다(Thavaraj 1984, 71-72 재인용). 이어, 1969-70년 제1차 행정개혁위원회(Administrative Reform Committee)는 개발사업(developmental programs)을 집행하는 모든 정부부처와 기관이 성과예산을 도입하고, 재무부가 관련 매뉴얼을 개발하여 예산편성 담당자들을 교육할 것을 권고하고 있다. 이로써 1974년까지 거의 모든 부처가 의무적으로 성과예산 기반에서 1975-6 회계연도에 대한 예산요구를 하도록 했다. 이리하여 인도에서는 재정적 투입에 대응하는 물리적 산출(physical outputs)을 적시하는 성과예산(performance budgets)이 다른 예산서류와 함께 의무적으로 작성되게 되었다.

그리고 2005년 행정부 전체 차원에서 재무부가 재정사업의 성과를 강조하는 2005-6년 예산안을 의회에 제출하였다(Mahajan and Mahajan 2021). 이렇게 하여 인도의 성과예산은 "산출-결과 프레임워크"로 불리게 되었고, 결과예산(outcome budget)으로 진화해 갔다. 인도의 결과예산은 "각각의 지출사업들에 대해 지출기획, 적절한 목표설정 및 제공되는 서비스에 대한 정량적 측정을 통해 지출(outlays)을 결과로 전환해 내려는 인도정부의 노력을 반영한다"(Indian Ministry of Finance 2016, i). 정부예산안이 의회에 제출되면, 각 부처는 각자 따로 성과예산(Outcome Budget)을 의회에 제시한다. 결과예산서(Outcome Budget)는 일반적인 재무예산서(Financial Budget)와 구분되는데, 여기서 이 각각은 재무적 지출, 예상되는 물리적 산출, 예상되는 최종 또는 중간 결과에서 일대일로 대응되어야 한다(Indian Ministry of Finance 2015).

이렇게 볼 때 2000년대 인도의 "산출-결과 프레임워크"는 1990년대부터 영미국가들을 중심으로 활발하게 도입된 성과주의예산제도(performance-based budgeting)를 인도적 맥락에서 적용한 것으로 평가할 수 있다. 인도의 성과예산-결과예산 모델은 4가지 요소로 구성되어 있다(Mahajan and Mahajan 2021, 178). 즉, 1) 근본적인 목적, 집행하고자 하는 프로그램 및 사업들, 집행기관, 3개년 동안(t-1 ~ t+1) 달성될 성과목표의 구체적 제시, 2) NITI Aayog의 행동계획(Action Plans), 과거 달성된 성과, 그리고 향후 집행될 사업 간의 연계성에 대한 설명, 3) 현 회계연도 및 예산연도의 프로그램 지출 및 필요한 투입물에 대한 분석적 재무적 계획의 제시, 그리고 4) 현 회계연도 및 예산연도에 걸친 각 부처의 모든 사업들의 범위, 성과(achievements) 및 지출 현황에 대한 제시 등이다. 인도의 성과예산제도는 적어도 현 회계연도를 포함하여 3개 연도에 걸쳐 각 부처가 집행하고 있는 재정사업들의 목적·목표(targets), 사업의 투입비용, 구체적인 성과에 대해 명시하고, 이것이 국가차원의 개발계획에 어떻게 부합하는지를 매년 명시적으로 검토하고 수정하면서 재원배분 결정에 반영하는 구조를 갖고 있다고 볼 수 있다. 하지만, 1968년 도입 이후 인도의 성과예산제도, 나아가 최근의 결과예산(outcome budgets) 운영은 대체로 성과정보와 예산을 연계하고자 하는 제도 본연의 목적을 달성하지는 못하고 있는 것으로 평가된다 (Jena 2016). 계획기반의(plan-based) 재정사업의 구체적 목적과 그 달성도를 측정하기 위한 성과지표의 나열, 그리고 그 달성정도에 대한 추적이 관행적으로 이뤄져 왔지만 이를 예산결정에서 적극적으로 반영하려는 노력은 여전히 부족한 실정이다. 생산되는 성과정보의 적실성 및 타당성이 아직 낮고, 실제 이러한 정보가 재원배분결정 및 프로그램 디자인·집행에 활용되는 정도는 아직 미약한 것으로 보인다(Miglani 2021).

한편, 영기준예산제도는 미국의 조지아주에서 지미 카터 주지사에 의해 시도된 예산배분 결정방식으로, 이후 그가 대통령에 당선되면서 임기 초반 연방정부에서도 잠깐 적용된 적이 있다. 영기준예산제도는 제한된 재정재원에 대한 배분결정에서 기존의 재정사업들의 정당성을 제로베이스에서 재검토하고 이를 바탕으로 예산결정의 경제성, 합리성을 제고하려는 노력이다. 즉 기존사업이든 신규사업이든 모든 지출요구에 대해 마치 처음 그러한 요구가 제기된 것이라는 암묵적 가정하에서 그 타당성을 검토하는 것이다. 영기준예산제도에서 의사결정은 크게 네 단계를 밟아 이루어지게 된다(Dhameja 2002). 먼저, 달성해야 할 목표를 기준으로 각 부처를 결정단위들(decision units)로 나누어야 한다. 둘째는 기획의 과정으로서 결정단위의 관리자가 예산연도의 목표달성을 위해 여러 방법을 탐색하고, 비용-편익분석 등을 활용하여 최적의 대안들을 마련하는 것이다. 이때 기존사업은 어떠한 특혜적 대우(preference)도 받아서는 안 된다. 이를 통해 결정단위의 관리자는 여러 개의 의사결정패키지들(decision packages)을 준비하여야 한다. 각각의 결정패키지는 재정사업에 대한 대안적인 규모와 필요한 재원의 묶음으로서 그 자체로서 하나의 예산안의 의미를 갖는다. 다음 단계는 정책목표 달성을 위해 선호되는 정도에 따라 이들 결정패키지들에 순위를 부여하고, 마지막으로 이렇게 순위가 매겨진 결정패키지들이 주지사, 대통령 등 결정자들에게 보고되어 여러 결정단위들 간 재원배분 결정이 이뤄지게 된다. 영기준예산제도는 경제적 합리성의 고려라는 직관적 매력에도 불구하고 현실에서는 매우 방대한 양의 정보와 분석을 필요로 하며, 그 분석에서도 재정사업과 예산 자체가 갖고 있는 정치적 특성을 고려하지 않으며, 실제 예산편성 및 결정 과정 자체가 기존 관행과 제도를 통해 매우 점증주의적인(incremental) 특성을 갖는다는 근본적인 한계가 있다. 실제 미국 조지아주 및 연방정부에서의 경험은 이러한 현실적 한계의 힘을 보이고 있다.

인도에서 영기준예산제도는 민간기업에서는 이미 1970년대부터 활용되고 있었으나(Joshi 1989), 1983년 과학기술청(Department of Science and Technology)에서 처음 시도되었다. 이 무렵 인도 중앙정부는 제7차 5개년 계획의 수행을 위한 재원마련에 부심하고 있었다. 당시 제7차

재정위원회 및 기획위원회는 재정지출의 비효율성과 낭비를 줄이는 방안을 권고하고 있었는데, 영기준예산제도가 그중 하나였던 것이다. 이에 따라 재무부는 1986-7년 예산안부터 영기기준예산제도를 모든 정부부처에 도입하기로 결정하는 한편, 1986년 7월 예산안편성지침에서 1 크롤(crore) 루피 이상을 지출하는 모든 재정사업에 대해서는 1987-8 회계연도부터 영기준을 적용한 예산편성을 적용하겠다고 밝히고 있다. 실제 재무부는 제도도입을 위한 작업반을 설치하고 150개에 달하는 중복사업이나 비우선순위 사업(1천 크롤 루피 규모)을 확인하였다. 주정부 중에서는 마하라쉬트라(Maharashtra), 카나타카(Karnataka) 등지에서 영기준예산제도를 1980년도에 도입하였다(eGyanKosh n.d.). 2000-1 회계연도 예산안에 대한 의회 제안설명에서 재무부 장관은 "영기준예산제도에 따라 모든 기존사업들에 대한 엄격한 검토를 진행하겠다"고 밝히고 있고(Dhameja 2002 재인용), 실제로 1999-2000 회계연도부터 8개 부처에서 영기준예산제도 도입이 완료되어 69개 사업을 중단하거나 통폐합하게 되었다.

한편, 인도의 성과예산제도 및 영기준예산제도에 대한 평가적 연구들(Dean 1987; Dhamej 2002; Jena 2016; Thavaraj 1984; Thimmaiah 1984)에 따르면 이러한 예산개혁의 시도들이 크게 성공적이지는 않은 것으로 보인다. 우선, 인도의 성과예산제도는 생산되는 성과정보가 방대한 반면, 예산과 연계되지 않아 정책결정자들의 필요에 잘 부합하지 않았다. 그럼에도 불구하고, 효율성 감사에 필요한 정보의 제공, 외적 책임성 제고, 재무관리에서의 새로운 아이디어에 대한 수용성 제고 등의 긍정적 기능을 한 것으로 보인다(Dean 1987). 식수및위생부(Ministry of

Drinking Water and Sanitation)의 결과예산제도에 대한 사례연구를 진행한 Miglani(2021)은 의미 있는 재정사업 결과를 낳기 위한 유능한 집행직원 확보, 결과목표(outcome targets)와 필요한 재원 간의 정합성 제고, 결과목표의 명확한 정의 등에서 여전히 많은 개선점이 필요하다고 보고하고 있다. 또 성과주의예산의 정착을 위해서는 성과지표의 면밀한 정의 및 성과정보의 추적, 비용 데이터의 신뢰성을 제고하고 이를 예산과정에 반영하여야 한다(Jena 2012; 2016). 이러한 몇몇 연구를 제외하면 인도의 성과주의예산제도나 영기준예산제도의 디자인, 성과, 성공요인, 실제 운영상의 한계 및 개선점, 행위자들의 인센티브 및 행태 등에 대한 연구는 아직 크게 미진한 것으로 판단된다. 또, 정책결정자, 일선관리자를 위해서라도 인도가 시도한 다양한 예산제도 개혁에 대한 평가적 연구(review)가 시급한 것으로 보인다(Bhattacharya 2018).

2) '재정책임성 및 예산관리법'(FRBMA): 중기재정프레임워크 및 재정준칙

인도의 재정·예산제도의 기본적 틀은 헌법과 더불어 2003년에 채택된 "재정책임성 및 예산관리법"(Fiscal Responsibility and Budget Management Act, FRBMA)에 근거하고 있다. FRBMA는 아래로부터의 예산편성과정(bottom-up budgeting)을 기본으로 하는 단년도 예산제도의 결정적인 단점을 극복하기 위해 도입되었다. 특히 재정적자 및 세입적자(revenue deficit), 국가채무 등을 주요 재정지표로 설정하고 중앙재정기구(재무부)로 하여금 이를 중기적 시계에서 적극적으로 관리하도록 하여, 명시적이고 전략적인 고려를 통해 거시적 예산결정(macro budgeting)에 접근할 수 있는 기반을 마련하였다. 이렇듯 1990년대 OECD국가들에서 도입되기 시작한 중기재정프레임워크, 재정준칙을 인도가 2000년대 초에 비교적 일찍 도입할 수 있었던 데에는 그 특유의 악화하는 재정상황이 있었다. 즉, 인도의 정부지출 규모는 독립당시에는 GDP 대비 약 9% 정도였으나, 1980년대 말 25%에 상회하였으며, 2003년에는 30%에 육박하게 되었다. 이와 함께, 일반정부 부채는 1996년 65.98%에서 2003년 84.24%까지 급상승하였다([그림 7-3] 및 [그림 7-4] 참조).

[그림 7-3] 인도 및 주요 비교국가의 GDP대비 일반정부지출 규모

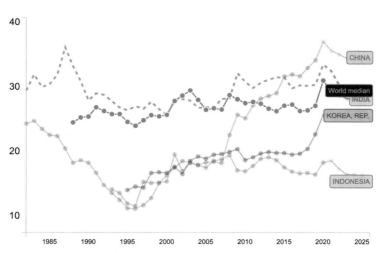

출처: World Bank(2022b).

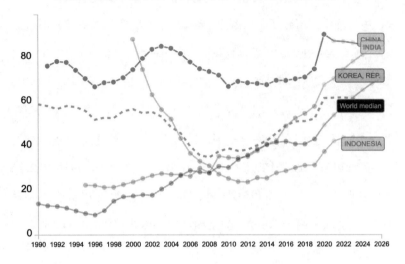

[그림 7-4] 인도 및 주요 비교국가의 GDP대비 일반정부부채 규모

출처: World Bank(2022c).

2003년 제정되고 2012년 개정된 FRBMA의 주요 내용을 좀 더 살펴보면 다음과 같다. 먼저, 이 법의 제정목적은 "중앙정부의 기채 (borrowings), 부채 및 재정적자에 대한 제한(limits) 부과, 재정책임성 제고를 통해 재정의 지속가능성을 향상시키는 한편, 세입흑자의 달성, 화폐정책 및 신중한 부채관리의 효과적 수행에 있어 장애요인을 제거함으로써 재정관리의 세대 간 형평성을 제고하고 중장기적 거시경제 안정성을 확보하는 것"이다(FRBMA 2003). 이를 위해 FRBMA는 국가 채무, 재정적자, 세입적자(revenue deficit), 유효세입적자(effective revenue deficit) 등의 재정지표(fiscal indicators)에 대한 구체적인 관리계획을 제시한다. 다시 말해, 인도는 2003년 FRBMA에서 중앙정부 및 주정부를 대상으로 재정준칙을 도입한 것이다. 이를 통해 1980-1990년대 악화되던 상황에서 재정적자 및 국가채무를 2008년까지 각각 GDP의 3% 및 60%로 제한하고자 했다. 이러한 노력은 [그림7-4]에서 보는 바와 같이 일정한 성과로 나타났다. 비록 목표를 완전히 달성하지는 못하였으나 2003년 84.24%이던 일반정부 부채는 2008년 72.74%로 낮아졌고, 2010년에는 66%에 접근하였다. 하지만, 2008-9년 글로벌 경제위기 이후 재정적자 및 부채 상황은 점차 악화되었고, 다시 2020년 부채비율이 90%에 육박하는 등 2020-22년의 코로나19 위기 상황에서 더욱 큰 도전에 직면한 상황이다. 이에 재정준칙의 적용은 경기대응적 재정목표를 구체적으로 설정하고, 다시 이러한 목표로 복귀하는 로드맵을 마련할 필요가 있다.

재정준칙은 기본적으로 정치인들이 사전에 자신들의 손발을 묶어 기회주의적 행태를 제약함으로써 재정의 지속가능성을 제고하려는 정책이다. 하지만, 정치인들이 궁극적으로 지출결정도 하면서 재정준칙도 제정하기 때문에, 반드시 재정준칙을 준수해야 하는 상황에서 재정준칙에 대한 순응을 회피하려는 동기 또한 갖게 된다. 이는 재정준칙의 순응에 대한 모니터링이 객관성과 독립성을 확보해야 하는 중요한 이유이다. 인도에서 재정준칙에 대한 순응은 당초 재무부가 모니터링 하도록 했으나, 이는 순응의 당사자가 순응을 모니터링한다는 맹점이 있었다. 이에 2012년의 법개정을 통해 최고 감사기구인 통제감사원(CAG)이 재정준칙 순응에 대한 모니터링을 담당하도록 하여 제도의 실효성을 제고하도록 제도개혁을 했다. 하지만 회계감사 및 지출통제 기능을 하는 통제감사원은 재정상황을 모니터링하고 분석할 전문성을 갖추지는 못하고 있다. 즉, 재정준칙 집행에 대한 감시감독 기능이 약할 수밖에 없는 한계가 있다. 이런 점을 고려할 때 보다 중립적이고 정치적으로 독립적인 기관에서 재정준칙 순응을 감시하는 것이 필요해 보인다. 현재의 5년 임기의 자문기구인 재정위원회로는 그 기능을 담당할 수 없으므로, 앞서 언급한 바와 같이 재정위원회를 전문 사무국의 뒷받침을 받는 독립재정기구로 격상시키면서 재정준칙 순응에 대한 모니터링 기능을 맡기는 것이 바람직해 보인다. FRBMA로 재정준칙을 도입한 결과 재정적자 및 국가채무가 일정하게 축소된 점은 인정되는 한편, 예산으로 잡히지 않는 부채(off-budget liabilities)의 증가하는 역효과가 나타나 결국 정부의 부채관리를 더욱 어렵게 한 면이 있다(Dholakia et al. 2009; Reddy 2008; Singh et al. 2017 재인용).

한편, 재징준칙의 도입으로 중기적 시계에 입각한 재정지출 프레임워크를 예산과정에 정착시키는 계기가 마련되었다. 2003년 FRBMA를 통해 도입된 재정준칙을 준수하기 위해 다년예산의 관점(multi-year perspective)이 비로소 단년도 예산편성과정에 실질적으로 고려되기 시작했다(Jena 2016). 이러한 시도들은 하향적 예산제도(top-down budgeting)를 통해 구체화될 필요가 있다. 재정준칙의 업데이트를 위해 2012년 개정된 FRBMA에서는 단년도 예산편성에 중기적 시계에 의한 재정정책 방향 및 전략을 반영하기 위해 중기재정프레임워크에 관한 구체적 규정을 추가하고 있다. 즉, 매년 정부가 예산안(annual financial statement)을 의회에 제출하면서 중기재정정책서(Medium-term Fiscal Policy Statement, MTFPS), 재정정책전략서(Fiscal Policy Strategy Statement, FPSS), 거시경제운용방안(Macro-Economic Framework Statement, MEFS), 그리고 중기재정운용계획서(Medium-Term Expenditure Framework

Statement, MTEFS)[11]를 통해 재정정책방향에 대해 의회에 보고하여야 한다고 규정하고 있다. 중기재정정책서(MTFPS)는 국가채무, 재정적자 등 재정지표에 대한 목표치 및 관련 근거(가정)를 향후 3년 연동계획 (rolling plan)으로 작성할 것을 규정하고 있다. 특히 중기재정정책서 (MTFPS)는 향후 3년에 걸친 세입(revenue receipts)과 세입지출(revenue expenditures)의 내역(격차), 기채 등 자본수입에 대한 지출과 관련한 지속 가능성 정도에 대한 평가를 담고 있어야 한다. 재정정책전략서(FPSS) 는 다음 회계연도 동안 중앙정부의 조세, 세출, 기채 등 부채, 융자 및 투자, 공공서비스 가격, 지급보증 등 예산에 영향을 미치게 되는 정책, 재정정책에서의 전략적 우선순위, 나아가 중앙정부의 현재 정책들이 중기재정정책서(MTFPS)에서 제시한 재정정책 목표와 재정관리 원칙에 어떻게 부합하는지에 대한 평가를 담아야 한다. 거시경제운용방향서 (MEFS)는 GDP성장률, 세입적자 및 통합재정적자 등 중앙정부의 재정 상태, 경상수지 등에 평가를 담고 있어야 한다. 중기재정운용계획서 (MTEFS)는 3개년 연동계획으로서 주요 재정지출 지표 관련 목표치를 구체적인 가정과 위험요인에 대한 평가와 함께 제시하여야 한다. 특히 신규사업 등 주요 정책변화에 따른 지출 변화, 다년에 걸친 의무적 연 금지출 등 명시적인 충당부채(explicit contingent liabilities), 사회간접자본 확충을 위한 주정부 보조금 지원의 내역을 구체적으로 담고 있어야 한다.

---

11   2012년의 법개정을 통해 추가되었다.

이러한 중기재정프레임워크는 재정의 배분적(allocative) 기술적(technical) 효율성과 재정규율을 강화할 목적을 갖고 있으나 실제 제도운영에서는 아직 실효성을 확보하지는 못한 것으로 보인다. FRBMA에서 규정한 중기재정정책(MTFP) 체제는 GDP대비 수입적자, 재정적자, 조세수입, 국가부채의 관리에 주목하고 있다. 따라서 중기재정정책(MTFP)의 운용은 예산과정에 기획 및 계획의 관점에서 지출우선순위에 전략적으로 접근하는 것에 초점을 두지는 못하고 있다. 즉, 재원배분을 통한 배분적 기술적 효율성의 제고하고자 하는 성과예산제도와 중기재정체제에 입각한 재정준칙의 적용 간에 제도적 정합성이 아직 높지는 않은 것이다(Jena 2016). 중기재정프레임워크가 아직까지 중기적 시계에서의 예산편성과 실질적으로 통합되는 단계는 아닌 것으로 평가된다(Jena 2018). 이를 염두에 두고 재정위원회는 중기재정프레임워크와 단년도 예산 간의 긴밀한 연계를 꾸준히 권고하면서, 중기재정정책(MTFP)이 재정정책 방향에 대한 선언을 넘어 실질적인 재정확약(commitment)이 되도록 해야 한다고 주장한다(Jena 2016). 이와 함께, MTFP의 수립과정에 실제 지출부처의 참여를 보장하는 체제를 확립하는 한편, 미래 3년 기간 동안의 세입추계에 따른 가용재원의 규모와 분야별 지출우선순위에 대해 보다 체계적으로 검토할 수 있도록 해야 한다. 이를 위해서는 독립재정기구(Independent Fiscal Council)를 설립하여 재무부에 의한 재정준칙에 대한 순응, 중기재정프레임워크의 수립 및 집행에 모니터링하고 견제할 필요가 있다.

IV. 통치성 관점에서 인도 재정·예산제도의 개혁방향

신생 독립국가로서 인도는 의회민주주의에 입각하여 인종적 종교적 지리적 문화적 역사적으로 매우 다양한 개인들을 중앙정부(the Union)와 주정부(States)의 시민이자 납세자로서 통합해 내는 한편, 경제발전을 통해 국가의 물적 기반을 확보해야 하는 사활적 과제에 직면하였다. 이와 동시에 만연한 빈곤과 차별을 넘어 시민들을 생명정치(bio-politics)의 대상, 즉 인구로 구성하고, 나아가 인구에 대한 통치의 일환으로 경제개발, 교육, 보건, 복지 정책에 대한 국가재정의 투입을 담당할 국가기구의 설치와 제도화가 요청되었다. 이러한 통치성의 맥락에서 근대국가로서 인도는 1947년 독립과 함께 200년에 가까운 식민통치 기간을 통해 영국의 재정·예산제도를 착근한 상태에서 산업화와 사회주의라는 비전에 합당한 인도만의 재정·예산제도를 새로이 도입하고 정착시켜나가야 했다. 의회에 의한 행정부에 대한 지출통제 중심의 제도는 국가주도로 전략적 투자분야를 확정하고 재정을 통해 개발계획을 실행하는 데 있어 걸림돌로 작용했다. 행정부에 대한 재정통제 기능이 예산(재정)의 전략적 자원배분 및 효율적 사업관리 기능을 옥죄고 있다는 점도 1950년대에 이미 분명해졌다.

인도의 재정·예산제도의 근간을 간략하게 요약한다면, 우선 의원내각제 정부형태의 특성이 반영되어 재정정책의 수립과 집행, 예산편성 및 집행에서 행정부의 권한이 의회에 비해 매우 강하다는 점을 들수 있다. 재무부가 중기재정프레임워크(MTEF)와 함께 예산편성기능을 전담하고 있으며, 의회는 행정부의 예산안에 대해 심의기간 약 5주라는 제약 하에서 재정사업들에 대한 구체적이고 정밀한 검토를 하기 어렵다. 또 의회의 예산안 심의는 상임위원회나 예산위원회로 나눠 진행하지 않아 실질적인 심의가 되기 어렵다. 정부예산안이 의회로 제출되기 전 또는 그 후에 의회 자체의 예산심의 전략이나 방향에 대한 심층적인 논의나 결의가 이뤄지지 않는다. 의회는 또한 행정부 예산안에 대해 삭감을 할 수 있을 뿐 증액할 수는 없다. 재정관련 법안이나 재정지출을 동반할 법률안은 대통령의 권고를 통해서만 의회에서 발의될 수 있다. 재정관련 주요 의제설정 과정이 행정부에 의해 장악되어 있는 것이다. 이렇듯 재정정책 전반, 재원배분 결정, 징세 등에서 의회의 역할은 행정부에 비해 대체로 미약하다고 판단된다. 반면 인도는 헌법기관으로서 6년 임기의 통제감사원장(CAG)을 두고 중앙정부 및 주정부의 각 지출부처, 공기업 등의 수입과 지출에 대해 감사하고 이를 의회에 보고할 의무가 있다. 비록 행정부 예산안에 대한 심의 및 수정 권한이 제약되어 있지만, 의회는 공공계정위원회를 통해 통제감사원의 회계감사 결과 보고서에 근거하여 행정부에 대한 지출통제의 실효성을 확보하고 있다.

행정부의 재정정책 수립, 재원의 전략적 투자를 위해 인도는 독립 초기부터 기획위원회와 재정위원회를 두고 경제발전계획과 재정의 연계를 강화하기 위한 노력을 경주해 왔다. 이들 재정기구들은 중앙정부와 주정부 간의 재정관계를 국가발전 전략의 견지에서 관리하는 동시에, 희소한 재정자원을 국가전략에 보다 효과적으로 투입되도록 하는 역할을 담당해 왔다. 하지만 여전히 문제점이 없지 않았다. 기획위원회가 수립한 개발계획에 입각하여 재정사업을 마련하고 재원을 투입하기 위해서는 개발계획에 따른 투자사업에 대한 지출과 그렇지 않은 기존사업에 대한 지출을 효과적으로 구분할 필요가 있다. 개발계획의 차수가 쌓이고, 개발투자의 종류와 내용이 확대되어감에 따라, 계획에 입각한 투자와 그렇지 않은 지출의 구별이 점점 더 어려워졌고, 이는 재정자원의 효율적 배분, 집행, 회계관리 및 지출통제를 어렵게 하였다. 또 연방제도를 채택하고 있으면서도 중앙의 기획기능이 강조됨에 따라 주정부의 자율성과 대응성(responsiveness)을 저해하여, 중앙이 전재원의 사용을 둘러싸고 중앙과 주정부 간 갈등 및 혼란, 감시·감독의 곤란 등의 문제가 심화되어 갔다. 이에 따라 인도는 2014년 기획위원회를 폐지하고 또 계획지출과 비계획지출간의 구분을 세입지출(경상지출)과 자본지출의 구분으로 대체하였다.

한편, 재정과 관련하여 대통령에게 자문하는 재정위원회의 경우 5년 기간에 걸친 중앙정부-주정부 전반의 재정정책의 주요방향과 목표에 대한 보고서를 제출하고, 행정부는 이러한 보고서에 대한 대응방안을 마련하여 의회에 제출하여야 한다. 자문기구로서의 재정위원회의의 권고가 정책적 강제력을 갖기 어렵고, 재무부 또한 재정정책에 대한 주요 결정 및 집행을 담당하고 있다는 점에서 재무부와의 관계에서 재정위원회의 입지는 매우 미약하다고 하겠다. 5년 동안 활동하면서 권고사항을 담은 보고서를 발간하는 것으로 임기를 종료하는 재정위원회는 자체적으로 재정정보를 축적하고 분석할 역량을 갖추지 못했다. 또, 인도의 재정위원회는 여전히 중앙정부와 주정부 및 지방정부의 세수와 지출의 불균형에 따른 수직적 재정불균형(fiscal imbalance), 지방정부의 지출수요를 감당하기 위한 재정지원의 확대, 지역적 불평등(spatial inequality), 마을공동체의 권한강화, 젊은 인구, 데이터 등 정보인프라 확충 등 많은 난제에 직면해 있다(Mahajan and Mahajan 2021). 이에 따라 재정위원회가 재무부의 재정활동에 대한 독립적이고 중립적인 감시·견제기능을 수행할 수는 없다.

기존에 5개년 계획의 수립과 그 실행을 위한 재정자원의 배분과 관련하여 기획위원회와 재정위원회 간의 역할 구분이 뚜렷하지 않았던 문제가 기획위원회가 NITI Aayog 체제로 전환되어 일부 해소된 점이 있으나, 여전히 재정정책을 둘러싼 재정위원회와 재무부 간의 역할 구분은 보다 명확해질 필요가 있다. 이에 인도는 재정위원회를 독자적인 사무국과 분석역량을 갖춘 독립재정기구(Independent Fiscal Institution)로 격상할 필요가 있다. 이렇게 격상된 재정위원회는 인도의회에 소속되는 중립적 비당파적 독립재정기구의 역할을 담당할 수 있을 것이다. 지금까지 재무부가 고유하게 담당한 중기재정프레임워크의 수립과 실행에 대해서도 의회 소속의 독립재정기구를 통해 독자적인 분석과 대안마련이 가능해질 것이다. 특히 인도가 2003년부터 재정준칙을 도입하여 재정건전성 및 지속가능성 제고노력을 경주하고 있기는 하나, 재정준칙에 대한 순응 모니터링은 회계감사 전문기관인 통제감사원(CAG)에 맡겨져 있는 점을 고려할 때, 독립재정기구가 재정준칙의 준수 정도에 대한 모니터링 역할을 담당할 수 있을 것이다. 이렇게 재정위원회의 조직과 권한강화는 의회로 하여금 기존의 행정부에 대한 지출통제 초점에서 나아가, 국가의 재정전략 전반에 대한 실질적인 통제력을 확보하는 계기가 될 수 있다.

재정위원회 및 기획위원회가 인도의 국가적 발전열망과 재정·예산제도의 특징을 잘 드러내 준다면, 재정의 성과를 제고하기 위한 꾸준한 개혁노력은 식민시기에 정착된 재정제도와 독립 후 국가전략 간의 부정합성의 소산이다. 인도에서 성과중심의 재정책임성 개념은 적어도 1958년부터 재정·예산제도의 개혁에 관한 논의에서 중요한 이슈로 자리잡았다. 당시 예산추계위원회는 점진적이고 단계적인 조치들을 통해 재정성과와 예산을 연계하는 성과예산제도(performance budgeting)를 정착시켜 나갈 필요가 있다고 권고하고 있다(Singh et al. 2017). 성과예산제도에 대한 관심의 근저에는 개발계획의 성공적 수행을 재정이 뒷받침해야 한다는 인식이 깔려있다. 이미 이 때 예산추계위원회는 재정이 사회경제적 개발에 실질적으로 기여해야 한다고 인식하고, 재정·예산제도의 개혁을 통해 재정의 개발기능을 제고할 필요를 적시하고 있는 것이다. 이에 인도는 5개년 개발계획의 초창기인 1960년대 중반에 이미 투입된 재원의 비용과 그 효과의 관련성을 정책적으로 관리할 필요를 인식하고, 1950년 미국을 중심으로 적극적으로 도입되어 있던 성과예산제도를 위한 제도개혁을 시도하고 있다. 당시에는 주로 정부활동이나 산출물의 단위당 비용에 초점을 맞추었으나, 2000년대로 오면 서구의 성과주의예산제도(performance-based budgeting)를 수용한 결과예산제도(outcome budgets)를 통해 재정사업의 목적 및 목표, 재정사업 성과에 대한 측정지표 개발, 성과정보에 대한 추적, 성과정보의 예산적 관리적 활용 등 재정사업의 설계, 재원투입, 성과창출 과정 전반을 쇄신하고자 하고 있다. 이와 함께 1970년에 미국에서 시도된 바 있는 영기준예산제도도 1980년대 인도 중앙정부 및 주정부를 중심으로 수용되었으며, 2000년대에도 이를 보다 내실화하려는 노력이 계속되고 있다. 물론, 경제적 합리성의 원칙을 재정사업에 대한 재원 배분 및 그 관리에 적용하려는 성과주의예산제도나 영기준예산제도는 현실적으로 매우 많은 장애요인에 부딪히게 된다. 왜냐하면, 재원배분과 사업관리를 위해 이미 깊이 뿌리내리고 있는 기존 제도와 관행이 있고, 정치인과 공무원들이 이들 관행에 심리적으로 결착되어 있기 때문이다. 이러한 예산개혁의 성공을 위해서는 총리 등 최고정책결정자, 각 지출부처 장차관 등 고위관리자들의 적극적인 관심, 세밀하고 조심스러운 성과측정수단 설계, IT시스템의 현대화 및 성과정보를 추적하기 위한 인프라 구축, 일선담당자들의 전향적인 자세와 진취적 조직문화 등 여러 조건들이 어우러져야 한다. 이런 점에서 인도는 예산제도 개혁을 내실화하기 위한 노력을 보다 적극적이고 지속적으로 경주할 필요가 있다.

인도의 재정·예산제도 개혁의 가장 현대적 내용은 재정준칙과 중기재정프레임워크(MTEF)라고 할 수 있다. 이들 제도들은 1990년대 OECD 국가들을 중심으로 악화하는 재정적자 및 국가채무 문제에 대응하기 위해 개발된 것들이다. 이들 제도들은 재정사업을 통한 혜택 제공을 확대하면서도 조세징수에는 소극적인 정치인들의 모순적인 인센티브구조 극복, 단년도 예산위주의 짧은 예산시계(time horizon)의 문제점 극복 및 중장기적 재정여건 변화에 대한 정책적 전략적 판단 강화, 희소한 재원의 보다 효율적이고 효과적인 사용 등을 위해 도입되었다. 인도는 1990년대 동안 증가하는 정부지출과 더불어 국가채무 또한 빠르게 증가하는 상황에 직면하였고, 2003년 '재정책임성 및 예산관리법'(FRBMA)를 통해 우선 재정적자, 국가채무 등 재정지표에 대한 준칙을 도입하고 이를 보다 적극적으로 관리해 나가고자 하였다. 실제 이러한 노력은 성과를 낳았다. 또, 재정준칙의 보다 실효적인 준수를 위해 중기적 시계에서 재정정책 및 재정운용계획을 수립하여, 이를 단년도 예산의 편성과정에 하향적 방식으로 반영시키는 MTEF를 2012년의 법개정을 통해 도입하였다. MTEF의 실효성을 확보하기 위해서는 중기재정계획에 따른 가용재원의 규모에 대한 판단과 재정사업들 간의 우선순위를 하향적으로 단년도 예산편성에 실질적으로 반영할 수 있어야 한다. 이는 재정당국과 지출부처 간의 줄다리기와 게임을 동반하는 것이다. 아직 인도는 MTEF와 단년도 예산 간의 정합성을 확보하지는 못한 것으로 평가된다. 이를 위해서는 재정위원회의 상설위원회화와 함께, 재정위원회가 예산의 편성, 재정준칙의 집행 모니터링 등에서 보다 적극적인 역할을 해야 함을 의미한다.

의회의 재정권한 강화, 재정위원회의 상설화, 성과주의예산제도의 내실화, 중기재정프레임워크와 단년도 예산 간의 정합성 강화 필요성 등 개선방향은 어느 하나만으로는 재정민주주의를 핵심적 논리로 하는 국가재정기구와 재정의 통치성적 기능을 보장할 수 없다. 예산과정 및 재정관리의 제도들은 전체적으로 상호 보완적 체제(systems)를 구성하므로, 하나의 제도개혁이 다른 제도들과의 정합성을 향상시키는 방향으로 디자인되어야 한다. 그런 점에서 보면, 인도의 재정 및 예산제도의 개혁들은 재정관리에 필요한 핵심적인 정보, 즉 회계시스템의 개선, 성과지표의 합리적 설정 및 추적, 재무부의 집권적 기능에 대한 독립재정기구를 통한 견제, 재정상황에 대한 독립적 모니터링, 의회의 재정권한 강화를 동시적으로 이뤄나가야 한다. 독립 후 지금까지 인도의 재정·예산제도 개혁의 궤적과 경험에 비춰보면, 이것이 반드시 불가능하지는 않을 것이다.

V. 결론

본 연구는 재정국가로서의 인도에서 재정·예산제도의 근간이 어떻게 짜여 있는지를 인도헌법, 관련 법률들 및 정책서에 대한 분석을 통해 살펴보았다. 특히 미셸 푸코의 통치성 개념에 따르면, 근대국가의 재정·예산제도들은 일반 과세를 통해 재원을 조성하여 이를 국가의 권력작용에 사용하는 재정국가의 핵심적 과제들을 해결하는 기능을 수행하고 있다. 나아가 근대국가의 재정·예산제도들은 공공재정에 대한 시민-납세자의 통제, 즉 재정민주주의의 확립에 그 초점이 있다. 이를 위해서는 무엇보다도 조세 및 지출에 대한 의회의 의결권한이 명확히 정의되어야 하고, 행정부에 의한 지출에 대해서는 주기적인 감사 및 결산 기능이 의회에 의해 정립·실행되어야 한다. 이와 더불어 행정부의 재정사업 기획 및 집행에 있어 중앙 재정기구의 집권적 역할이 확립되어야 한다. 이를 위해서는 재무부의 권한강화, 일반회계, 통합재정, 통합국고 등이 제도적으로 정착될 필요가 있다. 인도의 경우 이러한 통제 중심의 제도개혁이 독립과 더불어 일정하게 이뤄졌다고 평가된다.

한편, 인도는 영국 식민지 경험을 통해 확립된 지출통제 중심의 재정·예산제도를 통해서는 독립 후 시급한 국가적 과제(경제발전, 빈곤극복, 형평성 제고 등)를 제대로 수행할 수 없었다. 이러한 사정에서 인도는 재정지출을 계획지출 및 비계획지출로 구분하고 재무부와 더불어 기획위원회를 두어 공공재정의 기획기능을 극대화하고자 하였다. 이와 함께 재정지출의 개발성과를 제고하기 위해 일찌감치 성과예산제도 및 영기준예산제도를 도입하였다. 나아가 2000년대로 접어 들면서 재정운영의 시계를 확장하기 위해 중기재정프레임워크를 도입하였고, 재정적자 및 국가채무의 확대에 대응하기 위해 재정준칙을 비교적 일찍 도입하기에 이른다. 이렇듯 인도의 재정·예산제도들은 식민지배라는 역사적 유산을 딛고서 시대적 국가적 과제를 해결하기 위해 발빠르게 대응한 결과로 이해된다. 그리고 그 과정은 전적으로 의회민주주의 및 재정민주주의의 원칙에 입각해 있다.

이러한 근대적 재정민주주의의 확립을 통해 개인들은 시민, 유권자 및 납세자, 공공재의 향유자로서 국가와의 불가분의 관계에 통합된다. 즉, 재정·예산제도를 통한 근대국가의 권력작용은 시민적 권리를 향유하는 자유인들을 개인으로, 또 시민-납세자-서비스향유자로 구성한다. 이 과정 및 그 결과는 재정·예산제도를 통해 결정적으로 뒷받침된다. 인도의 재정·예산제도가 독립 이후 끊임없는 개혁의 과정을 거쳐 왔다는 점은 역설적으로 인도정부가 의회민주주의의 원칙에 따라 시민들을 국가의 권력작용에 부단히 통합하여 왔음을 의미한다고 하겠다. 즉, 이는 인도에서 근대국가의 통치성이 재정·예산제도를 통해 더욱 성숙해져 왔음에 다름 아니다.

참고문헌

김윤권. 2009. 『인도의 행정과 공공정책』. 파주: 법문사.

김정부. 2021. "근대국가 통치성(governmentality)의 형성과 재정·예산제도의 발전: 영국·프랑스·미국의 경험을 중심으로." 『한국행정논집』 33권 2호, 401-436.

박홍윤. 2010. "인도의 대표관료제 정책 연구: 적극적 조치 정책의 집행을 중심으로." 『행정논총』 48권 3호, 305-330.

배유경. 2010. "인도의 성인지 예산 제도화와 여성의 참여: 지역 여성단체 활동을 중심으로." 『아시아여성연구』 49권 1호, 197-227.

Appleby, Paul H. 1957. *Public Administration in India: Report of a Survey.* Government of India, Cabinet Secretariat, Organisation & Methods Division.

Bates, Robert H. and Da-Hsiang D. Lien. 1985. "A Note on Taxation, Development, and Representative Government." *Politics & Society* 14(1): 53-70.

Bhattacharya, Bimal K. 2018. "Foreword." In *Public Budgeting in India: Principles and Practices,* edited by Gayithri Karnam. New York: Springer.

Blair, Harry. 2020. "Accountability Through Participatory Budgeting in India: Only in Kerala?." In *Governance for Urban Services: Access, Participation, Accountability, and Transparency* , edited by Shabbir

Cheema, 57-76. Singapore: Springer.

Brubaker, Earl R. 1997. "The Tragedy of the Public Budgetary Commons." *The Independent Review* 1(3): 353-370.

Caiden, Naomi. 1989. "A New Perspective on Budgetary Reform." *Australian Journal of Public Administration* 48(1): 53-60.

Collier, Stephen J. 2009. "Topologies of Power: Foucault's Analysis of Political Government beyond 'Governmentality'." *Theory, Culture & Society* 26(6): 78-108.

Dean, Peter N. 1987. "Performance Budgeting in India." *Public Finance= Finances Publiques* 42(2): 181-192.

Dhameja, Nand. 2002. "Zero Base Budgeting: Re-Emphasised in India—A Case Study of Research and Development Organisation." *Indian Journal of Public Administration* 48(1): 76-89.

Dholakia, Ravindra H., Jeevan K. Khundrakpam, and Dhirendra Gajbhiye. 2009. *An Outline of Post 2009 FRBM Fiscal Architecture of the Union Government in the Medium Term.* Department of Economic Analysis and Policy, Reserve Bank of India, Study No.31.

eGyanKosh. n.d. *"Unit 12: Zero Base Budgeting."* https://egyankosh.ac.in/bitstream/123456789/19309/1/Unit-12.pdf.

Foucault, Michel. 1978. *The History of Sexuality: Volume I: An Introduction.* New York: Pantheon Book.

Foucault, Michel. 1982. "The Subject and Power." *Critical Inquiry* 8(4): 777-795.

Foucault, Michel. 1994. "'Omnes et Singulatim': Toward a Critique of Political Reason." In *Power: The Essential Works of Foucault 1954-1984 (vol 3),* edited by James D. Faubion, 298-323. New York: The New Press.

Foucault, Michel. 1995. *Discipline and Punish: The Birth of the Prison.* New York: Vintage Books.

Foucault, Michel. 2003. *"Society Must Be Defended": Lectures at the Collège de France 1975–1976.* New York: Picador.

Foucault, Michel. 2007. *Security, Territory, Population: Lectures at the Collège de France, 1977-1978.* New York: Picador.

Foucault, Michel. 2008. *The Birth of Biopolitics: Lectures at the Collège de France 1978–1979.* New York: Palgrave MacMillan.

Gordon, Colin. 1991. "Governmental Rationality: An Introduction." In *The Foucault Effect: Studies in Governmentality,* edited by Graham Burchell, Colin Gordon and Peter Miller, 1-52. Chicago: University of Chicago Press.

Guess, George M. and Lance T. LeLoup. 2010. *Comparative Public Budgeting: Global Perspectives on Taxing and Spending.* New York: SUNY Press.

Hackbart, Merl and James R. Ramsey. 2002. "The Theory of the Public Sector Budget: An Economic Perspective." In *Budget Theory in the Public Sector,* edited by Aman Khan and W. Bartely Hildreth, 172-187. Westport, CT: Quorum Books.

Hallerberg, Mark, Rolf R. Strauch, and Jürgen Von Hagen. 2009. *Fiscal Governance in Europe*. Cambridge: Cambridge University Press.

Hardin, Garrett. 1968. "The Tragedy of the Commons." *Science* 162(3859): 1243-1248.

Herb, Michael. 2003. "Taxation and Representation." *Studies in Comparative International Development* 38(3): 3-31.

Indian Ministry of Finance. 2015. "Office Memorandum: Guidelines for Preparation of Outcome Budget 2015-16." Government of India. https://dea.gov.in/outcome-budget.

Indian Ministry of Finance. 2016. "Outcome Budget 2016-2017: Ministry of Finance Outlays for Outcomes." Government of India. https://dea.gov.in/sites/default/files/OutcomeBudget2016_17.pdf.

Indian Ministry of Finance. 2017. "General Financial Rules 2017." Government of India. https://doe.gov.in/order-circular-archives/GENERAL%20FINANCIAL%20RULES.

Indian Planning Commission. 2011. "Report on the High Level Expert Committee on Efficient Management of Public Expenditure." Government of India. https://niti.gov.in/planningcommission.gov.in/docs/reports/genrep/rep_hle.pdf.

Jena, Pratap R. 2012. "Improving Public Financial Management in India: Opportunities to Move Forward." *International Journal of Government Financial Management* 12(2): 1-15.

Jena, Pratap R. 2016. "Reform Initiatives in the Budgeting System in India." *Public Budgeting & Finance* 36(1): 106-124.

Jena, Pratap R. 2018. "Adopting MTEF through Fiscal Rules: Experiences of Multi-Year Budget Planning in India." *International Journal on Governmental Financial Management* 18(2): 55-70.

Joshi, P. L. 1989. "Zero Base Budgeting: A Survey of Practices in India." *Omega* 17(4): 381-390.

Karnam, Gayithri. 2018. *Public Budgeting in India*. New York: Springer.

Karnam, Gayithri. 2022. *Public Expenditure in India: Policies and Development Outcomes*. Oxford: Oxford University Press.

Kaul, Inge and Ronald U. Mendoza. 2003. "Advancing the Concept of Public Goods." In *Providing Global Public Goods: Managing Globalization*, edited by Inge Kaul, Pedro Conceição, Katell Le Goulven and Ronald U. Mendoza, 78-111. Oxford: Oxford University Press.

Kelly, Mark G. E. 2010. *The Political Philosophy of Michel Foucault*. New York: Routledge.

Kopits, George and Steven A. Symansky. 1998. *Fiscal Policy Rules*. IMF Occasional Paper 162.

Ljungman, Gösta. 2009. *Top-Down Budgeting-An Instrument to Strengthen Budget Management*. IMF Working Paper WP/09/243.

Mahajan, Sanjeev K. and Anupama P. Mahajan. 2014. *Financial Administration in India*. New Delhi: PHI Learning Pvt. Ltd.

Mahajan, Sanjeev K. and Anupama P. Mahajan. 2021. *Financial Administration in India (2nded.)*. New Delhi: PHI Learning Pvt. Ltd.

Mauro, Sara G., Lino Cinquini, and Grossi Giuseppe. 2017. "Insights into Performance-Based Budgeting in the Public Sector: A Literature Review and a Research Agenda." *Public Management Review* 19(7): 911-931.

Menifield, Charles E. 2011. *Comparative Public Budgeting: A Global Perspective.* Burlington: Jones and Bartlett Publishers.

Miglani, Seema. 2021. "Outcome-Based Budgeting in India: An Analysis of a Central Government Flagship Scheme." In *Public Sector Reform and Performance Management in Emerging Economies,* edited by Zahirul Hoque, 328-344. New York: Routledge.

NITI Aayog. 2022. "*NITI Aayog: About Us.*" https://www.niti.gov.in/team-niti/vice-chairperson.

Premchand, A. 1963. *Control of Public Expenditure in India.* New Delhi: Allied Publishers Private Ltd.

PRS Legislative Research. 2021. *Report Summary: Report of the 15th Finance Commission for 2021-26.*

Rangarajan, L. N. 1992. *The Arthashastra.* New Delhi: Penguin Books India.

Raudla, Ringa. 2010. "Governing Budgetary Commons: What Can We Learn from Elinor Ostrom?." *European Journal of Law and Economics* 30(3): 201-221.

Reddy, Yaga V. 2008. *Fiscal Policy and Economic Reforms.* National Institute of Public Finance and Policy, Working Paper No.53, New Delhi.

Robinson, Marc. 2013. "Aggregate Expenditure Ceilings and Allocative Efficiency." *OECD Journal on Budgeting* 12(3): 1-19.

Sapru, Radhakrishan. 2018. *Indian Administration: A Foundation of Governance.* New Delhi: Sage.

Say, Léon. 1885. "Le Budget Devant Les Chambres Francaises." *Revue des Deux Mondes(1829-1971)* 67(2): 278-311.

Schick, Allen. 1966. "The Road to PPB: The Stages of Budget Reform." *Public Administration Review* 26(4): 243-258.

Schick, Allen. 2003. "The Role of Fiscal Rules in Budgeting." *OECD Journal on Budgeting* 3(3): 7-34.

Schick, Allen. 2014. "The Metamorphoses of Performance Budgeting." *OECD Journal on Budgeting* 13(2): 49-79.

Second Administrative Reform Commission of India. 2009. *Strengthening Financial Management System.* Report No.14.

Singh, Hoshiar and Pankaj Singh. 2011. *Indian Administration.* New York: Pearson.

Singh, Charan, Devi Prasad, K. K. Sharma, and Shivakumara Reddy K. 2017. *A Review of the FRBM Act.* IIM Bangalore Research Paper No.550.

Stourm, René. 1917. *The Budget.* New York: D. Appleton & Company.

Thavaraj, M. J. K. 1984. "Performance Budgeting in India—An Evaluation." *Indian Journal of Public Administration* 30(1): 68-82.

Thimmaiah, G. 1984. "Budget Innovations in India: An Evaluation." *Pub-*

lic Budgeting & Finance 4(1): 40-54.

Tilly, Charles. 1975. "Reflections on the History of European State-Making." In *The Formation of National States in Western Europe* Vol. 8, edited by Charles Tilly and Gabriel Ardant, 3-83. Princeton: Princeton University Press.

Tilly, Charles. 1985. "War Making and State Making as Organized Crime." In *Bringing the State Back In,* edited by Peter B. Evans, Dietrich Rueschemeyer and Theda Skocpol, 169-191. Cambridge: Cambridge University Press.

von Hagen, Jurgen. 2002. "Fiscal Rules, Fiscal Institutions, and Fiscal Performance." *The Economic and Social Review* 33(3): 263-284.

Wagner, Richard E. 1992. "Grazing The Federal Budgetary Commons: The Rational Politics of Budgetary Irresponsibility." *Journal of Law & Politics* 9: 105-119.

Wagner, Richard E. 2012. "Rationality, Political Economy, and Fiscal Responsibility: Wrestling with Tragedy on the Fiscal Commons." *Constitutional Political Economy* 23(3): 261-277.

World Bank. 2013. *Beyond the Annual Budget: Global Experience with Medium Term Expenditure Frameworks.* Washington, D.C.: The World Bank.

World Bank. 2022a. "World Bank Indicators: Efficiency of Government Spending." https://tcdata360.worldbank.org/indicators/hd5bb-35b7?country=IND&indicator=40026&countries=KOR,CHN,ID-

N,CHE,JPN,SGP,USA,THA,FIN&viz=bar_chart&years=2017.

World Bank. 2022b. "World Bank Indicators: General Government Total Expenditure." https://tcdata360.worldbank.org/indicators/govt.exp?country=IND&indicator=2777&countries=ID-N,CHN,KOR&viz=line_chart&years=1980,2026.

World Bank. 2022c. "World Bank Indicators: General Government Debt as % of GDP." https://tcdata360.worldbank.org/indicators/govt.debt.grs?country=IND&indicator=2787&countries=CHN,ID-N,KOR&viz=line_chart&years=1980,2026.

World Economic Forum. 2018. "1.08 Efficiency of Government Spending." https://reports.weforum.org/pdf/gci-2017-2018-scorecard/WEF_GCI_2017_2018_Scorecard_EOSQ043.pdf.

Wyplosz, Charles. 2013. "Fiscal Rules: Theoretical Issues and Historical Experiences." In *Fiscal Policy After the Financial Crisis*, edited by Alberto Alesina and Francesco Giavazzi, 495-525. IL: University of Chicago Press.

오스만제국의 제한된 근대화*

이동수

I. 서론

오늘날 서구 학계에서는 '민주주의론'이 주된 관심사이지만, 1960-70년대는 '근대화론'이 큰 주목을 받았다. 근대화론은 자본주의-민주주의 체제인 서유럽 국가들이 한편으로 제2차 세계대전에서 후발 자본주의(late capitalism) 국가인 독일과 일본의 파시즘에 승리함에 따라 그 우월성을 과시하고, 다른 한편 당시 냉전체제 하에서 공산주의 진

---

*　이 글은 『사회과학연구』 47집 1호(2021)에 게재된 "제한된 근대화의 딜레마: 오스만제국을 중심으로"를 수정·보완한 것이다.

영에 대한 우위를 증명하는 이론적 틀을 제공했기 때문이다. 한편 후-후발 자본주의 국가(late-late capitalism)인 한국은 1960-70년대 '권위주의적 근대화' 혹은 '발전국가'(developmental state)[1] 모델을 통해 근대적 산업화를 달성하고 1980년대 후반 정치적 민주화도 이룸으로써, 오늘날 명실공히 근대화에 성공한 모범 사례로 평가된다.

하지만 후-후발 자본주의 국가들이나 개발도상국들이 근대화에 모두 성공한 것은 아니다. 자본주의적 산업화 측면에선 근대화됐을지 몰라도, 민주화 측면에선 아직도 갈 길이 멀다. 제2차 세계대전 이전의 독일과 일본은 파시스트 체제 속에서 산업화와 해외전쟁을 통해 국가발전을 도모했으나, 전쟁에서 패하고 체제전환을 이룬 다음에야 오늘날과 같은 서구적 근대국가로 발돋움하였다. 또한 제2차 세계대전 후 독립한 탈식민지적 개발도상국들 대부분은 산업화와 민주화가 아직도 미흡한 형편이다.

근대화 경로와 관련하여, 베링턴 무어의 분류는 큰 시사점을 던져준다(Moore 1966, 413-414).[2] 먼저 무어는 근대화 경로를 셋으로 나눈다.

---

[1] '발전국가'는 제2차 세계대전 후 국가 주도 산업화에 성공한 일본을 비롯해 한국과 대만 등을 설명하는데 적용된 개념이다. 원래 미국의 일본 전문가 존슨(Johnson 1982)이 처음 사용했으며, 그 후 일반화되었다.

[2] 무어(B. Moore)의 주된 논지는 농업사회에서 근대 산업사회로의 전환이 국가마다 상이한데, 그것은 농업계급구조 즉 지주와 농민의 관계가 다르기 때문이라는 것이다. 이러한 주장은 이후 민주화 과정에서 프롤레타리아 및 중간계급의 역할과 국가의 자율성을 과소평가했다는 비판을 받았다. 특히 스카치폴(Skocpol 1979)은 국가의 자율성과 국가의 능력이 근대화의 중요한 요인이라고 보고 있으며, 월러스타인(Wallerstein 1979)은 주변부 국가들은 중심부와는 달리 자본주의

첫째, 자본주의-민주주의 혁명을 경험한 서구와 미국의 경우로, 영국의 명예혁명, 프랑스의 대혁명, 미국의 남북전쟁이 자본주의-민주주의적 근대화의 계기를 제공했다는 것이다. 둘째, 자본주의-파시즘 혁명 즉 위로부터의 개혁을 통해 근대화를 추진한 경우로, 독일제국의 성립과 일본의 메이지유신이 그 출발점이라는 것이다. 이는 후발 자본주의 국가들이 채택한 근대화 전략으로 산업화에는 재빠르게 성공했으나 민주주의 부재로 한계가 있었고, 전쟁 패배 후 체제전환을 통해 다시 자본주의-민주주의적 근대화를 추진해야 했었다. 셋째, 공산주의-농민혁명의 경우로, 러시아 공산혁명과 중국 공산주의 정권 수립은 상업화가 덜 된 농업사회에서 농민혁명을 통해 공산체제로 전환하고 근대화를 추진했다는 것이다. 하지만 역사가 보여주듯이, 공산체제는 소련이나 중국과 같이 개혁개방체제로 전환해야만 했다. 결국 무어의 분류는 근대화란 과거와의 단절이 혁명적으로 이루어지는 것으로서 그 과정이 단일하지 않고 여러 경로가 있다는 것을 알려주는 동시에, 이 중 첫 번째 경로 즉 자본주의-민주주의 혁명을 통한 근대화가 가장 성공적인 근대화라는 것을 암시한다.

근대화와 연관되어, 오스만제국(Ottoman Empire)은 매우 특이한 경우이다. 오스만은 발칸지역의 루멜리아(Rumelia)와 오리엔트 지역의 아나톨리아(Anatolia)를 주 영토로 삼고 있어 유럽과 아시아를 잇는 가교

세계체제 아래 근대화 추진에 한계가 있었다고 주장한다. 하지만 무어가 말한 근대화 경로의 차이에 대한 논의는 대체로 인정되고 있다. 무어의 한계에 관해서는 김일영(1993)을 참조하라.

역할을 했으며, 그 외 아랍과 북아프리카 지역을 점유함으로써 드넓은 영토와 600여 년간의 오랜 역사를 지닌 거대한 제국이었다. 유럽에 가까이 인접해 교류가 활발했으며, 비서구 지역으로는 드물게 19세기 초부터 일찍이 서구적 근대화를 추진하였다. 하지만 20세기 초 제국이 몰락하고 터키공화국으로 체제를 전환한 다음에야 근대적 국가로 진입하였고, 오늘날까지 민주적 근대화는 아직도 미완성인 상태이다.

원래 오스만은 13세기 중앙아시아에 거주하던 투르크 유목 부족들이 몽골에 밀려 아나톨리아 지역으로 이동해 자리를 잡았고, 1453년 비잔틴제국의 수도 콘스탄티노플을 함락시키면서 그 후 2세기 동안 전성기를 구가하였다. 또한 이슬람교를 믿는 오스만은 1517년 이집트 맘루크조를 정복함에 따라, 이슬람 세력의 최고 권위를 갖는 칼리프국가[3]가 되었다. 원래 유목민인 오스만인들은 제국 건설 후엔 새로 정복한 영토에 농경민이 되어 정착하였고, 이슬람교는 다양한 민족들로 구성된 농업사회에서 질서와 정체성을 유지하는 데 중요한 역할을 하였다.

그런데 오스만은 17세기 말 유럽에 밀려 점차 영토를 상실하면서

---

3   칼리프(calif)는 '계승자'를 뜻하는 아랍어로 무함마드가 죽은 후 움마(ummah, 이슬람공동체)의 지도자 겸 최고 종교권위자를 지칭하며, 칼리프국가란 이슬람 세계에서 최고 권위를 갖는 국가를 의미한다. 하지만 오스만 황제는 칼리프보다는 아랍어로 '권위'와 '권력'을 뜻하는 술탄(sultan)으로 불렸는데, 이는 이슬람 세계에서 세습군주제로 통치하는 국가나 지역 군주를 일컫는 말이다. 오스만 황제가 칼리프국가 황제임에도 불구하고 칼리프보다 술탄이란 용어를 선호한 것은 오스만이 이슬람 교리를 실천하는 종교국가가 아니라 이슬람교를 신앙으로 삼는 일종의 세속주의 국가임을 보여준다.

제국으로서의 위상이 추락하기 시작했으며, 18세기 말 프랑스대혁명기 나폴레옹 군에게 이집트를 빼앗긴 후부터 서구적 근대화의 필요성을 절감하게 되었다. 그러나 19세기 장기간 진행된 근대화의 노력들, 예컨대 서구화 개혁론자들의 '탄지마트', 압둘하미드 2세의 '이슬람적 근대화', '청년투르크인들'의 '민족주의적 개혁'은 모두 결실을 맺지 못했다. 또한 20세기 초 터키공화국 건설이라는 체제전환을 통해 시도한 '케말주의적 근대화' 혹은 '국가주의적 근대화' 역시 제한적인 산업화와 독재로 귀결되었다.

필자가 보기에, 이러한 오스만(터키 포함)의 한계는 정치경제적 근대화를 이룩하기 위해 선행되어야 하는 사회문화적 토대의 근대화가 뒷받침되지 못한 데서 비롯된 것이다. 중앙집권적 제국으로 군대와 종교에 의존해 질서를 유지하면서 그 영향 아래 형성된 전통적인 사회문화는 근대화 시기 '민족주의' 및 '이슬람주의'와 결합해 더욱 공고해졌으며, 서구적 자유주의와 민주주의가 파고들 여지가 별로 없었다. 경제적 측면에서도 농업중심 사회의 전통과 '중상주의'(mercantilism)에 반하는 '준비주의'(provisionism)[4] 경제정책은 자본주의적 발전과 산업화를 가로막는 걸림돌로 작용하였다.

그 결과 오스만의 근대화는 정치적-민족적 독립과 경제적 자립을 지향했음에도 불구하고, 사회문화적 차원에서 근대적인 사고방식과

---

4   오스만은 항상 전쟁에 대비하고 대중의 굶주림을 피하기 위해 국가주도로 군수품과 생활필수품을 준비하고 경제를 통제하는 정책을 채택했는데, 이것을 '준비주의'라고 부른다.

행동양식이 부족한 일종의 '제한된 근대화'(limited modernization)의 딜레마에 빠지고 말았다. 이는 서구적인 근대화를 추진했음에도 불구하고 전통적인 사회와 문화를 변화로부터 보호하려는 의도에서 비롯된 '방어적 근대화'(defensive modernization) 개념이 그 기저에 자리잡고 있었기 때문이다(Black 1967, 119-123; 우덕찬 2009, 184).[5]

이 글은 이러한 문제의식 아래 19세기 오스만제국에서부터 20세기 터키공화국으로 이어지는 근대화 과정을 추적해, 단순히 정치적 민주화나 경제적 산업화뿐만 아니라 사회문화적 근대화가 더욱 중요하다는 것을 보여주고자 한다. 이를 위해 서론에 이어 2절에서는 오스만제국의 성격에 대해 먼저 알아보고, 3절에서는 19세기 오스만제국의 근대화 노력들을 추적한 다음, 4절에서는 터키공화국으로의 전환에 따른 근대화 과정을 살핀 후, 마지막으로 결론을 맺고자 한다.

---

5   오스만의 근대화에 대해서는 여러 해석이 존재한다. 먼저 서구 주류 학계에서는 오스만의 전근대적 정치경제 예컨대 술탄제와 중농주의가 근대화를 가로막았다고 비판적으로 평가하며, 탈식민주의적 민족주의자들과 최근 소장학자들 중 일부는 나름대로 사회적 위기에 잘 적응한 것으로 평가하기도 한다. 또한 혹자는 '다양한 근대화'론에 입각해 아예 비서구적 근대화의 한 경우로 간주하기도 한다. 그러나 필자가 보기엔, 사회문화적 변화를 제외하고 서구적 기술과 경제만 받아들이려는 소극적 혹은 방어적 근대화의 한계에 직면한 것으로 보인다.

II. 오스만제국의 성격

1. 일반적 특징

　‘오스만’은 민족이나 지역이 아니라 건국자 가문의 명칭이다. 이는 셀주크투르크나 우마이야와 같은 이슬람 국가들의 경우와는 다르다. 19세기 ‘제국의 위기’가 도래했을 때야 비로소 ‘민족’이나 ‘조국’과 같은 개념이 등장한다. 따라서 오스만은 무슬림 정체성이 중요하기는 하나 동질성을 지향하는 종교공동체나 민족공동체가 아니다. 이슬람교를 믿으면서 오스만 국가에 충성하는 다양한 사람들, 예컨대 투르크인, 아랍인, 그리스인, 발칸인, 유대인, 아르메니아인 등으로 구성된 혼합제국의 성격을 갖는다. 왕실도 여러 종족과의 통혼정책을 통해 투르크적 속성을 잃고 이민족들의 혼합체로 변화하였다(Quataert 2005, 4). 오스만에서 투르크는 왕실과 국가의 기원을 나타내며, 이슬람교는 다양한 사람들을 하나로 묶어주는 정신적 통합 요소 즉 정체성으로 작동한다. 따라서 오스만투르크보다 오스만제국이라는 명칭이 더 어울린다.

　중앙아시아 유목민들은 일찍이 이슬람교를 받아들였다. 그 이유는 종교적이라기보다 실제적인데, 유목민 정복국가에게는 무엇보다 “초기 무슬림들의 ‘원초적 정열’과 ‘호전적 신앙’을 신조로 삼고, 전투명령에 순응하는 용사들의 종교”(Lewis 2002, 12)가 도움이 되었기 때문이다.[6] 즉 오스만은 아랍의 이슬람 국가들과는 달리 이슬람 교리를 실천하는 종교공동체 국가가 아니라, 호전적인 이슬람 신앙으로 국민통합을 추구하는 실용적인 세속주의(secularism) 국가이다. 이는 오스만이 1517년 이집트 맘루크조를 정복해 칼리프국가의 지위를 물려받았음에도 불구하고, 황제를 칼리프(calif, 계승자) 보다 술탄(sultan, 권력/세습군주)으로 부르며 세속주의를 강조한 데서도 잘 드러난다.

제국 유지에 있어 군사는 종교만큼 중요한 역할을 하였다. 정복국가인 오스만은 정복을 통해 지배층에게 경제적 생산 수단인 토지를 제공함으로써 지지와 협력을 얻어냈다. 또한 비잔틴제국을 멸망시킨 후에도 오스만은 서쪽은 신성로마제국, 북쪽은 러시아제국, 동쪽은 페르시아제국과 대치했기 때문에 군사에 대한 의존도를 줄일 수 없었다. 1400년부터 슐레이만대제가 사망하기 전인 1559년까지는 주로 신성로마제국과 시기의 72% 기간 동안 전쟁을 벌였고, 1559년부터 베스트팔렌 조약이 체결된 1648년까지는 주로 스페인을 상대로 74% 기간 동안 전쟁을 치렀으며, 1648년부터 1789년까지는 러시아 및 오스트리아와 70% 기간 동안 전쟁을 하였다(Finer 1997, 1164). 또한 19세기에는 러시아 및 서구열강들의 침입이 더욱 거세어졌으며, 오스만 역사 600여 년간 전쟁이 없었던 시기는 불과 30%도 되지 않는다.

---

6   이 때문에 오스만은 종종 호전적인 이슬람 군사국가로만 이해되는 경향이 있다. 혹자는 "오스만제국은 전쟁을 위한 삶을 영위했다"고 말하기도 하지만, 이런 평가는 지나쳐 보인다. 당시 신성로마제국이나 다른 유럽 국가들과 비교해 볼 때 오스만만 특이하게 호전적인 군사국가였다고 보기는 어렵다. 오스만을 과도한 군사국가로 이해하는 대표적인 입장은 Goodwin(2003)을, 대표적인 반론은 Goffman(2002)을 참조하라.

한편 초기 오스만은 비잔틴(동로마)제국을 대체함으로써, 로마를 이어받는 국가라는 지향성을 가졌다(Quataert 2005, 4). 이는 1453년 콘스탄티노플 함락 후 메흐메드 2세가 자신을 로마 황제 계승자인 카이사르(Caesar)로 지칭한 것에서 잘 알 수 있다. 또한 16세기 제국 전성기에 슐레이만대제가 발칸을 넘어 헝가리를 제압하고 비엔나 공략을 시도한 것도 로마로 가고자 하는 '로마지향성'의 목표를 갖고 있었기 때문이다. 즉 초기 오스만의 국가목표는 아랍과 북아프리카 지역을 석권해 이슬람의 맹주가 되는 것이 아니라, 로마를 점령해 그 전통을 계승하는 새로운 로마로서의 오스만제국 건설이었다. 그러나 이는 정치적인 지향성이지 문화적인 지향성은 아니어서, 서구의 문화와 사상을 도입하는 데에는 매우 소극적이었다.

따라서 오스만의 종교정책은 관용주의에 입각해 있다. 즉 이슬람교로의 개종을 요구하기는 하지만, 이교도들도 오스만의 이등 국민이 되어 자신의 종교를 유지할 수 있었다. 공식적으로 이슬람 순니파, 이슬람 시아파, 그리스정교회, 아르메니아정교회, 시리아정교회, 로마가톨릭 등의 종교활동을 보호하도록 규정했으며, 각 종교들은 자신의 종교공동체인 밀레트(millet)를 만들어 그 안에서 자치적인 생활을 영위할 수 있었다. 이러한 관용주의를 채택한 이유는 원래 이 지역이 민족들의 교차로이기 때문에 다양한 집단과 종교의 구성원들을 포섭해 자국의 신민으로 삼아야 했기 때문이다(Burbank and Cooper 2011, 183; 김영화 2016, 190).

종교적 측면에서 다양한 인구집단의 비율은 시대에 따라 차이가 있지만 대체로 무슬림 60-70%, 기독교인 15-20%, 유대교인 2-3%를 유지하였고, 민족적 측면에서는 20세기 초(19세기에 독립한 이집트와 발칸 국가들이 제외된 시기) 투르크인 50%, 아랍인 20%, 알바니아인 10%, 그리스인 10%, 아르메니아인 5%, 슬라브인 3.5%, 유대인 1.5% 정도였다 (이희철 1995, 136). 또한 초기 지배층은 대부분 투르크 출신이지만, 14세기부터 발칸지역에서 데브쉬르메(devshirme, 군사노예제도)[7]를 통해 충원된 기독교인 소년 노예들이 개종하고 일련의 교육을 받은 후 고위관료와 예니체리(yenicheri) 근위대에 편입되어 지배층을 형성하였다(Quataert 2005, 31). 또한 술탄의 할렘에 있는 여성들은 기독교인 노예 출신들이 대부분이었으며, 그들의 자식들이 술탄에 오르기도 하였다.

정치권력적 측면에서 오스만은 세습군주제 국가이지만 왕권은 약한 편이었다. 이는 왕위계승원칙의 변천사를 보면 알 수 있다.[8] 먼저 14-16세기엔 '적자생존원칙'이 적용되었다. 이는 중앙아시아 전통에 따라 왕자들이 어렸을 때 지역으로 파견되어 행정 경험을 쌓고 자기 세력을 형성한 다음, 술탄 사망 시 수도에 먼저 도착해 중앙 군대의 승인을 받아 술탄에 오르는 방식이다. 이는 사실 지방의 귀족권이 상대적으로 강하다는 것으로서, 차기 술탄은 지방 귀족들 간 경쟁에서

---

7   데브쉬르메는 술탄 개인에 충성하는 집단을 형성하기 위해 발칸과 카프카스 지역의 기독교 소년들을 노예로 징발해 무슬림으로 개종시키고 고위 관료와 예니체리 근위대원으로 충원하기 위한 제도로 14세기부터 17세기까지 사용되었다.

8   왕위계승원칙 외에도 오스만의 왕권이 약하다는 것을 증명해줄 몇 가지 특징이 있다. 우선 오스만 역대 술탄의 반 정도가 재직 중 폐위되었다. 또한 술탄의 성지 순례가 금지되었는데, 이는 이슬람 율법사들이 술탄이 종교를 장악할까 두려워했기 때문이다.

이긴 쪽이 내세웠다는 것을 의미한다. 둘째, 16-17세기엔 '장자상속원칙'이 적용되었는데, 이는 장자인 셀림 2세가 혼자만 지방으로 보내졌다가 후에 술탄에 즉위하면서 성립되었다. 이 원칙은 강한 왕권을 내포하는데, 선왕이 술레이만대제이기 때문에 가능했던 일이다. 셋째, 17세기 이후부터는 '연장자상속원칙'이라는 방식이 적용되는데, 이는 왕실 남자 중 제일 연장자가 왕위를 계승하는 방식이다. 이 역시 왕권보다 귀족권이 강함을 뜻하는데, 다만 귀족권의 주체가 지방호족이 아니라 고위직을 지낸 베지르(vezir, 재상이나 장관)나 파샤(pasha, 고위관료나 고위군인)로 변화되었다. 이때부터 왕은 군림만 하고 통치는 베지르-파샤가 담당하게 되었다(Quataert 2005, 32-35). 후에 살펴보겠지만, 오스만 근대화에서 가장 걸림돌이 된 것은 이와 같이 왕권이 약했기 때문이며, 19세기 술탄들이 개혁에서 중앙집권화를 가장 중요시한 이유도 왕권강화가 첫 번째 목표였기 때문이다.

2. 시기별 특성

오스만제국의 역사는 크게 네 시기로 나눌 수 있는데, 건국기(1299-1453), 팽창기(1453-1683), 조정기(1683-1807), 쇠퇴기(1808-1922)가 그것이다.[9] 먼저 건국기는 1299년 건국자인 오스만 1세가 아나톨리아

---

9 혹자는 세 번째 시기부터 쇠퇴기로 보기도 한다. 하지만 최근엔 세 번째 시기를 해외팽창에서 내치관리로 전환한 시기로 보는 경향도 있다.

북서부에서 작은 공국으로 출발해, 1453년 메흐메드 2세가 콘스탄티노플을 함락시켜 비잔틴제국을 멸망시켰을 때까지다. 두 번째 팽창기는 오스만의 해외정복이 절정에 오른 시기로서 콘스탄티노플 함락 이후 1683년 2차 비엔나 공략이 실패로 돌아갔을 때까지다. 세 번째 조정기는 오스트리아를 비롯한 유럽 국가들에게 밀리면서 점차 국토를 상실하고 해외정복 대신 내치를 재정비하는 시기이다. 혹자는 이때부터 오스만이 쇠퇴기에 접어들었다고 평가하기도 한다. 마지막 쇠퇴기는 오스만 국력이 계속 쇠퇴하는 가운데 1808년부터 본격적인 서구적 근대화를 추진하지만 결국 이 노력이 결실을 맺지 못하고 제국이 멸망으로 향한 시기이다. 여기서는 이 시기들의 특성을 일별해보기로 한다.

먼저 건국 초 공국이었던 오스만이 아나톨리아 지역의 여러 투르크 부족들을 통합한 후, 1326년 오르한 1세가 마르마라 지역의 부르사(Bursa)를 점령하고 이곳을 수도로 삼았다. 1354년엔 다르다넬스 해협을 건너 루멜리아 지역의 트라키아, 마케도니아, 불가리아 등을 점령하고 수도를 그리스 및 불가리아와 접경지역인 에디르네(Edirne, 아드리아노플)로 옮겼다. 그 후 바예지드 1세는 아나톨리아 전역을 정복했으나, 1402년 '앙카라 전투'에서 몽골의 티무르에게 패하면서 주춤하기도 하였다.

마침내 1453년 메흐메드 2세가 마지막 남은 비잔틴의 근거지인 난공불락의 콘스탄티노플을 함락해 이스탄불(Istanbul)로 개명하고 이곳을 제국의 수도로 삼았다. 이후 오스만은 발칸의 세르비아와 보스니아를 정복하고, 16세기 초 메소포타미아, 시리아, 이집트 등을 차례로 복속시켜 메카와 메디나를 보유함으로써, 명실상부한 이슬람 국가가 되었다. '황금시대'인 슐레이만대제 때는 헝가리를 점령하고 1529년 오스트리아 비엔나를 1차 공략하기도 하였다. 이후 아르메니아, 바그다드, 예멘, 트리폴리, 튀니지, 알제리 등을 차례로 점령했으며, 1538년 프레베자 해전에서 로마교황청과 베네치아, 스페인의 연합함대에 승리를 거두며 전성기를 구가하였다.

오스만의 팽창이 멈춘 것은 1683년 2차 비엔나 공략에 실패하면서부터다. 이후 오스트리아와의 젠타전투에서 패하고 1699년 맺은 카를로비츠(Karlowitz) 조약에서 헝가리, 아조프, 달마티아, 포돌리아 등을 상실하였다. 18세기엔 점점 더 영토를 상실하게 되는데, 카를로비츠 조약 외에 1718년 오스트리아와 맺은 파사로비츠(Passarowitz) 조약과 1774년 러시아와 맺은 카르나르지(Karnarca) 조약을 분수령으로 유럽과 남부 러시아 지역에서 계속 몰리는 신세가 되었다.

이런 현실은 오스만의 내치에 영향을 미쳤다. 전쟁에서의 패배로 중앙정부의 힘은 약화되었고 지역정부들이 슬슬 이탈하기 시작하였다.[10] 아랍지역은 지도자들이 토착민이 아니라 오스만이나 이집트 맘

---

10 지역정부의 이탈은 또한 중앙정부의 부패와도 연관이 있다. 데브쉬르메 제도를 통해 예니체리 근위대와 고위 관료가 된 자들은 원래 지위와 특권이 당대에 한정되었는데, 이들이 술탄에게 압력을 가해 1638년 데브쉬르메 제도를 폐지하고 그들의 특권을 자식에게 상속가능한 것으로 바꾸었다. 이를 계기로 중앙정부 관리들이 재가산화(reprimordialization) 되어 부패와 전횡을 일삼았는데, 이것이 지역정부의 이탈을 촉진하였다. 예니체리들의 재가산화에 관해서는 Fukuyama(2011, 223-227)를 참조하라.

루크 군인 출신으로 지역 기반이 약했는데, 반항적이며 모험적인 이들은 중앙정부가 약해진 틈을 타 자치 공국으로의 전환을 시도했다. 한편 아나톨리아 지역은 독립적인 봉건영주들이 이미 자치권을 갖고 토착민에 기반해 실질적인 지역 왕조를 형성한 상태였다. 또한 제국의 중심지인 루멜리아 지역은 그나마 중앙정부의 통제가 가능했으나, 많은 영토를 잃으면서 새로운 귀족인 아얀(ayan)들이 점차 자치권을 확대하였다(Lewis 2002, 37-38). 요컨대 18세기는 영토 상실, 중앙정부 약화, 지역정부 이탈로 특징지어진다.

마지막 쇠퇴기는 사실 근대화 개혁기와도 겹친다. 유럽에게 계속 패하면서 유럽의 군사기술과 과학, 사상 등의 중요성을 인식하고 서구적 근대화를 시도하였다. 본격적으로 근대적 개혁의 필요성을 느끼기 시작한 것은 1789년 프랑스대혁명에서 영향을 받으면서부터다. 예전에 서구의 문예부흥이나 종교개혁은 그 내용이 이슬람교와 배치되어 별다른 관심을 두지 않았지만, 프랑스대혁명은 이슬람교의 종교적 신념이나 전통을 손상시키지 않고 서구의 활력에 대한 비밀, 즉 자유, 평등, 민족주의에 대해 알려주었기 때문이다(Lewis 2002, 60).

선구적으로 셀림 3세(1792-1807)는 근대화 개혁의 출발점으로 군대개혁을 시도한 바 있는데, 기득권층인 예니체리 근위대와 이슬람 율법사들의 반대로 무산되고 말았다. 본격적인 개혁은 1826년 마흐무드 2세(1808-1839)가 예니체리 근위대를 해산하고 신식 군대를 창설한 군사개혁을 필두로 종교 부문 개혁과 행정개혁을 시도한 데서 비롯된다. 술탄 사후 그의 개혁 의지는 두 아들에게 전해져, 소위 '탄지마트'(Tanzimat, 개편, 1839-1876)로 이어졌다. 먼저 압둘메지드(1839-1861)는 서구식 자유주의에 입각해 국민의 생명, 명예, 재산 보호와 법률 적용에 있어서 종교차별 없는 만민평등을 추구했다. 하지만 이는 무슬림에겐 종교와 상식에 위배되는 것으로서 큰 충격을 주었다. 뒤를 이어 그의 동생 압둘아지즈(1861-1876)가 탄지마트를 계승하였다. 그러나 개혁의 후원자인 프랑스가 1871년 보불전쟁에서 패하고 1875년 재정악화로 국가파산을 겪으면서 개혁 동력은 상실되었다.

이어 즉위한 압둘하미드 2세(1876-1909)는 처음엔 미드하트(Midhat) 헌법을 제정하고 헌정을 실시했으나, 개혁 자체를 반대하는 보수주의자와 개혁 부족을 트집잡는 자유주의자 모두로부터 비난을 받았다. 이후 술탄은 헌법에 명시된 비상대권을 사용해 의회를 해산하고 비밀경찰에 의존하는 독재를 강화하였다. 또한 1878년 러시아와 전쟁에서 패한 후 서구열강과 맺은 '베를린 조약'을 통해 영토를 또 상실하게 되자, 돌파구로서 '이슬람주의'에 편승해 민중을 동원하고 왕권을 강화하였다.

한편 오스만의 몰락을 걱정하는 '청년투르크인들'은 1908년 청년장교들의 군사반란을 계기로 민족주의 성향의 〈연합진보위원회〉를 통해 권력을 장악하고 2차 헌정을 시도하였다. 하지만 이들도 자유주의자들을 탄압하고 독재를 했으며, 제1차 세계대전에서 패함에 따라 망명으로 끝을 맺었다. 이후 연합국 세력들 특히 오스만인들의 적대감이 높은 그리스가 영토에 들어오자, 케말(Kemal) 파샤를 중심으로 독립전쟁을 전개해 1923년 터키공화국을 새로이 건설하였다. 오스만은 600년간 역사가 이어졌으나 1세기 이상 진행된 근대화 개혁은 끝내 성공하지 못했으며, 그 자리를 투르크 민족주의자들이 아나톨리아 지역을 중심으로 세운 새로운 국가 즉 터키공화국이 대신하게 되었다.

Ⅲ. 19세기 오스만제국의 근대화 과정

1. 예비적 단계

앞서 살펴본 바와 같이, 오스만제국의 쇠퇴기는 개혁기와 상응한다. 카를로비츠 조약 이후 국력쇠퇴를 실감한 오스만은 어떤 식으로든 개혁을 추진하지 않을 수 없었다. 당시 오스만에겐 개혁에 대한 두 가지 선택이 놓여 있었다. 먼저 이슬람교 신앙심이 깊고 보수적인 지식인과 대중들은 종교적이고 도덕적인 개혁을 통해 패배의 위기를 극복하고자 하였다. 이들은 비이슬람적 습속들을 제거하고 예언자 시대의 순수한 이슬람공동체로 회귀하는 방식으로 사회질서를 재편하고자 하였다. 이는 18세기 북아프리카에서 시작한 이슬람 부흥운동이나 아랍의 와하비운동[11]과 같이 사회적-정치적 운동으로 발전하였다. 두 번째는 주로 통치를 담당하는 엘리트들은 서구적 근대화의 필요성을 절감하였다. 서구로부터 선진기술을 도입해 서구의 군사력을 따라잡아

---

[11]   와하비운동은 1740년 아랍 학자 무함마드 압둘 와합이 지역 통치자인 빈 사우드 (사우디아라비아의 시조)와 함께 코란의 가르침, 예언자의 언행, 전통에 근거한 초기의 통치이념을 바탕으로 사회를 재편하고자 한 운동을 일컫는다.

야 한다는 현실적인 고려 때문이었다(이은정 2010, 74). 따라서 18세기엔 서구에 대한 관심이 증가하고 서구에 대한 모방이 부분적으로 이루어지기 시작하였다.

사실 오스만은 정치적인 '로마지향성'은 존재했으나, 서구식 문화와 사상에 대한 관심 즉 '서구적 문화지향성'은 적었다. 원래 유목민에서 출발했지만 점차 농경민으로 전화된 투르크인들의 전통적인 사고방식과 국가의 통합과 정체성을 이루는 이슬람교 사상은 농업사회에 기반한 것으로서, 상업사회로 근대적 전환을 시도한 서구의 새로운 문화와 사상에 공감하기는 쉽지 않았다. 16-17세기만 하더라도 오스만은 서구문화에 무관심했는데, 그 이유는 기독교를 이슬람교의 초보적이며 불완전한 형태로 인식하고 기독교의 사상과 문명을 무시했기 때문이다(Lewis 2002, 40). 심지어 서구를 다룬 책이 전무할 정도로 서구문화에 대해 제대로 알지 못했다.

그러나 18세기 접어들면서 '선별적 서구화'를 시도하게 된다. 계속 이어지는 전쟁에서의 패배 때문에 서구의 군사기술에 주목하게 된 것이다. 전쟁에서 승리하기 위해서는 서구의 선진적인 군사적 기술, 선박 제조술, 항해술 등을 모방할 필요가 있었다. 그 밖에 인쇄술도 우여곡절을 겪은 후에 서구로부터 받아들였다. 처음엔 이슬람 율법사들이 코란과 그에 대한 주석에 대한 인쇄가 불필요하다고 생각해 금지시켰는데, 1721년 종교 외의 주제에 대해서만 인쇄를 허용하였다. 요컨대 18세기 전반엔 주로 군사기술과 인쇄술만 서구로부터 받아들였을 뿐이며, 서구사상의 영향은 별로 없었던 것이다.

오스만이 본격적인 서구적 근대화의 필요성을 느끼기 시작한 것은 프랑스대혁명의 영향 때문이다. 오스만의 통치자와 사상가들은 이 혁명을 환영했는데, 이슬람교의 종교적 신념과 전통의 손상 없이 서구 활력의 세속적 비결을 알려준다고 생각했기 때문이다. 그들은 이 혁명의 핵심을 자유와 평등, 그리고 원래 대혁명 이념인 박애(fraternity) 대신 민족성(nationality)으로 파악했다(Lewis 2002, 54-55). 먼저 헌법이나 대의정부, 법치 등은 일종의 조직화된 자유를 의미하는 것으로서 오스만 개혁의 중심으로 간주했다. 반면 평등은 구성원들의 사회경제적 불평등을 해소하는 차원이 아니라(이 불평등은 오스만의 기초이기 때문에) 국가 간 불평등을 해소하고 오스만의 자치를 주장하기 위해 강조되었으며, 박애를 대신한 민족성 역시 해외의 간섭을 막기 위해 받아들여졌다.

셀림 3세는 먼저 군사개혁부터 시도하였다. 그러나 군대는 종교와 더불어 제국의 두 기득권층 중 하나로, 군사개혁은 단순히 군사기술에 대한 개선이 아니라 군대의 재조직으로 인해 발생하는 정치적 기득권 문제와 연관되었다. 1805년 술탄은 병력이 줄어들자 기존의 지원병제를 징병제로 바꾸려 하였다. 이에 직접적인 영향을 받는 예니체리 근위대가 반발하고, 율법사들도 이에 동조하였다. 결국 술탄이 근위대에 유럽식 제복을 착용하라는 명령을 내리자, 근위대는 이를 계기로 반란을 일으켰다. 1807년 술탄은 철회를 포고했으나, 근위대와 율법사들은 술탄을 아예 폐위시켜 버렸다. 오스만의 실질적 통치는 술탄이 아니라 재상에 오른 근위대장과 대율법사에게 넘어갔고, 개혁은 무위에 그쳤다(Lewis 2002, 70-71).

2. 본격적인 시작

예니체리 근위대와 이슬람 율법사들에 의해 술탄 자리에 오른 마흐무드 2세는 자리를 보존하기 위해 긴 시간 동안 침묵을 지켰다. 그러다 자신의 위상이 확고해지자 개혁의 칼날을 들었다. 개혁의 목표는 기득권 집단인 군대, 종교, 지역 세력들을 모두 제거하고 술탄의 중앙집권화된 권력을 강화하는 것이었다.

먼저 군사 부문에서 예니체리 근위대의 약화를 추진하였다. 1826년 술탄은 신식 군대 12,000명을 새로 조직하기로 하고, 여기에 예니체리 병력을 대대별로 150명씩 차출하였다. 이는 신식군대 조직과 예니체리 근위대 약화를 동시에 추구하는 전략이었다. 예니체리들이 그 의중을 알고 분노해 신식군 창설 10일 만에 반란을 일으켰다. 하지만 술탄에 대한 충성심이 강한 한 예니체리 고위장교가 예니체리 병영에 대포를 쏴 부대를 전멸시키고 아예 해체해 버렸다(Lewis 2002, 78-80).

종교 부문에선 율법사들의 경제적 근거를 박탈해 조직을 약화시키는 전략으로 종교자선재단인 와크프(waqf)의 개혁을 시도했다. 원래 와크프는 종교적 목적을 위해 토지와 기타 재산을 기부 헌납하고 그것의 양도와 변경이 불가능한 종교적 기금이다. 하지만 자산가들은 이를 불법적인 상속 수단으로 악용했으며, 율법사들은 이 기금을 관리하면서 불법적인 이득을 취해 자신의 경제적 원천으로 삼고 있었다. 술탄은 이를 견제하기 위해 기금 관할권을 정부로 이관하고 관리들에게 운영을 맡겼다. 그러나 새로 임명된 관리들도 율법사들만큼 기금을 착복하고 부정부패를 저지름으로써 이 개혁은 실패로 끝났다(Lewis 2002, 92-93).

지방 호족들을 견제하기 위해 중앙집권적인 행정개혁을 단행하였다. 먼저 1831년 인구조사와 토지조사를 통해 중앙정부가 직접 징세할 수 있는 토대를 마련하였고, 아직 남아 있던 봉건적 토지제도인 티마르(timar, 봉토) 제도를 완전히 철폐하였다. 티마르는 제국 초기 아나톨리아와 루멜리아 지역에서 징세를 위해 기병대 기사인 시파히(sipahi)와 관료들에게 지급하던 봉토와 같은 것이었다. 이후 16세기부터는 티마르 지역이 점차 줄어들면서 특히 아랍지역을 중심으로 세금청부제(iltizam)를 실시해 지역의 명사들 가운데 경매를 통해 청부업자를 선정하고 그에게 징세를 대리토록 하였다. 이러한 티마르제도나 세금청부제는 지방의 호족 형성을 초래했는데, 술탄은 이를 개선해 중앙집권을 강화하고자 하였다(Quataert 2005, 28-30).

중앙집권화는 소기의 목적을 거두었다. 군대와 지방호족들의 권력을 어느 정도 약화시키는 데 성공한 것이다. 그러나 중앙집권화가 강화될수록 관료들 특히 17세기 이래 정부의 통치를 담당하던 베지르-파샤들의 권력은 더욱 강화되었다. 예전의 베지르-파샤들은 자신의 가문을 중심으로 한 일종의 '가문통치'를 통해 가문의 위상과 부의 확대에 주력했다면, 지금의 베지르-파샤들은 복잡하고 비대해진 관료조직을 장악하고 관료체제를 활용해 제국을 통치하고 권력을 극대화시키는 '관료정치'를 펼치게 되었다. 개혁을 통해 군사권력과 종교권력, 지방권력이 약화된 반면, 술탄의 권력이 아니라 중앙의 관료권력이 강화된 것이다.

하지만 당시 개혁의 가장 큰 문제점은 사회문화적 개혁이 전무하다는 데 있다. 사실 정치적, 군사적, 경제적 개혁이 성공하려면 무엇보다 사회문화적 개혁이 선행되어야 하는데, 마흐무드 2세의 개혁에는 서구의 문화와 사상, 예컨대 개인의 자유와 평등사상의 확대, 법치주의, 그리고 가족주의 해체 등과 같은 근대화의 핵심적인 내용이 부족하였다. 앞서 지적한 바와 같이, 오스만이 프랑스대혁명의 핵심을 자유, 평등, 민족주의로 보고 이를 자의적인 권력으로부터의 자유와 외세의 간섭으로부터 탈피하기 위한 국가 간의 평등으로만 이해한 것은 서구의 문화와 사상을 제대로 이해하지 못했기 때문이다.

사회문화적으로 오스만은 여전히 전통적인 이슬람법에 의존하고 있었다. 결혼과 이혼, 재산과 상속, 여성과 노예 문제는 예전과 같았으며, 개혁론자들도 이에 관해서는 변화를 시도하지 않았다. 당시 자유주의자로 개혁을 주도했던 리파트(Rifat) 파샤조차 정치적인 문제는 전적으로 유럽의 조언에 따르지만 종교는 국가 법률의 근간이며 정부의 원칙이기 때문에 따를 수 없다고 말하면서, 전통적인 이슬람 사회문화를 바꾸려 하지 않았다(Lewis 2002, 103). 요컨대 오스만 사회는 아직 근대화를 받아들일 준비가 덜 되어 있었으며, 사회문화적 개혁 없이 정치적 권력관계와 군사기술에 있어서 변화는 지식인이나 신흥관료들에게는 의미가 있을지 모르나 피지배층인 대부분의 백성에게는 무의미하게 느껴졌다.

3. 탄지마트

마흐무드 2세의 두 아들인 압둘메지드와 압둘아지즈는 본격적인 개혁을 이어갔다. 이들 시대의 개혁을 탄지마트(1839-1876)라고 하며, 당시 통역관이나 외교관을 지낸 개혁론자들이 개혁의 주축을 이루었다. 먼저 압둘메지드는 술탄에 취임해 '탄지마트 칙령'을 공포했는데, 이 개혁은 파리 대사와 외무장관을 지낸 레시드(Reshid) 파샤가 주도하였다. 이 개혁은 자유주의의 영향을 받아 '새로운 통치'를 표방했는데, 주요 내용은 국민의 생명, 명예, 재산 보호 및 법률적용에서 종교차별 없는 평등이었다. 그러나 무슬림 대중은 '종교차별 없는 평등'이라는 말에 큰 충격을 받았다. 이는 그들의 종교와 상식에 어긋나는 것이었으며, 무슬림 용어에서 혁신(bida)은 전통파의 관행인 순나(sunna)의 반대말 즉 이단과 동의어로 취급되었기 때문이다(Lewis 2002, 108).

정부는 '사법위원회'를 설치해 개혁을 선도하게 하고 새로운 법률들을 제정하였다. 본래 이슬람 율법학자들에 의하면, 모든 법은 신의 계시로 선포된 이슬람 법전인 샤리아(Shariah)[12]에 따르며 국가엔 따로 입법권이 없다. 하지만 세속주의 이슬람 국가인 오스만 초기엔 이슬람 법전과 통치자의 뜻을 모두 법률적 효력으로 인정함으로써 둘 사이의 타협이 가능했었다. 그러나 칼리프국가의 지위를 얻고 왕권이 점차 약해짐에 따라, 샤리아를 해석하는 율법학자들의 권한이 더욱 강해졌다. '사법위원회'는 이를 우회해 다시 국가의 입법권을 강화하고자

---

12 샤리아는 아랍어로 '지켜야 할 것'이라는 뜻으로 이슬람교의 율법이며 규범 체계이다. 코란과 하디스에 나오는 규칙들과 원리들이 그 후 판례와 율법으로 편찬되어 샤리아가 되었다. 샤리아는 이슬람의 기본법으로 이슬람공동체의 헌법이며 신적인 뜻을 삶의 모든 정황에 적용한 것이다. 신이 정해준 계시법으로서 종교적 의무, 개인과 사회생활, 상업, 형벌에 이르기까지 모든 것을 규정하고 있다.

한 것이다. 여기서 동업, 파산, 어음 등에 관해 규정한 서구식 상법이 제정되었으나, 종교 원로들의 반대로 실행되지 못했다. 다만 재정개혁을 위해 1840년 오스만은행을 설립하고 국채[13]를 발행하는 것은 승인되었다(Lewis 2002, 110-111).

초기 개혁이 별다른 성과를 내지 못하자 1856년 술탄은 '황제칙령'을 선포해 다시 개혁 드라이브를 걸었다. 1854년 러시아와의 '크림전쟁'(동방전쟁, 1853-1856)에서 신식군대가 패하자 개혁의 문제점을 개선할 필요가 있었다. 또 서구의 참전으로 전세를 만회하자 오스만의 근대화 의지를 의심하는 서구에게 개혁 의지를 다시 천명할 필요도 있었다. 이 개혁은 알리(Ali) 파샤와 푸아드(Fuad) 파샤가 주도해 '개혁고등위원회'를 설치하고, 1858년 새로운 형법과 토지문제를 해결하기 위한 부동산법 등을 제정하였다.

1861년 압둘메지드가 사망하자 동생 압둘아지즈는 술탄직과 개혁의지를 모두 계승하였다. 그는 역대 술탄 중 최초로 서구 언어(프랑스어)를 구사하고 서구에 대해 가장 잘 아는 사람이었다. 압둘아지즈는 개혁론자들을 그대로 기용해 1868년 '개혁고등위원회'를 재구성하고, '사법재판 국정회의'와 '국가평의회'를 새로 구성하였다. 개혁은 주로 사법개혁과 교육개혁에 초점을 맞췄는데, 그 이전과 비교할 때 가장

---

13 재정의 어려움은 항상 근대화의 걸림돌이다. 재정개혁을 위해 은행을 설립하고 국채를 발행했으나, 국채가 증가함에 따라 1848년부터는 차관을 도입하기 시작하였다. 특히 오스만은 '크림전쟁' 때문에 무더기로 차관을 도입했는데 이를 감당하지 못하고 1875년 국가파산 상태에 도달했다.

큰 차이는 비로소 민법이 새로 제정되었다는 것이다. 제브데트(Cevdet) 파샤 주도로 1870년부터 1876년에 걸쳐 새로운 민법 법전(Mecelle)이 만들어졌는데, 이는 서구식 민법을 부분적으로 채용하기는 했으나 기본적으로 이슬람 전통에서 벗어나지는 못한 것이었다(Lewis 2002, 122-123).

탄지마트는 시간이 갈수록 점차 그 동력을 잃어갔다. 여기엔 몇 가지 이유가 있는데, 먼저 드라이브를 걸었던 개혁론자들이 차례로 사망하였고, 둘째, 개혁의 후원자인 프랑스가 1871년 보불전쟁에서 패하면서 후원을 받기 어려워졌으며, 셋째, 크림전쟁 때부터 차관 도입이 지나쳐 1875년 국가가 파산상태에 놓였기 때문이다.

19세기 개혁의 본령인 탄지마트는 지배층의 근대화 개혁 의지와 장기간의 개혁과정이 있음에도 불구하고 결국 실패했다고 볼 수 있다. 물론 국민생활을 향상시키고 근대화의 초석을 놓았다는 점에서는 충분히 의의가 있다. 하지만 탄지마트 자체는 당시 소기의 성과를 거두지 못했다. 그런데 이는 개혁론자들의 의지나 능력 부족 때문이 아니다. 보다 근본적으로 오스만 사회에 내재된 사회구조와 문화가 아직 서구적 근대화를 성공시킬만한 토대를 제공해주지 못한 것이 더 큰 원인이었다.

사회구조적 측면에서, 서구에 유학하거나 외교관 경험이 있는 개혁론자들은 사회로부터 지지를 거의 받지 못했다. 사회 기득권층이나 일반 대중 모두 서구적인 사회문화에 익숙하지 않았으며, 개혁 내용이 무슬림의 분개와 증오심을 불러일으키는 요소들이 많았다. 더욱이 일반 대중은 근대화를 철천지원수인 기독교가 이슬람을 정복하는 표상으로 이해해 거부감을 가졌고, 반정부 지식인 그룹인 '청년오스만인들'[14]은 탄지마트가 피상적인 개혁에 불과하다고 비판하기도 하였다.

또한 경제적 측면에서, 오스만 경제체제는 근대화에 필요한 '중상주의'와는 반대되는 '준비주의'에 입각해 있었다. 오스만은 항상 전쟁에 대비하고 대중의 굶주림을 피하기 위해 국가주도로 군수품과 생활필수품을 준비하고 경제를 통제하는 정책을 채택하였다. 이를 위해 정부는 군수물자들 예컨대 금속, 화약, 목재, 곡물, 육류 등의 생산을 철저히 감독하고 수출을 금지시켰다. 이스탄불은 전성기 시절 세계무역의 중심지이기도 했으나, 대부분 수출보다 수입 위주의 무역이었다. 무역의 핵심은 필요한 물목들을 수입하는 데 있었으며, 외국 상인들은 오스만 정부로부터 많은 특혜를 받고 외국 상품은 제국 내 무역보다 낮은 관세가 적용되었다.[15] 이는 의도하지 않은 결과를 초래했는데, 생산양식은 산업화 이전의 수공업 단계에 머물렀고, 분업이나 새로운 기술은 출현하지 못하였다(McGowan 1994, 717).

한편 사회적 측면에서, 내부 분열은 심각했다. 새로운 구조조정으

---

14 '청년오스만인들'은 1865년 조직화된 반정부 지식인들로서, 입헌군주제를 목표로 주로 파리와 런던 등 해외에서 활동하였다. 이들은 술탄의 전제정치에 반대하고 서구의 자유사상을 유입하였으나, 다른 한편 헌법은 이슬람의 정통성에 기초해야 한다고 주장함으로써 사상적 보수성도 지니고 있었다. 이들에 관한 자세한 내용은 이희철(1995, 130)을 참조하라.

15 외국 상인들은 오스만 국내의 무역 파트너로 주로 기독교인 혹은 유대인 상인들과 거래했는데, 이는 오스만제국 내 상업을 대부분 이들이 담당하고 있었기 때문이다. 이슬람 사상에서는 농업이 생산의 기초이며, 무슬림은 농업을 기본적인 생업으로 삼고 있었다.

로 주변화되고 소외된 사람들이 불만을 토로했으며, 서구 열강의 간섭으로 그들의 비호를 받는 비무슬림계 오스만인들이 오히려 득세하게 되었다. 따라서 불만을 품은 자들은 탄지마트를 외국인의 요구를 수용한 비굴한 정책이며, 서구인들의 호감을 사기 위한 매국노적인 행위라고 비판하면서 정부에 대한 반감을 터뜨렸다(이은정 2010, 81-82). 비판적인 여론을 주도한 '청년오스만인'들은 강력해진 술탄의 권위와 과도한 서구화, 탄지마트의 피상성 등을 반대하면서, 후에 반외세를 주장하는 민족주의와 이슬람적 전통·생활을 강조하는 이슬람주의와 결합하게 된다.

4. 이슬람적 근대화

탄지마트 개혁은 한편으로 지지부진한 근대화를 보다 본격적으로 추진하기를 원하는 사람들과 다른 한편 서구적 근대화를 반대하는 반동적인 사람들로 양분되는 결과를 빚었다. 오스만의 위기가 깊어지자, 엘리트 관료인 미드하트(Midhat) 파샤는 관료집단과 신식 군대의 지원을 받아 1876년 무혈쿠데타를 일으켜 무라트 5세(1876-1876)를 새 술탄으로 옹립하였다. 그러나 무라트가 신경쇠약으로 집무가 어려워지자 3개월 만에 압둘하미드 2세로 교체되었다. 새 정부에서 미드하트는 재상이 되어 헌법제정을 주도했는데, 이는 1831년 벨기에 헌법을 모방한 것으로서 입헌군주제를 표방하고 제국 내 모든 민족들이 평등하게 참여하는 의회의 구성을 담고 있다. 하지만 이 헌법은 술탄을 신성한 존재로 인정하고 비상대권을 갖는다고 규정함으로써 술탄의 독재가능성을 열어두었다. 국민의 권리를 보장하는 대신 중앙집권화와 술탄의 비상대권을 인정하는 타협책의 성격을 지닌 것이었다.

그런데 술탄은 헌법제정 후 2개월 만에 미드하트를 해임하고 의회 소집을 중단하였다. 의회는 1877년 3월과 12월 두 번 소집되었는데, 여러 지역 대표들이 한자리에 모여 의논하다 보니 오스만 전 지역이 타락한 현실을 알고 개혁의 필요성을 절감하게 되었다. 처음엔 부패한 관료들을 비난했으나 점차 술탄에게까지 비난의 화살이 향하게 되자, 술탄은 러시아와의 전쟁을 핑계로 의회를 해산시킨 것이다.

결국 헌법제정은 근대화 개혁보다는 술탄의 권력 강화에 도움을 준 셈이다. 더욱이 1878년 러시아와 전쟁에서 패한 후 서구열강들이 개입해 체결한 '베를린 조약'은 오스만 영토를 서구에 할양토록 규정했는데, 그 결과 오스만의 자유주의자들은 더욱 수세에 몰리고 국민은 방어적인 태도를 보이며 민족주의와 이슬람주의를 지지하게 되었다. 술탄은 낙담한 민중을 위로하고 이런 틈을 타 왕권을 강화하기 위해 이슬람주의에 편승하였다. 특히 순니파(Sunni) 중에서도 강력하고 능력있는 지도자를 무슬림 세계의 정당한 통치자로 인정하고 절대적인 충성심을 강조하는 하나피(Hanafi)[16] 법학파를 이슬람의 정통으로 인정하고,

---

16 순니파에는 코란의 해석을 둘러싸고 4개 법학파가 형성되었다. 이는 코란을 문자 그대로 따르려는 정도에 따라 구분되는데, 정도가 약한 것부터 강한 순서대로 말리키학파(북아프리카), 하나피학파(터키, 아프가니스탄, 파키스탄, 인도), 샤피이학파(이집트, 인도네시아), 한발리학파(사우디아라비아)가 그것이다. 이 분류에 대한 것은 엄한진(2012, 258-259)을 참조하라.

자신을 지지하는 민중을 동원하기 위해 신비주의적 이슬람인 수피즘(Sufism)을 장려하였다(이은정 2010, 99-100).

이런 점에서 압둘하미드 2세의 통치는 '이슬람적 근대화' 과정이라 할 수 있다. 전반적으로는 술탄의 권한이 강화되고 이슬람주의에 의존해 반동적인 모습을 보이면서도, 서구화 자체를 반대하지 않고 자신의 위치를 강화하기 위해 과시적인 근대화를 적극적으로 추진했기 때문이다. 예전부터 진행되어 온 사법개혁과 교육개혁은 계속 추진되었으며, 국력과 왕권을 과시하는 측면에서 대규모 사업들 예컨대 철도 건설과 전신 보급과 같은 물리적 근대화가 장려되었다. 하지만 왕권강화 차원에서 비밀경찰을 통해 언론과 출판을 검열하고 자유주의의 확산을 막아 전제정치의 성격을 지녔다.

이러한 전제정치는 빈번한 반란과 혁명을 불러일으켰다. 엘리트 관료들, 군인들, 학생들, 반대파 정치인들의 저항도 전제정치가 심해지는 만큼 비례해 강해졌다. 저항이 비밀결사들을 통해 조직화되기 시작한 것은 1889년 프랑스대혁명 100주년을 즈음해서이다(Lewis 2002, 196-197). 이들은 '오스만 연합'이라는 조직에서부터 시작해 '연합과 진보'라는 이름으로 진화하였고, 각 지역에서 군인과 학생들을 중심으로 조직을 확대하여 반란과 쿠데타를 주도하였다. 마침내 1908년 마케도니아 주둔 3군단 장교들이 일으킨 군사반란에 이 저항 세력이 참여하면서 정권교체가 이루어졌다.

IV. 오스만제국에서 터키공화국으로

1. 이슬람주의와 민족주의

19세기 후반 오스만은 서구적 근대화 대신 '이슬람주의'(Islamism)
와 '민족주의'(nationalism)에 입각한 개혁으로 진로를 변경한다. 이는
서구 열강의 점증하는 간섭 속에서 '조국'과 '민족'이라는 개념이 생기
면서 민족주의가 싹텄으며, 국가의 위기 탈출과 국민통합을 위한 정신
적 기제로서 이슬람교에 의존하는 것이 더욱 필요했기 때문이다. 앞서
말한 바와 같이, 오스만은 종교적으로는 이슬람교이지만 세속주의 국
가이며, 민족국가라기보다는 다민족으로 이루어진 혼합제국이었다.
하지만 19세기 위기의 시대 서구적 근대화가 사회적 혼란을 부추기고
서구열강의 간섭이 심해지자, 점차 이슬람주의와 투르크 민족주의에
경도되기 시작하였다. 따라서 탄지마트 이후 19세기 말부터는 종교적-
민족적 토대 위에 개혁이 추진되었으며, 이것이 압둘하미드 2세의 '이
슬람적 근대화'로 나타났다.

먼저 이슬람주의는 서구적 근대화가 서구열강들의 간섭과 연관되
어 있다고 생각하고 그에 대한 대응책으로 나왔다. 이슬람주의란 단
순히 종교적 믿음을 강조하는 것 외에 정교분리를 부정하는 일종의
'정치적인 이슬람'으로서, 이슬람의 가치, 신념, 신앙체제를 국가와 사
회 전반에 실현시키려는 정치사회운동이다. 이것은 이슬람 법전인 샤
리아에 의한 국가건설과 통치체제 구축, 범이슬람 세계에 기반을 둔

단일 정치체제의 건설, 그리고 더 나아가 이슬람 세계로부터 서구적 정치이념 및 서구의 정치적, 경제적, 문화적 침투를 저지하고 이를 제거하는 것을 목표로 하였다(Berman 2003, 258). 따라서 오스만이 서구 기독교인들과의 대결에서 승리하기 위해서는 전 세계 무슬림의 도움을 받아야 하며 그러기 위해서는 '이슬람주의'를 표방해야 한다는 것이다. 또한 술탄의 입장에서도 자신의 권력을 강화하기 위해서는 예전과 달리 단순히 술탄이 아니라 이슬람교의 권위를 갖는 칼리프로서의 위상이 필요해 이슬람주의를 적극 지지하게 되었다.

한편 민족주의는 발칸지역에서 먼저 대두되었는데, 오스만 통치 아래 있던 세르비아와 그리스가 19세기 전반 민족주의를 내걸고 제국으로부터 독립을 쟁취하였다. 또한 19세기 후반엔 서구열강들이 개입해 오스만 영토를 할양하면서 점점 오스만의 영토는 축소되었다. 이런 가운데 오스만은 자신을 지키기 위해 민족주의를 내세울 수밖에 없었다. 더욱이 제1차 세계대전에서 패한 후 서구열강의 군대가 자국 영토로 진입하자 식민지로 전락하는 것을 막기 위해서는 당시 세계적으로 지지받던 민족자결주의를 내걸고 축소된 지역에서라도 투르크 국가의 독립을 유지하기 위한 투르크 민족주의에 의존하게 되었다. 이러한 맥락에서 오스만의 현실을 비판하던 '청년투르크인들'[17] 가운데

---

17 이들은 19세기 중반 서구적 자유주의에 경도되어 오스만의 서구적 개혁을 지지하던 '청년오스만인들' 그룹과는 달리, 1880년대 오스만주의에 대한 환상을 버리고 실질적 변화를 추구하는 세력이었다. 이 명칭은 1877년 파리에서 간행된 '청년 투르크'(La Jeune Turquie)라는 회보에서 유래되었으며, 처음엔 술탄에게 불만을 지닌 오스만 지식층을 통칭하는 용어로서 뚜렷한 일관성은 없었다. 이 그룹

자유주의자들은 점점 입지를 잃고 민족주의자들이 대세를 차지하게 되었다.

20세기 접어들면서 점점 심해지는 술탄의 전제정치와 점증하는 서구의 간섭에 대항해, 오스만 각지에서 반란과 쿠데타가 빈번히 발생하였다. 특히 1908년 마케도니아 지역에 발생한 군사반란에 대중이 합세해 그 규모가 커지자, 일단의 '청년투르크인들'도 여기에 합류해 술탄을 압박하였다. 이들은 '청년투르크인들' 중 1889년 〈연합진보위원회〉라는 비밀조직을 만든 민족주의자들이었는데, 1908년 군사반란을 기회로 권력을 잡고자 했던 것이다. 이 반란이 상당한 세력을 형성하자 술탄은 헌정으로의 복귀를 선언하고 타협을 제시하였다. 이에 따라 진행된 총선거에서 이 세력이 288석 중 287석을 차지해 〈연합진보당〉 정권을 출범시켰으며, 1909년엔 술탄을 메흐메드 5세(1909-1918)로 교체하고 권력을 독차지하였다. 그 후 1911년 내부 분열로 온건주의자들이 탈퇴해 〈자유연합〉을 결성해 대항하였고, 〈연합진보당〉은 1912년 선거에서 약세를 면치 못했다. 결국 그들은 1913년 군사쿠데타로 정권을 다시 장악해 반대파를 모두 해체시키고 독재와 공포의 시대를 열었다.

엔 자유주의자들과 민족주의자들이 섞여 있었는데, 점차 민족주의자들의 입지가 강화되었다. '청년투르크인들'의 기원 및 성격에 관해서는 우덕찬(2003, 160-161)을 참조하라.

2. 터키공화국 탄생과 케말주의적 근대화

1918년 제1차 세계대전에서 패하면서 〈연합진보당〉 세력은 해외로 망명할 수밖에 없었고 오스만에는 외국군대가 진주해 군정을 펼치면서 거의 반식민지 상태에 놓이게 되었다. 더욱이 1919년 그리스군이 서부 아나톨리아 이즈미르(Izmir)에 상륙한 것은 오스만인들에게 큰 충격이었다. 승전국인 서구 열강은 몰라도 예전 복속 지역인 그리스가 오스만 본토를 점령한 것은 정서상 도저히 용납할 수 없었기 때문이다.

그리하여 오스만군 잔류부대 해산 감독차 흑해 연안 삼순(Samsun)에 파견된 케말 파샤는 군대해산 대신 점령군에 대한 저항세력을 조직하였다. 또한 1920년 술탄이 의회를 해산하고 민족주의자들을 탄압하자, 케말 세력은 앙카라(Ankara)에서 따로 국민총의회를 소집하고 각료회의를 구성하였다. 더욱이 그해 8월 세브르(Sèvres) 조약에서 오스만 영토인 팔레스타인(영), 시리아(프), 레바논(프) 등에 서구열강의 위임통치령이 설치되자, 저항세력은 정부를 배신자로 규정하고 새 투르크건설을 주장하였다. 일반 대중도 조약을 승인한 오스만 정부에 반감을 갖고, 케말의 앙카라 정부를 지지하기 시작하였다. 케말 군대는 그리스와 전쟁(1920-1922)에서 이즈미르를 수복하고, 다르다넬스 해협의 영국군과 휴전을 통해 주권을 회복하였다. 결국 앙카라 정부는 1923년 7월 연합국과 로잔(Lausanne) 조약을 체결하고, 9월 〈공화인민당〉을 창당한 후 10월 앙카라에서 새로운 터키공화국을 선포하였다. 이는 생명을 다한 오스만제국을 부흥시키기보다는 투르크 민족주의에 기반한 새로운 국가건설을 선택한 것이다(Toprak 1981, 124).

건국과 더불어 터키 정부는 새로이 '케말주의적 근대화'를 추진하였다. 이는 본래의 오스만 영토 즉 루멜리아, 아나톨리아, 아랍의 영토 중 아나톨리아만 터키의 주 영토로 삼고 나머지는 포기한 채 독립과 근대화를 이룩하자는 것이다. 따라서 자연스럽게 옛 영토를 모두 회복하자는 '범오스만주의', 중앙아시아의 모든 투르크와 공동체를 구성하자는 '범투르크주의', 세계 이슬람권의 단결을 주장하는 '범이슬람주의'와는 결별하고, '투르크 민족주의'만 유지하게 되었다.

'케말주의적 근대화'의 첫 번째 내용은 이슬람주의에 입각한 '신정정치'(theocracy)를 탈피하는 것이었다. 1922년 9월 점령군이 퇴각하고 11월 새로 열린 국민총의회는 공식적으로 술탄국을 폐지하면서 오스만제국의 지배를 종식시켰다. 처음엔 술탄제만 폐지하고 칼리프제는 유지하면서 오스만 왕가에서 칼리프를 선출하기로 했는데, 1922년 메흐메드 6세(1918-1922)는 영국으로 망명하고 압둘메지드가 칼리프로 선출되었다. 하지만 1924년 터키 정부는 칼리프제마저 폐지하고 오스만 왕가를 모두 추방해버렸다. 이런 일련의 과정을 통해 이슬람 율법사 집단의 권력이 약화되었다. 그리고 여전히 남아있는 그들의 영향력을 제거하기 위해 대율법사 직제를 폐지하고 종교부, 종교재판부, 이슬람 신학대학 등을 해산했다. 터키 정부에게 근대화는 서구화를 의미했으며, 축소된 터키가 생존하기 위해서는 서구화 국가의 일원이 되어야 한다고 생각하였다. 1928년엔 헌법을 수정해, "터키국가의 종교는 이슬람이다"라는 조항을 아예 삭제해 버렸다(Lewis 2002, 264-265).

그러나 터키 정부는 서구식 자유민주주의는 도입하지 않았다. 예전과 같은 전제정치의 전통 속에서 케말파가 권력을 독점하였다. 이 때문에 초기 민족주의 투쟁을 함께한 동지들이 이탈해 〈진보공화당〉을 창당하기도 했으나 정부는 이를 해산시켰다. 1925년엔 비상대권을 인정하는 '질서유지법'을 제정해 독재를 강화하였다. 1930년엔 파리대사 출신 페트히가 정부의 실패를 질타하고 자유로운 비판과 야당의 필요성을 강조하면서 〈자유공화당〉을 창당했으나, 반란과 혼란을 핑계로 3개월 만에 해산해버렸다. 1938년 국부인 케말이 죽고 1950년 총선에서 야당이 집권하자, 비로소 민주적 정권교체를 처음 경험하게 되었다.

경제적인 측면에서는, 전통적인 농업중심 경제를 탈피하지 못해 상업사회 및 자본주의로의 전환이 부진하였다. 본래 아나톨리아 지역은 인구가 많고 비옥한 농경지대였다. 오스만을 비롯한 투르크 부족들이 이곳으로 이주했던 것은 이곳이 약탈하기에 좋은 먹잇감이었기 때문이다(Quataert 2005, 16). 대다수는 생계형 농민이었으며, 토지는 풍부했지만 노동력과 자본이 부족하였다. 따라서 넓은 토지를 적은 수의 농민이 경작해야 했기 때문에 귀족이나 지주들은 농민들을 더욱 강압적으로 대하고 생산성을 높이려 하였다.

그런데 독립 이후 농산물 가격이 하락하고 수출이 막혀 타격을 입었다. 앞서 말한 바와 같이 오스만 경제는 '준비주의'에 입각해 대부분의 공산품과 생필품을 수입했기 때문에, 20세기에 진입했는데도 불구하고 공업화와 산업화는 전혀 이루어지지 않은 상태였다. 사회에는 여전히 무역과 무역업자에 대한 경멸의식이 존재했으며, 터키 정부도 기업육성에는 별다른 관심이 없었다. 더욱이 1929년 들이닥친 대공황은 반서구-반자본주의 감정을 더욱 부추겨 자본주의로의 이행은 오랫동안 지연되었다(Lewis 2002, 281-282).

대공황 이후 케말 정부는 경제회생을 위해 '국가주의'(statism) 노선을 택한다. 이는 1931년 헌법에 6가지 근본적이며 확고한 원칙으로 '공화주의적', '민족주의적', '국민주의적', '국가주의적', '세속주의적', '혁명주의적' 노선을 명시하면서 확립되었다. 국가주의란 국가가 국력증강과 국민복지라는 목표를 달성하기 위해서는 개인 자본으로는 불가능하며 국가의 계획과 집중이 필요하다는 것이다. 이는 국가의 권력과 경제에 대한 통제와 국민의 사회적 동원을 정당화한다. 이 노선에 따라 1차 경제개발 5개년 계획(1934-1939)을 수립하고, 당시 대공황의 영향권 밖에서 자본을 축적한 소련으로부터 차관을 도입해 경제발전을 도모하였다. 소련의 도움으로 섬유공장을 짓고 영국의 도움으로 제철공장을 건설했으나, 운영은 비효율적이었으며 정부는 사기업 출현에 대해 우호적이지 않았기 때문에 경제성장은 부진하였다(Lewis 2002, 286-287).

V. 결론

이상의 논의를 요약하면 다음과 같다. 첫째, 오스만의 근대화는 무어의 3가지 근대화 경로 중 '변형된 자본주의-파시즘' 타입이다. '자본주의-파시즘' 타입의 원형인 독일이나 일본과 달리, 오스만은 파시스트적 근대화가 지배계층의 변동과 함께 일어났다. 둘째, 오스만은 18세기 이후 서구에 밀리기 시작하면서 서구화의 필요성을 느꼈으며, 특히 19세기엔 프랑스대혁명의 영향으로 장기간에 걸쳐 '서구적 근대화'를 추진하였다. 하지만 이 노력은 오스만의 전통적인 사회문화적 토대 속에 제대로 접합시킬 수가 없어 성공을 거두지 못했다. 셋째, 19세기 말 서구적 근대화가 사회적 혼란을 야기하고 서구 열강의 간섭과 침략이 증대하자 오스만인들은 그 대신 민족주의와 이슬람주의에 의존하게 되었다. 그러나 압둘하미드 2세의 '이슬람적 근대화'는 술탄의 독재권력 강화에만 도움이 되었고, 이에 저항하다 20세기 초 권력을 장악한 '청년투르크인들'의 '민족주의적 근대화'도 또 다른 독재정치로 귀결되었다. 넷째, 오스만제국은 제1차 세계대전 패배로 몰락하고, 이를 대신해 투르크 민족주의를 내세운 터키공화국이 수립되었다. 터키 정부는 '케말주의적 근대화'를 통해 이슬람주의를 탈피하고 '국가주의적' 개혁을 도모했으나, 자본주의 경제발전과 정치적 민주화에 있어서 모두 한계를 드러냈다.

서론에서 살펴본 무어의 분류법에 따르면, 오스만의 근대화는 변형된 두 번째 타입 즉 '변형된 자본주의-파시즘' 타입의 근대화이다. 여기서 '변형된'의 의미는 독일이나 일본과 같이 위로부터의 개혁을 추진했지만, 근대화의 주도자 즉 지배층이 상호대결을 통해 교체되어 가면서 파시스트적 근대화를 추진했다는 뜻이다. 따라서 주도하는 지배층의 성격에 따라 근대화의 내용에 변화가 있었으며, 그럼에도 불구하고 파시스트적 성격은 공유하였다. 19세기 말부터 20세기 초반의 독일과 일본은 후발 자본주의 국가로서 선발 자본주의 국가인 서구를 따라잡기 위해 민주주의적 요소는 유보한 채 지배층 내부가 결속해 일반 대중을 이끌며 근대화를 추구했었다. 즉 독일과 일본은 왕(황제, 천황)을 국가의 중심으로 내세우고 전통사회 지배층인 지주와 신흥 계층인 부르주아, 그리고 군사를 담당하는 군인들이 함께 단결해 뒤늦은 산업화를 추진해 성과를 거두었다. 하지만 그 부작용은 군국주의 국가가 국민을 전쟁의 소용돌이에 몰아넣은 것이다.

그러나 오스만의 지배층은 전제정치라는 정치적 전통은 그대로 남겨둔 채 여러 섹터나 정파들이 단결하기보다 권력투쟁을 벌이면서 사회분열을 초래하고 특정 세력이 승리했을 때 그 권력을 독점함으로써, 결국 제국의 몰락을 가져왔다. 19세기 초중반엔 통역관이나 외교관 출신으로 서구 자유주의 성향의 관료들이 중심이 되어 '서구적 근대화'를 추진했으나 전통사회의 반대로 큰 성과를 거두지 못했다. 19세기 후반 서구에 대한 반감이 늘어가는 상황 속에서 이슬람주의자들과 민족주의자들이 득세해 목소리를 높였는데, 술탄은 이를 악용해 '이슬람적 근대화'를 추진하면서 자신의 권력강화에 더 몰두하였다. 이에 대한 반작용으로 20세기 초부터는 민족주의자들이 권력을 장악하고 개혁을 추진했지만, 이는 다시 독재의 벽을 넘지 못하고 제국의 몰락을 재촉하였다. 1923년 새로 수립된 터키공화국도 술탄을 제거하고 이슬람주의를 벗어나 '국가주의적 근대화'를 추진했으나, 집권세력의 독재를 막을 수는 없었다. 경제적 측면에서도 이러한 국가주도의 정책은 시장친화적인 서구적 산업화의 걸림돌이 되었다.

한편 오스만 근대화의 가장 큰 걸림돌 중 하나는 서구화를 추진하면서도 그것을 실제로 추진할 수 있는 핵심세력이 부재했다는 데 있다. 프랑스대혁명 이후 서구적 근대화를 주도한 것은 통역관이나 외교관 출신의 관료들이었으며, 사회에서 서구적 근대화를 지지한 세력은 주로 지식인층이었다. 이 지식인들은 대부분 시인과 작가로서 글을 통해 서구 자유주의를 보급했으며, 때로는 관료가 되어 직접 근대화 정책을 담당하기도 하였다. 그런데 근대적인 사회변혁을 추동하기 위해서는 신흥관료나 지식인 외에 그 사상과 계획을 실천할 사회경제적 세력을 필요로 한다. 즉 자본주의-민주주의 혁명이나 자본주의-파시즘 혁명에서는 부르주아 계층의 성장과 협력이 요구되고, 공산주의-농민 혁명에서는 성난 농민들의 조직화와 실행이 필요한 것이다. 하지만 오스만의 경우, 서구적 관료와 지식인들은 그들의 설계도를 직접 실행할 사회경제적 세력을 얻지 못했다. 일반 대중은 대부분 농민이고 부르주아 계층은 미발달했으며, 그 농민들은 공산주의가 아니라 이슬람주의와 민족주의에 경도된 보수적인 사람들이었다. 그리고 이런 보수적인 대중을 서구적 지식인이나 신흥관료 대신 민족주의자들이 이끌게 되었던 것이다.

오늘날에도 터키는 세속주의 공화정 이슬람 국가[18]로서 여전히 근대화의 과정에 놓여있는 것 같다. 1938년 국부인 케말이 죽은 후에도 그 후계자인 이노누(Inonu)의 독주는 계속되었다. 1950년 총선에서야 비로소 친이슬람 야당인 〈민주당〉이 승리해 정권교체가 이루어졌는데, 이는 여당인 〈공화인민당〉의 장기집권과 반이슬람 정책에 대한 반감으로 농촌, 도시 저소득층, 종교적 보수 진영이 반발했기 때문이다 (안승훈 2016, 119). 하지만 〈공화인민당〉은 불리할 때마다 쿠데타(1960년, 1971년, 1980년)로 재집권하였다. 야당 진영은 간혹 정권을 잡다가,

2002년 친이슬람 야당인 〈정의개발당〉이 승리한 후 현 대통령인 에르도안이 장기 집권하게 되었다.[19] 에르도안은 이슬람주의를 완화하고, EU 가입 추진, 시장경제 활성화, 군부의 약화를 추구하며 변신을 꾀하고 있다.[20]

하지만 여전히 터키의 근대화 문제는 오스만제국 시절부터 이어져 온 전통적인 사회문화를 어떻게 극복할 수 있는가에 달려 있다. 오스만과 터키의 전통은 술탄이든 혹은 귀족층이든 혹은 베지르-파샤와 같은 고위층이든 정치권력의 독점을 추구한다. 이는 초기 오스만의 혼합제국 성격이 점차 퇴보함과 동시에 민족주의와 이슬람주의 그리고 국가주의를 통해 더욱 강화되었다. 즉 자유나 민주보다 종교, 민족, 국가가 더 중요한 정치적 가치로 자리잡고 있다는 것이다.

이러한 정치적 특성은 이슬람교의 경직성과 상당 부분 연관이 있다. 오스만-터키는 현재 이슬람주의적 측면이 약화되었다고는 하지만 여전히 이슬람교를 믿는 세속주의 이슬람 국가이다. 그리고 이는 정치

---

18 이슬람 국가는 오늘날 크게 네 유형으로 나눌 수 있다. 먼저 정교일치의 이슬람주의 왕정국가 타입으로, 여기엔 사우디아라비아가 대표적이다. 둘째, 정교일치의 이슬람주의 국가이면서 공화정 타입으로, 여기엔 이란이 속한다. 셋째, 정교분리의 세속주의 왕정국가 타입으로, 요르단이 대표적이다. 넷째, 정교분리의 세속주의 국가이면서 공화정 타입으로 이집트와 터키가 여기 속한다. 이슬람 국가의 네 유형에 관해서는 안승훈(2016)을 참조하라.

19 에르도안은 2003년 총리가 되었고, 2014년 터키 역사상 최초로 치러진 직선제 대통령 선거에서 당선되어 현재 두 번째 대통령직을 수행하고 있다.

20 하지만 서구는 여전히 터키의 친이슬람주의를 의심해 NATO 가입은 허용했지만, EU 가입은 불허하고 있다.

와 종교가 분리되었다 하더라도 사회문화의 이슬람적 요소로부터 결코 자유로울 수 없다. 마치 우리가 현대사회에서도 예전의 유교주의적 사회문화를 쉽게 떨쳐버리지 못하는 것과 같다. 다만 우리는 과거 유교주의 시대의 지배층이 몰락하고 자본주의-민주주의 혁명 과정을 통해 새로운 사회구조와 문화가 형성됨으로써 어느 정도 벗어날 수 있었다. 이에 비해 터키는 아직 전통의 갑옷을 모두 벗어버리지 못한 것처럼 보인다.[21]

---

21 이와 관련해서 2010-2011년 발생한 '아랍의 봄'을 상기할 필요가 있다. 터키는 공화국 수립 이후 근대국가로의 전환이 어느 정도 이루어졌기 때문에, 당시 튀니지에서 발생해 아랍의 전 지역으로 확산된 '아랍의 봄'과는 직접적인 연관이 없다. 다만 '아랍의 봄'이 주는 교훈을 되새겨볼 필요가 있는데, 그것은 아랍지역엔 여전히 이슬람 전통이 강하기 때문에 '아랍의 봄'이 단번에 민주화를 성취하지 못하고 다시 수면 아래로 가라앉았다는 사실이다. 비록 세속주의 이슬람 국가이기는 하지만 터키의 경우도 마찬가지로 정치적 민주화를 위한 길목엔 아직 이슬람 전통이라는 걸림돌이 남아있다. '아랍의 봄'의 한계에 관해서는 엄한진(2012)을 참조하라.

참고문헌

김영화. 2016. "순례의 정치: 17세기 오스만제국의 통치 전략." 『서양사론』 130권, 168-199.

김일영. 1993. "계급구조, 국가, 전쟁 그리고 정치발전: B. Moore 테제의 한 국적용가능성에 대한 예비적 고찰." 『한국정치학회보』 26집 2호, 215-239.

안승훈. 2016. "중동의 세속 공화정, 이슬람 왕정, 세속 왕정체제 간 이슬람 주의 운동 비교 연구: 이집트, 터키, 사우디아라비아, 요르단을 중심 으로." 『한국중동학회논총』 37권 2호, 109-142.

엄한진. 2012. "기획 : 민주화 물결과 지역의 민주주의 ; 아랍 정치에서 민 주주의의 의미와 위상 -역사적 고찰-." 『기억과 전망』 27권, 250-292.

우덕찬. 2003. "근대화·케말리즘·여성: 터키의 경우." 『지중해지역연구』 5권 2호, 153-175.

우덕찬. 2009. "터키의 알레비 정체성 문제에 관한 연구." 『중동연구』 28권 3호, 175-195.

이은정. 2010. "19세기 오스만제국의 위기와 '이슬람적 근대화'." 『서양사연 구』 42권, 71-107.

이희철. 1995. "오스만제국 말기 및 터어키공화국 초기의 근대 민주주의 발달 과정 (1839-1945)." 『한국중동학회논총』 16권, 125-152.

Berman, Sheri. 2003. "Islamism, Revolution, and Civil Society." *Perspec-*

tives on Politics 1(2): 257-272.

Black, Cyril E. 1967. *The Dynamics of Modernization: A Study in Comparative History.* New York: Harper & Row.

Burbank, Jane and Frederick Cooper. 2011. *Empires in World History: Power and the Politics of Difference.* Princeton: Princeton University Press.

Finer, Samuel E. 1997. *The History of Government from the Earliest Times Vol. 3.* Oxford: Oxford University Press.

Fukuyama, Francis. 2011. *The Origins of Political Order: From Prehuman Times to the French Revolution.* New York: Farrar, Straus and Giroux.

Goffman, Daniel. 2002. *The Ottoman Empire and Early Modern Europe.* Cambridge: Cambridge University Press.

Goodwin, Jason. 2003. *Lords of the Horizons: A History of the Ottoman Empire.* New York: Picador.

Johnson, Chalmers. 1982. *MITI and the Japanese Miracle: The Growth of Industrial Policy, 1925-1975.* Stanford: Stanford University Press.

Lewis, Bernard. 2002. *The Emergence of Modern Turkey (3rd ed.).* Oxford: Oxford University Press.

McGowan, Bruce. 1994. "The Age of the Ayans, 1699-1812." In *An Economic and Social History of the Ottoman Empire Vol. 2,* edited by Halil Inalcik and Donald Quataert, 619-758. Cambridge: Cambridge University Press.

Moore, Barrington, Jr. 1966. *Social Origins of Dictatorship and Democracy: Lord and Peasant in the Making of the Modern World*. Boston: Beacon Press.

Quataert, Donald. 2005. *The Ottoman Empire, 1700-1922*. Cambridge: Cambridge University Press.

Skocpol, Theda. 1979. *States and Social Revolutions: A Comparative Analysis of France, Russia and China*. Cambridge: Cambridge University Press.

Toprak, Binnaz. 1981. *Islam and Political Development in Turkey*. Leiden: E. J. Brill.

Wallerstein, Immanuel. 1979. *The Capitalist World-Economy*. Cambridge: Cambridge University Press.

저자 소개

이동수

서울대학교 정치학과에서 학사와 석사학위를 받았고, 미국 밴더빌트대학교(Vanderbilt University)에서 정치학 박사학위를 취득하였다. 대통령직속 녹색성장위원회 위원, 대통령실 정책자문위원, 경희대학교 공공대학원장과 교무처장을 역임하였고, 현재 경희대학교 공공대학원 교수로 재직 중이다. 『시민은 누구인가』(편저), 『한국의 정치와 정치이념』(공저), *Political Phenomenology*(공저), "지구시민의 정체성과 횡단성", "고대 그리스 비극에 나타난 민주주의 정신: '아테네'의 메타포를 중심으로", "공화주의적 통치성: 르네상스기 이탈리아 도시국가를 중심으로" 등의 저서와 논문이 있다.

김영수

성균관대학교 정치외교학과를 졸업하고, 서울대학교에서 정치학 석사, 박사학위를 받았다. 대통령실 연설기록비서관, 한국동양정치사상사학회 회장을 역임하고, 현재 영남대학교 정치외교학과 교수로 재직 중이다. 주요 저서로는 『건국의 정치: 여말선초, 혁명과 문명전환』(2006년 정치학회학술상, 2007년 제32회 월봉저작상 수상), 『고려의 가을: 여말선초의 인물과 사상』이 있다. 주요 논문으로는 "조선 공론정치의 이상과 현실(1·2): 당쟁발생기 율곡 이이의 공론정치론을 중심으로", "조선조 김시습론과 절의론" 등이 있다.

김충열

한림대학교 정치외교학과를 졸업하고, 서울대학교에서 정치학 석사학위를,

네덜란드 라이덴대학교에서 한국학(정치사상사)으로 박사학위를 받았다. 현재 경희대학교 공공거버넌스연구소 학술연구교수로 재직 중이다. 주요 논문으로는 "The Origin of the Reformist Intellectuals' Self-Deprecating Mentality: Effects of the Progressive Conception of Time in Late Nineteenth-Century Korea", "The Politics of Democratic and Procedural Legitimacy: New Ideas of Legitimacy in the Independence Club Movement in Late Nineteenth-Century Korea", "정치적 필요와 윤리적 이상의 긴장: 조선시대 유교정치사상사를 위한 분석틀의 모색", "『書經』의 통치관 속의 균형: 德 개념을 중심으로" 등이 있다.

김태진

서울대학교 외교학과를 졸업하고, 동 대학원에서 외교학 석사학위와 박사학위를 받았다. 도쿄대학교 방문연구원, 경희대학교 공공거버넌스연구소 학술연구교수 등을 거쳐 현재 동국대학교 일본학과 교수로 재직 중이다. 주요 저서와 논문으로는 『유길준의 사상세계: 동아시아 문맥과 지적 여정』 (공저), 『번역된 근대: 문부성 〈백과전서〉의 번역학』(공역), "대의제를 둘러싼 번역과 정치: representation의 번역어로서 대의/대표/상징", "메이지 천황의 '신성'함의 기원들: 메이지헌법 신성불가침 조항의 의미에 대하여" 등이 있다.

유불란

서울대학교 정치학과를 졸업하고, 일본 도쿄대학에서 정치학 석박사학위를 받았다. 현재 서강대 글로컬사회문화연구소 전임연구원으로 재직 중이다. 주요 논문으로는 "Whose Law to Apply?: Kwon I-jin's Official Report of a 1707 Waegwan Legal Dispute", "'제 나라에 대한 의리'의 정치적 함의

문제: 최명길의 주화론을 중심으로" 등이 있고, 주요 저서로는 『한국의 정치와 정치이념』, 『시민의 조건, 민주주의를 읽는 시간』(공저) 등이 있다.

김현주

성균관대학교 정치외교학과를 졸업하고, 동대학교에서 정치학 석사학위를 받았다. 동대학교에서 정치학 박사학위 과정을 수료 후 중국 칭화대학교에서 철학 박사학위를 받았다. 성균관대학교 성균중국연구소 연구교수로 근무했으며, 현재 원광대학교 한중관계연구원 교수로 재직 중이다. 주요 저역서로는 『만국공법』, 『춘추전국시대의 고민』 등이 있으며, 논문으로는 "중국의 전통적 천하관에 입각한 양계초의 세계주의", "문화소프트파워의 강화를 통한 신중화주의 질서의 세계화" 등이 있다.

한규선

경희대학교 정치외교학과를 졸업하고, 서울대학교에서 정치학 석사학위를, 영국 뉴캐슬대학교(The University of Newcastle upon Tyne)에서 정치학 박사학위를 받았다. 국가안보전략연구원 수석연구위원을 역임했으며, 현재 국가안보전략연구원 객원연구위원으로 활동하고 있다. 주요 저서와 논문으로는 『한국정치사상의 비교연구』(공저), 『현대유럽정치』(공저), 『한국의 권력구조논쟁 I』(공저), "자유주의에서 개인과 국가, 사회: J. S. Mill의 교육에 대한 국가의 개입 논의를 중심으로" 등이 있다.

김정부

서울대학교 정치학과를 졸업하고, 서울대학교에서 행정학 석사학위를, Georgia Institute of Technology 및 Georgia State University에서 정책학 박사학위를 받았다. International Budget Partnership에서 격년으로 실시

하는 예산투명성조사(Open Budget Survey)의 한국담당 연구자, 행정안전부 정보공개심의위원회 위원 등을 역임하고 있으며, 현재 경희대학교 행정학과 교수로 재직 중이다. 주요 논문으로는 "근대국가 통치성(governmentality)의 형성과 재정·예산제도의 발전", "Local Elected Administrators' Career Characteristics and Revenue Diversification as a Managerial Strategy", "Rethinking Public Administration and the State: A Foucauldian Governmentality Perspective" 등이 있다.

동양의 근대적 통치성

발행일 1쇄 2022년 6월 30일

지은이 이동수 편
펴낸이 여국동

펴낸곳 도서출판 인간사랑
출판등록 1983. 1. 26. 제일-3호
주소 경기도 고양시 일산동구 백석로 108번길 60-5 2층
물류센타 경기도 고양시 일산동구 문원길 13-34(문봉동)
전화 031)901-8144(대표) | 031)907-2003(영업부)
팩스 031)905-5815
전자우편 igsr@naver.com
페이스북 http://www.facebook.com/igsrpub
블로그 http://blog.naver.com/igsr
인쇄 인성인쇄 **출력** 현대미디어 **종이** 세원지업사

ISBN 978-89-7418-428-5 93340